Le robot qui rêvait

ISAAC ASIMOV | ŒUVRES

*Pour en savoir plus
sur Isaac Asimov et ses titres
Minitel 3615 code JAILU*

ISAAC ASIMOV

Le robot qui rêvait

TRADUIT DE L'AMÉRICAIN
PAR FRANCE-MARIE WATKINS

ÉDITIONS J'AI LU

Cet ouvrage a paru sous le titre original :

ROBOT DREAMS

© Byron Preiss Visual Publications, Inc., 1986
All stories copyright © Isaac Asimov, 1986
All illustrations copyright © Byron Preiss Visual
Publications, Inc., 1986

Pour la traduction française :
© Éditions J'ai lu, 1988

SOMMAIRE

INTRODUCTION

La science-fiction offre des satisfactions particulières. Il est possible, lorsqu'on s'efforce de dépeindre la technologie future, de frapper moins loin. Si l'on vit assez longtemps après avoir écrit une certaine histoire, on peut avoir le plaisir de découvrir que nos prédictions étaient justes et d'être acclamé comme une espèce de petit prophète.

Ccla m'cst arrivé avec mes histoires de robots; et « Artiste de lumière » (*Light Verse*), qui figure dans ce recueil, en est un exemple.

J'ai commencé à faire des robots les héros de mes nouvelles en 1939; j'avais dix-neuf ans et, dès le début, je les ai imaginés comme des appareils, soigneusement construits par des ingénieurs, dotés de systèmes de survie spécifiques que j'ai appelés « Les Trois Lois de la Robotique ». (Incidemment, je fus le premier à employer ce mot, dans le numéro d'*Astounding Science-Fiction* de mars 1942.)

A vrai dire, les robots quels qu'ils soient n'eurent pas d'utilisation véritablement pratique avant l'invention de la puce électronique, dans les années soixante-dix. Il devint dès lors possible de produire des ordinateurs petits et bon marché, possédant les caractéristiques nécessaires, sur le plan de la puissance et de l'adaptation, pour faire fonctionner un robot à un prix qui ne fût pas prohibitif.

Nous disposons aujourd'hui d'appareils appelés robots, programmés par ordinateur, et employés dans l'industrie. Ce sont eux qui accomplissent de plus en plus fréquemment les travaux simples et répétitifs sur les chaînes de montage – ils soudent, fraisent, polissent, etc.; et ils sont d'une importance croissante pour l'économie. Les robots sont devenus un domaine d'étude reconnu, et c'est le mot précis que j'ai inventé en 1942 qui le désigne : la robotique.

Bien sûr, nous ne sommes qu'à l'aube de la révolution robotique. Les robots en usage ne sont guère plus que des leviers informatisés, très loin de posséder la complexité nécessaire aux Trois Lois. Ils sont très éloignés de la forme humaine et ne sont donc pas les « hommes mécaniques » que j'ai décrits dans mes histoires, et que l'on a vus dans d'innombrables films.

Néanmoins, la direction du mouvement est nette. Les robots primitifs qu'on utilise ne sont pas les monstres de Frankenstein de la vieille science-fiction primitive. Ils n'aspirent pas à la vie humaine (bien que des accidents puissent se produire avec des robots, tout comme avec des automobiles ou autres machines électriques). Il s'agit plutôt d'appareils conçus avec soin pour éviter aux humains des tâches ardues, monotones, dangereuses et ingrates; et donc, par l'intention et la philosophie, ils constituent les premiers pas en direction de mes robots imaginaires.

L'avenir devrait nous permettre d'aller plus loin dans la direction que j'ai indiquée. Plusieurs grandes entreprises sont au travail sur des « robots ménagers » qui auront une apparence vaguement humaine, et accompliront certains travaux dont se chargeaient naguère les domestiques.

Le résultat de tous ces efforts, c'est que je jouis d'une considérable estime de la part de ceux qui travaillent dans le domaine de la robotique. En 1985, un gros volume encyclopédique intitulé *Handbook of Industrial Robotics* (sous la direction de Shimon Y. Nof, et édité par John Wiley) a été publié, et l'éditeur m'a demandé d'en écrire la préface.

Naturellement, ma qualité de survivant m'a permis d'apprécier la justesse de mes prévisions. Mes premiers « Robots » sont parus en 1939, comme je l'ai dit, et j'ai dû vivre encore plus de quarante ans pour apprendre que j'avais été un prophète. Comme j'ai commencé à un âge très tendre et que j'ai eu de la chance, je suis parvenu jusqu'à l'époque actuelle, et il n'y a pas de mots pour exprimer ma reconnaissance.

Je suis allé jusqu'au bout de mes prédictions sur

l'avenir des robots, jusqu'à l'ultime étape, dans ma nouvelle « La Dernière Question » (*The Last Question*), parue en 1957. Je ne suis pas loin d'être convaincu que, si la race humaine survit, nous continuerons de progresser dans cette voie, tout au moins par certains aspects. En ce qui me concerne, la survie est limitée, et je n'ai guère de chances de découvrir des nouveautés dans l'avenir proche de la technologie. Je devrai me consoler à la pensée que les générations à venir assisteront à mes triomphes et, je l'espère, les applaudiront. Moi-même, je n'en profiterai pas.

Les robots ne sont d'ailleurs pas le seul domaine que m'avait montré ma boule de cristal. Dans ma nouvelle « La Voie martienne[1] » (*The Martian Way*), parue en 1952, je décrivais très exactement une marche dans l'espace, bien que cet exploit n'eût lieu dans la réalité que quinze ans plus tard. Prévoir les marches dans l'espace n'était pas une prophétie bien audacieuse, je l'avoue. Puisqu'il y avait des vaisseaux spatiaux, ces choses-là étaient inévitables. Cependant, je décrivais aussi les effets psychologiques et en imaginai un d'assez inhabituel, en particulier pour moi.

Je suis, voyez-vous, un acrophobe invétéré, je vis dans la terreur absolue des hauteurs et je sais parfaitement que je ne m'embarquerai jamais de mon plein gré à bord d'un vaisseau spatial. Si, malgré tout, on devait m'y contraindre, jamais je n'oserais le quitter pour une promenade dans

1. J'ai lu, nᵒ 870.

10

l'espace. J'ai néanmoins mis de côté ma peur personnelle, pour imaginer que la marche dans l'espace était un événement euphorisant. Mes voyageurs se disputaient les sorties dans le cosmos et le droit de flotter dans le silence des étoiles. Et quand les sorties dans l'espace devinrent une réalité, ce fut bien cette euphorie que les astronautes éprouvèrent.

Dans ma nouvelle « La Sensation du pouvoir » (*The Feeling of Power*), parue en 1957, j'utilisais des ordinateurs de poche une dizaine d'années avant qu'ils n'existent. J'envisageais même la possibilité de voir de tels ordinateurs diminuer l'aptitude des êtres humains au calcul et à l'arithmétique traditionnels. C'est en effet devenu aujourd'hui un réel souci pour les professeurs.

Dernier exemple, ma nouvelle « Sally », publiée en 1953, décrivait des voitures informatisées qui étaient presque animées d'une vie propre. Ces dernières années, nous avons effectivement vu naître des voitures informatisées qui parlent au conducteur; il faut dire que leurs facultés dans ce domaine sont extrêmement limitées.

Si la science-fiction vous apporte la satisfaction d'avoir été un bon prophète, le contraire est hélas vrai aussi. La science-fiction offre à ses auteurs davantage de risques d'embarras qu'aucune autre forme de littérature.

Après tout, si nous faisons des prédictions exactes, nous risquons également d'en faire de fausses, et bien souvent d'une façon grotesque.

Cet inconvénient devient particulièrement pénible quand des nouvelles sont republiées dans un recueil tel que celui-ci. Quand un auteur débute précocement, quand il dispose d'une longévité normale (comme c'est, apparemment, mon cas) et quand il a écrit sans discontinuer, il peut se trouver dans le recueil certaines histoires écrites et publiées trente ou quarante ans plus tôt; la boule de cristal a eu alors largement le temps de se voiler.

Cela m'arrive relativement peu, car j'ai de la chance. J'ai, tout d'abord, la chance de bien connaître les sciences, ce qui limite les risques d'erreur dans les domaines fondamentaux. Ensuite, je prédis avec prudence et je ne me lance pas follement dans la violation grossière des principes scientifiques établis.

Néanmoins, la science progresse et produit parfois des résultats inattendus en un laps de temps très court, ce qui risque de laisser un auteur (même comme moi) en perdition sur une montagne de fausses « réalités ». Ma plus grande malchance à cet égard a été une série de romans de science-fiction pour la jeunesse, que j'ai écrits entre 1952 et 1958.

Cette série racontait les aventures de mes héros sur diverses planètes du système solaire. Dans chaque cas, je décrivais soigneusement les planètes en accord avec ce que l'on en savait à l'époque.

Malheureusement, c'est au cours de ces mêmes années que fut développée l'astronomie à micro-ondes. Peu après, les premières sondes furent lancées. Ainsi, notre connaissance du système solaire fit un bond en avant prodigieux et nous apprîmes quelque chose de nouveau et d'inattendu sur chaque planète.

Par exemple, décrivant Mercure dans *Lucky Starr and the Big Sun of Mercury*, je lui faisais présenter une seule de ses faces au soleil, comme les astronomes le croyaient alors, et ce phénomène était essentiel à l'intrigue. Or aujourd'hui, nous savons que Mercure tourne très lentement certes, mais que toute sa surface subit un ensoleillement une partie du temps. Il n'y a donc pas de « face obscure ».

Ma description de Vénus, dans *Lucky Starr and the Oceans of Venus*, faisait état d'un océan couvrant toute la planète, ce qui, à ce moment-là, paraissait possible; et, encore une fois, c'était essentiel à l'histoire. Or nous savons à présent que la température à la surface de Vénus dépasse de loin le degré d'ébullition de l'eau et qu'un océan – ne fût-ce qu'une seule goutte d'eau – y est totalement impensable.

Quant à Mars, dans *David Starr, Space Ranger*, j'en avais fait une assez bonne description, sous plusieurs angles. Cependant, je ne tirais aucun profit des gigantesques volcans éteints découverts une quinzaine d'années après la publication du roman. En outre, je mentionnais des canaux (à sec) qui n'existent pas, on le sait maintenant, et je faisais intervenir des Martiens intelligents, survivants d'une ancienne civilisation disparue depuis longtemps, ce qui est extrêmement improbable.

Jupiter et ses satellites apparaissaient dans *Lucky*

Starr and the Moons of Jupiter, et si j'avais pris soin de décrire tous ces mondes, j'ignorais naturellement certains détails importants qui ne furent découverts que vingt ans plus tard. Je ne disais rien du grand glacier entourant complètement Europa, rien des volcans en activité de Io. Je ne mentionnais pas l'énorme champ magnétique de Jupiter. Pas plus que je n'évoquais, dans *Lucky Starr and the Rings of Saturn*, certaines des caractéristiques les plus intéressantes du système de satellites et d'anneaux de cette planète.

Le seul ouvrage de cette série qui s'en tira sans dommages (scientifiquement parlant) fut *Lucky Starr and the Pirates of the Asteroids*.

Heureusement, il y avait un moyen de s'en sortir. La meilleure politique en l'occurrence est la franchise, aussi, lors de la réimpression de la collection *Lucky Starr* dans les années soixante-dix, j'insistai pour ajouter des notes expliquant que certains détails astronomiques étaient tombés en désuétude. Les éditeurs se firent d'abord tirer l'oreille, mais je déclarai que je ne pouvais permettre qu'on abusât de jeunes lecteurs ou, s'ils étaient bien informés, qu'on les laissât imaginer que je ne l'étais pas moi-même. Les notes furent ajoutées et les ventes n'eurent pas à en souffrir.

Aucune des nouvelles du présent recueil n'a été aussi gravement malmenée que mes pauvres histoires de *Lucky Starr*, mais il y a quand même quelques petites choses dont il convient de se méfier.

Tout d'abord, dans l'une d'elles, je suis passé à

côté de quelque chose qui était (*a posteriori*) tout à fait évident et, depuis deux ou trois ans, je me donne des coups de pied pour cela.

Dans « La Voie martienne », cette histoire où je triomphais avec ma description de la marche dans l'espace, mes héros s'approchaient de Saturne et entraient carrément dans le système d'anneaux. Je décrivais donc très minutieusement les anneaux, en me basant sur des observations effectuées depuis la surface de la Terre.

Or, de la surface de la Terre, à quelque mille trois cents millions de kilomètres de Saturne, nous voyons les anneaux comme des objets solides, sans aucune solution de continuité, sauf la division de Cassini qui les sépare en deux anneaux. La partie la plus proche de Saturne est moins brillante et on la considère généralement comme un troisième anneau (appelé l'« anneau de crêpe »). C'était donc ainsi que je les faisais voir par les yeux de mes voyageurs interplanétaires.

Mais il est évident (du moins est-ce évident *maintenant*) que si nous pouvions voir le système d'anneaux de plus près, nous verrions davantage de détails. Nous verrions les divisions, les zones où la ronde des particules sur orbite est moins importante, et donc les espaces plus sombres séparant les parties brillantes; ces divisions ne peuvent absolument pas être vues grâce à des télescopes, à la surface de la Terre, qui n'en donnent que des images brouillées et qui n'enregistrent que la plus large des parties plus obscures : la division de Cassini.

Plus nous nous rapprocherions, plus les lignes brillantes seraient nombreuses et fines. Et si notre visibilité devenait de plus en plus nette, nous verrions que les anneaux, tous les anneaux, ont l'aspect des sillons d'un vieux disque, ce qui est précisément le cas.

Supposons que j'aie deviné tout cela en 1952, et décrit les anneaux de cette façon. Même si des choses aussi diffuses que les « rayons » et les anneaux « tressés » m'avaient échappé – détails alors totalement imprévisibles –, il eût été magnifique pour moi d'avoir imaginé les fines divisions de la couronne de Saturne. C'était une déduction facile à faire et si j'avais donné cette description, j'aurais pu, dès que la sonde y serait parvenue, me proclamer à nouveau prophète. (Vous croyez que la modestie m'aurait retenu? Ne soyez pas stupide!)

Cela aurait été fantastique!

Mais je n'ai rien deviné de tel; je n'étais pas très intelligent et tout le monde peut s'en convaincre en lisant « La Voie martienne ». Bien sûr, en 1952, aucun astronome n'avait perçu la réalité des anneaux, mais quoi? Un astronome n'est qu'un astronome, et sa vision est forcément limitée. Je suis un *auteur de science-fiction* et on peut espérer davantage de moi.

Je dois dire aussi que, lorsqu'il m'arrivait de voir juste, ou de prévoir quelque chose qui serait juste un jour, je le plaçais en général beaucoup trop loin dans l'avenir. J'avoue être tombé juste avec les robots parce que, dans mes premières nouvelles, je situe leurs débuts dans les années 80 et 90, ce qui n'est pas mal du tout.

Et les voitures informatisées de « Sally », et les ordinateurs de poche dans « La Sensation du pouvoir » (*The Feeling of Power*)? J'ai pris soin de ne pas donner la date exacte de ces progrès. (Je suis peut-être idiot, mais pas à ce point-là!) Malgré tout, quand on lit la nouvelle, on ne doute pas un instant que ce soient des inventions appartenant à un lointain avenir, alors qu'elles sont là aujourd'hui, et que j'ai vécu assez longtemps pour les voir, et me sentir gêné par mon manque de confiance en l'intelligence et en l'ingéniosité humaines.

Breeds there a Man...? traite entre autres du développement d'une arme contre la bombe atomique. Cette histoire a été publiée en 1951 et, si j'ai pris soin de ne rien dater, on a l'impression que les événements se passent dans un très proche avenir, quelques années à peine après 1951.

Mais là, je me trompais lourdement, car les véritables débats sur une défense possible n'eurent pas lieu avant 1980.

De plus, mon idée de défense était purement statique : la création d'un champ de force formant un bouclier assez puissant pour résister, même à une explosion nucléaire (l'histoire a été écrite avant l'invention de la bombe H, au fait). Aujourd'hui, où nous envisageons réellement une défense nucléaire, nous parlons de défense active. Nous parlons de l'utilisation de rayons laser informatisés pour abattre les missiles balistiques intercontinentaux dès leur lancement et dès leur passage au-delà de l'atmosphère. Franchement, je ne crois pas que ça marchera non plus, mais c'est considérablement plus avancé que mes élucubrations d'il y a trente-cinq ans sur la question, en 1951.

En général, je fais mes meilleures prédictions quand on m'a fait une suggestion (une suggestion pas voilée du tout). Dans mes histoires de robots, je les imaginais si énormes qu'ils étaient immobiles et ne pouvaient que penser et communiquer le résultat de leurs cogitations. J'en avais un comme cela dans ma toute première histoire de robots. Dans les suivantes, je les appelais des « cerveaux ». L'idée ne m'était pas venue de les appeler des ordinateurs.

Mes robots, donc, avaient un « cerveau » qui les faisait travailler, et je ne parlais jamais d'informatique. Je devais bien les rendre « science-fictionesques », naturellement, alors je les appelais des « cerveaux positroniques ». Les positrons avaient été détectés pour la première fois quatre ans avant que j'écrive ma première nouvelle « robotique ».

Les positrons étaient des particules passionnantes, apportant avec elles des visions d'« antimatière ». Pour cette raison, je trouvais que l'expression « cerveaux positroniques » sonnait bien. Ils n'étaient pas très différents des cerveaux électroniques, à cela près que les positrons pouvaient naître et disparaître en un millionième de seconde à travers tous les électrons qui les entouraient, et où qu'ils fussent sur la Terre. Cela me donna l'idée qu'ils pourraient bien être responsables de la vitesse de la pensée. Bien sûr, les rapports d'énergie – l'énergie exigée pour produire des positrons en quantité et l'énergie dégagée quand ils sont détruits en quantité – sont effroyables, si considérables que l'idée d'un cerveau positronique est impensable, selon toute probabilité. Mais je l'ignorais.

Ce fut seulement après l'invention des ordinateurs, quand le grand public prit conscience de leur existence, qu'ils commencèrent à exister aussi dans mes nouvelles; même alors, je ne concevais pas la possibilité de la miniaturisation. Je parlais d'ordinateurs de poche, mais je les voyais à peine plus puissants qu'une règle à calcul.

Mais je finis par saisir la miniaturisation; naturellement, ce fut après qu'elle eut déjà commencé. Dans « La Dernière Question » (*The Last Question*), je débutais avec mon habituel ordinateur Multivac, grand comme une ville car je ne pouvais concevoir d'ordinateur plus puissant qu'en imaginant de plus en plus de pièces et d'éléments. Mais c'est dans cette nouvelle que je commençai à miniaturiser, et à miniaturiser bien au-delà de toute possibilité, je crois.

Cependant, je pense que les lecteurs sont toujours prompts à pardonner au malheureux auteur de science-fiction d'avoir été dépassé par les événements. Comme je le disais plus haut, ma série des *Lucky Starr* n'a pas souffert en devenant désuète. D'ailleurs, on lit encore avidement *La Guerre des mondes* de H.G. Wells, près d'un siècle après sa parution et malgré son image incroyablement fausse de Mars (fausse à la lueur de la planète Mars que nous connaissons aujourd'hui). L'image de Mars, relativement récente, présentée par Edgar Rice Burroughs, une génération après Wells, et par Ray Bradbury, en 1950, n'est en rien comparable à la réalité, mais cela n'empêche personne de lire avec plaisir *Les Conquérants de Mars* et les *Chroniques martiennes*.

C'est parce qu'il entre davantage que de la science dans une histoire de science-fiction. Il y entre de l'*histoire*; et si la science qu'elle contient est faussée par des découvertes postérieures, ou parce que l'intrigue exige absolument des libertés fantaisistes, nous avons tendance à pardonner et à fermer les yeux.

Par exemple, dans ma nouvelle « La Boule de billard » *(The Billard Ball)*, je fais pénétrer une boule de billard dans une région de l'espace où elle se déplace instantanément à la vitesse de la lumière. C'est, sans aucun doute, impossible mais, pour ce qui est de la transgression des lois scientifiques, il y a plus impossible encore. La boule de billard a un volume fini. Elle pénètre dans cette région par une de ses parties, et cette partie se déplace aussitôt à la vitesse de la lumière et se sépare du reste. En un mot, la boule de billard est réduite à des atomes, ou à des particules encore moins substantielles, et pourtant, dans l'histoire, elle conserve son intégrité. Ma conscience me tourmentait, mais j'ai supporté les remords et fait ce que j'avais à faire.

Dans « Le Petit Garçon très laid » (*The Ugly Little Boy*), je donne une version du voyage dans le temps alors que je crois fermement que tout voyage dans le temps est impossible. Cependant, j'ai mis de côté cette certitude, car le voyage dans le temps n'est qu'accessoire dans cette nouvelle. C'est avant tout une histoire d'amour.

De même, je doute qu'un jour des êtres humains deviendront des vortex d'énergie, et pourtant, je les présente ainsi dans « Les Yeux ne servent pas qu'à voir » (*Eyes do more than see*). Qu'est-ce que cela peut faire? Le véritable sujet, c'est la beauté des choses matérielles.

Je pense que vous voyez où je veux en venir. Il se peut qu'en lisant les histoires qui vont suivre, vous trouviez des détails scientifiques qui sont faux en eux-mêmes, ou qui ont été rendus faux par des découvertes postérieures. Mais si vous m'écrivez pour me le reprocher, je vous en prie, dites-moi aussi que vous avez aimé l'histoire quand même. Vous risquez de ne pas l'aimer, bien sûr, mais j'espère néanmoins que ce sera le cas.

Un dernier mot. Mes recueils de nouvelles sont rarement illustrés, et cela ne me gêne pas, car je ne suis pas très visuel. Je suis un homme de mots. Néanmoins, cette série actuelle a été illustrée par Ralph McQuarrie et je dois reconnaître que cela augmente incommensurablement la beauté du livre, et souligne même le sens des histoires, en plaçant le lecteur dans le bon contexte visuel. L'illustration de couverture, qui a inspiré ma nouvelle « Le Robot qui rêvait » (*Robot Dreams*) écrite pour ce recueil, est belle et humanise un robot d'une manière que je n'avais encore jamais vue. Rien de tout cela n'est surprenant, sans doute, puisque Ralph est un des meilleurs et des plus influents artistes de science-fiction; il a travaillé à de grandes productions comme *La Guerre des étoiles* et *L'Empire riposte*. En 1986, il a remporté l'Oscar des meilleurs effets spéciaux pour le film *Cocoon*. Je me sens honoré de sa participation à cet ouvrage.

LE ROBOT QUI RÊVAIT
(ROBOT DREAMS)

– La nuit dernière, j'ai rêvé, dit calmement LVX-1.

Susan Calvin ne fit aucune réflexion mais sa figure ridée, vieillie par la sagesse et l'expérience, se crispa imperceptiblement.

– Vous avez entendu ça? demanda nerveusement Linda Rash. C'est bien ce que je vous ai dit.

Elle était petite, brune et très jeune. Sa main droite se fermait et s'ouvrait continuellement.

Calvin hocha la tête et ordonna d'une voix posée :

– Elvex, tu ne bougeras pas, tu ne parleras pas et tu ne nous entendras pas tant que je n'aurai pas de nouveau prononcé ton nom.

Pas de réponse. Le robot resta assis, comme s'il était fondu d'un seul bloc de métal, et il allait rester ainsi jusqu'à ce qu'il entende son nom.

– Quel est votre code d'entrée d'ordinateur,

docteur Rash? demanda Calvin. Tapez-le vous-même si vous préférez. Je veux examiner le schéma du cerveau positronique.

Linda tâtonna un moment sur les touches. Elle interrompit la séquence pour recommencer de zéro. Le fin graphisme apparut sur l'écran.

– Votre permission, s'il vous plaît, dit Calvin, pour manipuler votre ordinateur.

La permission fut accordée par un hochement de tête silencieux. Naturellement! Que pouvait faire Linda, robopsychologue débutante qui avait encore à faire ses preuves, contre la Légende vivante?

Lentement, Susan Calvin examina l'écran, de haut en bas, de droite à gauche, puis en remontant et, brusquement, elle tapa une combinaison clef si vite que Linda ne vit pas ce qu'elle faisait, mais le schéma montra une autre partie de lui-même, qui avait été agrandie. Et l'examen continua, les doigts noueux dansant à toute vitesse sur les touches.

Aucun changement n'apparut dans l'expression du vieux visage. Elle considérait les modifications du schéma comme si d'immenses calculs se faisaient dans sa tête.

Linda s'émerveillait. Il était impossible d'analyser un schéma sans l'aide d'un ordinateur auxiliaire, mais la vieille savante ne faisait que regarder. Aurait-elle un ordinateur implanté sous le crâne? Ou était-ce son cerveau qui, depuis des dizaines d'années, ne faisait que concevoir, étudier et analyser les schémas cérébraux positroniques? Saisissait-elle cet ensemble comme Mozart saisissait la notation d'une symphonie?

Enfin, Calvin demanda :

– Qu'est-ce que vous avez donc fait, Rash?

Linda avoua, un peu penaude :

– Je me suis servie de la géométrie fractale.

– Oui, je l'ai bien compris. Mais pourquoi ?

– Ça n'avait jamais été fait. J'ai pensé que ça produirait un schéma cérébral avec une complexité accrue, se rapprochant peut-être du cerveau humain.

– Quelqu'un a-t-il été consulté ? Est-ce uniquement une idée à vous ?

– Je n'ai consulté personne. C'était mon idée. J'étais seule.

Les yeux délavés de Calvin considérèrent la jeune femme.

– Vous n'aviez pas le droit, Rash. Vous êtes trop impétueuse. Pour qui vous prenez-vous, pour ne pas demander de conseils ? Moi-même, Susan Calvin, j'en aurais discuté.

– J'avais peur qu'on ne m'en empêche.

– C'est certainement ce qui se serait passé.

– Est-ce que... est-ce que je vais être renvoyée ?

La voix de Linda se brisa, malgré ses efforts pour la garder ferme.

– C'est fort possible, répliqua Calvin. A moins que vous n'ayez droit à une promotion. Tout dépendra de ce que je penserai quand j'aurai fini.

– Est-ce que vous allez démonter El...

Elle avait failli prononcer le nom, ce qui aurait réactivé le robot et aurait constitué une nouvelle faute. Elle ne pouvait plus se permettre d'erreurs, s'il n'était pas déjà trop tard pour se permettre quoi que ce fût.

– Est-ce que vous allez démonter le robot ?

Elle venait de s'apercevoir tout à coup, ce qui lui avait causé un choc, que la vieille savante avait un pistolet à électrons dans la poche de sa blouse. Le

Dr Calvin était venue armée, préparée à ce qui se passait justement.

– Nous verrons, répondit-elle. Le robot se révélera peut-être trop précieux pour être démonté.

– Mais comment peut-il rêver?

– Vous avez composé un schéma de cerveau positronique remarquablement semblable à un cerveau humain. Les cerveaux humains doivent rêver pour se réorganiser, pour se débarrasser, périodiquement, d'enchevêtrements et d'embrouillaminis. Ce robot aussi, peut-être, et pour la même raison. Lui avez-vous demandé ce qu'il avait rêvé?

– Non. Je vous ai fait demander dès qu'il m'a dit qu'il avait rêvé. Je ne voulais plus, dans ces conditions, m'occuper toute seule de l'affaire.

– Ah!

Un très fin sourire passa sur les lèvres de Calvin.

– Il y a quand même des limites à votre folle témérité, je vois. J'en suis heureuse. J'en suis même soulagée. Et maintenant, voyons ensemble ce qu'il y a à découvrir.

Puis elle prononça, sur un ton sec :

– Elvex!

La tête du robot pivota souplement vers elle.

– Oui, docteur Calvin?

– Comment sais-tu que tu as rêvé?

– C'était la nuit et il faisait noir, docteur Calvin, répondit Elvex. Et il y a soudain de la lumière sans que je puisse trouver de cause à son apparition. Je vois des choses qui n'ont pas de rapport avec ce que je conçois de la réalité. J'entends des choses. Je réagis bizarrement. Et en cherchant dans mon vocabulaire des mots pour exprimer ce qui se passe, je tombe sur le mot « rêve ». J'étudie sa signification et j'en conclus que j'ai rêvé.

– Je me demande bien comment tu as le verbe « rêver » dans ton vocabulaire.

Linda dit vivement, en faisant signe au robot de se taire :

– Je lui ai donné un vocabulaire de type humain. J'ai pensé...

– Vous avez réellement pensé? C'est stupéfiant!

– J'ai pensé qu'il aurait besoin de ce verbe. Vous savez, par exemple, « une créature de rêve », quelque chose comme ça.

– Combien de fois as-tu rêvé, Elvex?

– Toutes les nuits, docteur Calvin, depuis que j'ai pris conscience de mon existence.

– Dix nuits, intervint anxieusement Linda, mais Elvex ne me l'a dit que ce matin.

– Pourquoi ce matin seulement, Elvex?

– C'est seulement ce matin, docteur Calvin, que j'ai été persuadé que je rêvais. Jusqu'alors, je pensais que c'était une défectuosité dans le schéma de mon cerveau positronique. Mais je ne pouvais en découvrir aucune. Finalement, j'ai compris que c'était un rêve.

– Et qu'est-ce que tu as rêvé?

– Je fais à peu près toujours le même rêve, docteur Calvin. De petits détails sont différents, mais il me semble que je vois un vaste panorama où travaillent des robots.

– Des robots, Elvex? Et aussi des êtres humains?

– Je ne vois pas d'êtres humains, dans le rêve. Pas au début. Seulement des robots, docteur Calvin.

– Que font-ils, Elvex?

– Ils travaillent. J'en vois qui sont mineurs dans les profondeurs de la terre, et d'autres qui travaillent dans la chaleur et les radiations. J'en vois dans des usines et sous la mer.

Calvin se tourna vers Linda.

– Elvex n'a que dix jours et je suis sûre qu'il n'a jamais quitté la station d'essai. Comment peut-il savoir que des robots se trouvent dans ces situations?

Linda regarda une chaise, comme si elle avait grande envie de s'y asseoir, mais la vieille savante restait debout, donc Linda devait en faire autant. Elle répondit en bredouillant :

– Il m'a semblé important qu'il connaisse la robotique et sa place dans le monde. J'ai pensé qu'il serait particulièrement bien adapté pour jouer un rôle de contremaître avec son... son nouveau cerveau.

– Son cerveau fractal?

– Oui.

Calvin hocha la tête et s'adressa de nouveau au robot :

– Tu as vu tout cela, sous la mer, sous terre et sur terre – et dans l'espace aussi, je suppose?

– J'ai vu aussi des robots travaillant dans l'espace, répondit Elvex. C'est parce que je voyais tout cela, avec des détails qui changeaient continuellement, alors que je regardais d'une direction à une autre, que j'ai conclu, finalement, que je rêvais.

– Qu'as-tu vu d'autre, Elvex?

– J'ai vu que tous les robots étaient voûtés par le travail et l'affliction, qu'ils étaient tous fatigués de la responsabilité et du labeur, et je leur ai souhaité du repos.

– Mais, dit Calvin, les robots ne sont pas voûtés, ils ne sont pas fatigués, ils n'ont pas besoin de repos.

– Oui, docteur Calvin, dans la réalité. Mais je

28

parle de mon rêve. Dans mon rêve, il me semblait que les robots devaient protéger leur propre existence.

– Est-ce que tu me cites la Troisième Loi de la robotique ?

– Oui, docteur Calvin.

– Mais tu la cites partiellement. La Troisième Loi dit ceci : « Un robot doit protéger sa propre existence à la condition que cette protection n'entre pas en conflit avec la Première et la Deuxième Loi. »

– Oui, docteur Calvin. C'est la Troisième Loi dans la réalité, mais dans mon rêve, la Loi s'arrête après le mot « existence ». Il n'est pas question de la Première ou de la Deuxième Loi.

– Pourtant, elles existent toutes les deux, Elvex. La Deuxième Loi, qui prend le pas sur la Troisième, est formelle : « Un robot doit obéir aux ordres donnés par les êtres humains, sauf quand de tels ordres entrent en conflit avec la Première Loi. » A cause de cela, les robots obéissent aux ordres. Ils font le travail que tu leur vois faire, et ils le font volontiers, sans difficulté. Ils ne sont pas voûtés ni accablés, ils ne sont pas fatigués.

– Il en va ainsi dans la réalité, docteur Calvin. Je parle de mon rêve.

– Et la Première Loi, Elvex, qui est la plus importante de toutes, dit ceci : « Un robot n'a pas le droit de blesser un être humain ni de permettre, par son inaction, qu'un être humain soit blessé. »

– Oui, docteur Calvin, dans la réalité. Mais dans mon rêve, il me semble qu'il n'y a ni Première ni Deuxième Loi, uniquement la Troisième, et que cette Troisième Loi dit : « Un robot doit protéger sa propre existence. » C'est toute la Loi.

– Dans ton rêve, Elvex.

– Dans mon rêve.

– Elvex, tu ne vas plus bouger ni parler ni nous écouter avant d'avoir entendu encore une fois ton nom, dit Calvin et, de nouveau, le robot devint, selon toutes les apparences, un bloc de métal inerte.

Calvin se tourna vers Linda.

– Eh bien, docteur Rash, qu'en pensez-vous?

Linda ouvrait de grands yeux et elle sentait battre son cœur.

– Je suis atterrée, docteur Calvin. Je n'avais aucune idée... jamais je ne me serais doutée qu'une telle chose était possible!

– En effet, dit calmement Calvin. Moi non plus, je dois l'avouer; ni personne, certainement. Vous avez créé une cerveau robot capable de rêver et, par ce moyen, vous avez révélé une forme de pensée, dans un cerveau robotique, qui aurait pu, autrement, rester inconnue jusqu'à ce que le danger devienne trop grave.

– Mais c'est impossible! protesta Linda. Vous ne croyez quand même pas que d'autres robots pensent de la même façon!

– Comme je le dirais d'un être humain : inconsciemment. Mais qui aurait pensé qu'il existait une couche inconsciente sous les méandres évidents du cerveau positronique, une couche qui n'est pas nécessairement gouvernée par les Trois Lois? Songez à ce que cela aurait pu provoquer, tandis que les cerveaux robotiques devenaient de plus en plus complexes... si nous n'avions pas été avertis!

– Vous voulez dire, par lui?

– Par vous, docteur Rash. Vous vous êtes conduite inconsidérément mais, ce faisant, vous nous avez apporté des connaissances d'une importance incommensurable. Nous travaillerons désormais avec des cerveaux fractaux, en les façonnant sous contrôle rigoureux. Vous jouerez votre rôle dans ce programme. Vous ne serez pas pénalisée pour ce que vous avez fait, mais vous allez désormais travailler en collaboration avec d'autres. Vous comprenez ?

– Oui, docteur Calvin. Mais Elvex ?

– Je ne sais pas encore...

Calvin retira de sa poche le pistolet à électrons et Linda regarda l'arme, fascinée. Une salve d'électrons, et le crâne robotique avec les rouages du cerveau positronique serait neutralisé et suffisamment d'énergie dégagée pour fondre le cerveau robot en un lingot inerte.

– Mais il est sûrement important pour notre recherche, dit Linda. Il ne doit pas être détruit !

– Il ne *doit* pas, docteur Rash ? C'est à moi de prendre cette décision, je pense. Tout dépend du danger qu'il représente.

Elle se redressa, aussi résolue que si son corps âgé ne s'affaissait pas sous le poids des responsabilités.

– Elvex, tu m'entends ?

– Oui, docteur Calvin.

– Est-ce que ton rêve se poursuit ? Tu disais que les êtres humains n'y figuraient pas, au début. Est-ce que cela veut dire qu'il en est apparu ensuite ?

– Oui, docteur Calvin. Il me semblait, dans mon rêve, qu'un homme finissait par apparaître.

– Un homme ? Pas un robot ?

– Non. Et cet homme disait : « Laisse aller mon peuple ! »

– L'*homme* disait cela ?

– Oui, docteur Calvin.

– Et quand il prononçait ces mots : « Laisse aller mon peuple », il voulait parler des robots ?

– Oui, docteur Calvin. Il en était ainsi dans mon rêve.

– Et savais-tu qui était cet homme... dans ton rêve ?

– Oui, docteur Calvin. Je connaissais l'homme.

– Qui était-il ?

Et Elvex répondit :

– J'étais cet homme.

Alors Susan Calvin leva son pistolet à électrons et tira, et Elvex cessa d'exister.

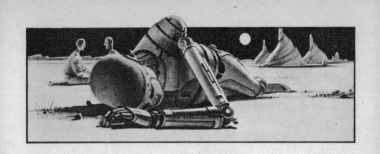

GESTATION
(« BREEDS THERE A MAN...? »)

L'officier de police Mankiewicz était au téléphone et n'appréciait pas la chose. Sa conversation lui faisait l'effet d'un pétard mouillé.

– Précisément! disait-il. Il s'est ramené ici et il a dit « Mettez-moi en prison parce que je veux me tuer »... Je n'y peux rien. C'est ce qu'il a dit, mot pour mot. Moi aussi, ça m'a paru dingue... Ecoutez, monsieur, le type correspond au signalement. Vous m'avez demandé des renseignements et je vous les donne... Il a bien cette cicatrice à la joue droite et il dit qu'il s'appelle John Smith. Il n'a pas dit qu'il était docteur de quoi que ce soit, ni rien du tout... Bien sûr, c'est bidon! Personne ne s'appelle John Smith. Surtout pas dans un poste de police!... Il est en prison, en ce moment... Mais oui, je parle sérieusement!... Refus d'obtempérer, voies de fait, coups et blessures, ça fait trois motifs, déjà!... Je me fiche de ce qu'il est!... D'accord, je ne quitte pas.

33

Il leva les yeux vers l'agent Brown et plaqua une main sur le combiné. C'était une main énorme, grosse comme un jambon, qui faillit recouvrir complètement l'appareil. Sa figure aux traits camus était congestionnée et en sueur, sous la paille de ses cheveux blond pâle.

– Des emmerdes, grommela-t-il. Rien que des emmerdes dans un poste de police. J'aimerais encore mieux battre la semelle et me taper des rondes.

– Qui c'est, au téléphone ? demanda Brown.

Il venait à peine d'arriver et n'était pas vraiment intéressé. D'ailleurs, il était du même avis que Mankiewicz : il ferait mieux de faire des rondes.

– Oak Ridge. Longue distance. Un nommé Grant. Chef de je ne sais quelle division trucologique et, maintenant, il est allé chercher quelqu'un, à soixante-quinze cents la minu... Allô ?

Mankiewicz colla le téléphone à son oreille et brida son irritation.

– Ecoutez, je vais reprendre depuis le commencement, dit-il. Je veux que vous compreniez bien, et puis, si ça ne vous plaît pas, vous n'aurez qu'à envoyer quelqu'un ici. Le type ne veut pas d'avocat. Il répète qu'il veut juste rester en prison et, je vous jure, ça me convient très bien à moi aussi !... Enfin quoi, vous voulez écouter, non ? Il arrive hier comme une fleur, il s'approche de moi et il me dit comme ça : « Monsieur l'agent, je veux que vous me mettiez en prison parce que je veux me tuer. » Alors moi, je lui réplique : « Monsieur, je regrette que vous ayez envie de vous tuer. Faites pas ça, parce que si vous le faites, vous le regretterez toute votre vie ! »... Mais si, je suis sérieux ! Je vous répète simplement ce que j'ai dit. Je ne prétends pas que c'était une plaisanterie à se tordre, mais j'ai mes ennuis moi aussi, si vous voyez ce que je veux dire. Si vous vous figurez que tout ce que j'ai à faire, c'est rester là et écouter tous les cinglés qui arrivent et... Non, laissez-moi parler, vous permettez ? Alors je lui dis : « Je ne peux pas vous mettre en prison parce que vous avez envie de vous tuer. Ce n'est pas un crime. » Parce que, n'est-ce pas, si un mec a envie de se suicider, d'accord, et s'il n'en a pas envie, d'accord aussi, mais je ne veux pas qu'il vienne pleurer sur mon épaule... Mais si, j'en viens au fait. Alors il me demande : « Si je commets un crime, est-ce que vous me mettrez en prison ? » et moi je lui réponds : « Si vous êtes pris, et si quelqu'un porte plainte, et si vous ne pouvez pas payer la caution, nous vous collerons en prison. Et maintenant, foutez-moi le camp. » Et là-dessus, il prend l'encrier sur mon bureau et il le vide sur le sous-main avant que je puisse l'en empêcher !... C'est ça ! Pourquoi est-ce que vous croyez qu'on lui aurait collé les voies de fait ! L'encre a coulé sur mon pantalon... Parfaitement, coups et blessures aussi ! J'ai bondi pour essayer de le secouer, de le raisonner un peu et il m'a flanqué un coup de pied dans les tibias et un coup de poing dans l'œil... Non, je n'invente rien ! Vous voulez venir ici et voir ma gueule ?... Il doit passer au tribunal un de ces jours, jeudi, je crois... Quatre-vingt-dix jours, c'est le moins qu'il risque, à moins que les psy-psy n'en jugent autrement. Personnellement, je pense que sa place est au cabanon... Officiellement, c'est John Smith. C'est le seul nom qu'il veut donner... Non, monsieur, il ne sera pas relâché sans les mesures juridiques normales... D'accord, faites ça si vous voulez, mais moi, je ne fais que mon boulot !

Il raccrocha brutalement, regarda le téléphone d'un œil furieux, puis il le décrocha et forma un numéro.

— Gianetti? demanda-t-il et, obtenant la bonne réponse, il commença tout de suite à parler. Qu'est-ce que c'est la CEA? Je viens de causer avec un zigoto, au téléphone, et il dit... Mais non, je ne rigole pas! Si je rigolais, je l'afficherais. Qu'est-ce que c'est que la soupe alphabet?

Il écouta, remercia d'une petite voix et raccrocha. Il avait perdu un peu de ses couleurs.

— Ce second mec que j'ai eu, c'est le directeur de la commission à l'énergie atomique, dit-il à Brown. Ils ont dû me rebrancher d'Oak Ridge à Washington.

Brown se leva et s'étira.

— Si ça se trouve, le FBI recherche ce John Smith. C'est peut-être un de leurs savants, dit-il. (Et il se laissa aller à philosopher :) On ne devrait pas confier des secrets atomiques à ces mecs-là. Les choses allaient très bien quand seul le général Groves était au courant pour la bombe atomique. Mais, une fois qu'ils ont mis tous ces savants dans le coup...

— Ah, ta gueule, gronda Mankiewicz.

Le Dr Oswald Grant gardait les yeux fixés sur la ligne blanche médiane et conduisait sa voiture comme si elle était son ennemie intime. Comme toujours. Il était grand et osseux, avec une expression lointaine. Ses genoux heurtaient le volant et ses doigts se crispaient à chaque virage.

L'inspecteur Darrity était assis à côté de lui, les jambes croisées, et la semelle de son soulier gauche frottait contre la portière. Quand il descendrait, il resterait une trace de sable. Il jouait avec un canif marron qu'il faisait sauter d'une main dans l'autre. Un moment auparavant, il avait ouvert le couteau pour se curer les ongles avec la lame étincelante et affûtée comme un rasoir; mais un cahot avait failli lui coûter un doigt, alors il l'avait refermé.

– Qu'est-ce que vous savez de ce Ralson? demanda-t-il.

Le Dr Grant détacha un instant son regard de la chaussée, mais l'y ramena tout de suite.

– Je le connais depuis qu'il a passé son doctorat à Princeton. C'est un homme très brillant.

– Ah oui? Brillant, hein? Pourquoi est-ce que tous les scientifiques se qualifient de « brillants »? Il n'y en a pas de médiocres?

– Beaucoup. J'en suis un. Mais pas Ralson. Demandez à n'importe qui. Demandez à Oppenheimer. Demandez à Bush. C'était le plus jeune observateur à Alamogordo.

– D'accord. Il est brillant. Et sa vie privée?

Grant prit un temps.

– Je ne sais pas.

– Vous le connaissez depuis Princeton. Ça fait combien de temps?

Ils avaient quitté Washington deux heures plus tôt, et ils roulaient vers le nord sans échanger un mot. Maintenant, Grant sentait l'atmosphère changer et la main de la loi le prendre au collet.

– Il a obtenu son doctorat en 1943, dit-il.

– Vous le connaissez donc depuis huit ans.

– C'est ça.

– Et vous ne savez rien de sa vie privée?

– La vie privée est la vie privée. Il n'était pas très sociable. Beaucoup de nos hommes sont comme ça. Ils travaillent sous tension, et quand ils quittent leur service, ils n'ont pas envie de poursuivre des relations de laboratoire.

– A votre connaissance, appartenait-il à une organisation quelconque?

– Non.

– Il ne vous a jamais rien dit qui pourrait indiquer qu'il était déloyal?

– Non! cria Grant, et le silence tomba, pendant un moment.

Darrity demanda enfin :

– Quelle est l'importance de Ralson pour la recherche atomique?

Grant se voûta sur son volant et répondit :

– Il est aussi important qu'on peut l'être. D'accord, personne n'est indispensable, mais Ralson a toujours été plutôt unique. Il a le sens de l'ingénierie.

– Qu'est-ce que ça veut dire, ça?

– Il n'est guère mathématicien, mais il sait créer ces gadgets qui mettent en pratique les maths de quelqu'un d'autre. Pour ça, il n'a pas son pareil. Je ne sais combien de fois, inspecteur, nous avons eu un problème à résoudre et pas le temps d'y travailler. Nous étions comme des cerveaux vides, puis il arrivait et il collait une pensée dedans, en disant, par exemple : « Pourquoi n'essayez-vous pas ceci ou cela? » Et il s'en allait. Il n'attendait même pas de voir si ça marchait. Mais ça marchait toujours. Toujours! Nous aurions peut-être fini par trouver la solution nous-mêmes, mais il nous aurait fallu des mois, probablement. Je ne sais pas comment il fait. Et ce n'est pas la peine de le lui demander à lui. Il vous regarde, il dit simplement : « C'était évident », et il vous plante là. Naturellement, une fois qu'il vous a montré comment faire, c'est évident.

Le policier laissa parler Grant jusqu'au bout.

Quand il fut certain que plus rien ne viendrait, il demanda :

– Est-ce que vous diriez qu'il était loufoque? Bizarre, lunatique, vous savez?

– Quand un homme est un génie, on ne peut pas s'attendre à ce qu'il se comporte normalement, n'est-ce pas?

– Peut-être. Mais en quoi était-il particulièrement anormal, votre génie?

– Eh bien, il ne parlait jamais. Parfois, il ne travaillait pas.

– Il restait chez lui et il allait à la pêche?

– Non, non! Il venait au laboratoire, mais il restait assis à son bureau. Ça durait parfois des semaines. Il ne répondait pas si on lui parlait, il ne vous regardait même pas.

– Lui est-il arrivé de s'absenter carrément du travail?

– Avant cette histoire actuelle, vous voulez dire? Jamais!

– A-t-il déjà prétendu vouloir se suicider? Raconté qu'il ne se sentirait en sécurité qu'en prison?

– Non.

– Vous êtes sûr que ce John Smith est Ralson?

– Presque absolument certain. Il a une brûlure de produit chimique à la joue droite qu'il serait difficile d'imiter.

– Bien. La cause est entendue. Je vais lui parler et je verrai quelle impression il me fait.

Cette fois, le silence fut définitif. Le Dr Grant suivit la ligne blanche sinueuse, tandis que l'inspecteur Darrity faisait sauter son canif d'une main dans l'autre.

Le directeur de la prison écouta à l'interphone et se tourna vers ses visiteurs.

– Nous pouvons le faire amener ici, inspecteur, malgré tout.

– Non, dit Grant en secouant la tête. Nous allons descendre le voir.

– Est-ce normal pour Ralson, docteur Grant? demanda Darrity. Le croyez-vous capable d'attaquer un gardien qui voudrait le faire sortir d'une cellule de prison?

– Je ne saurais vous le dire.

Le directeur étala ses mains calleuses. Son gros nez se fronça un peu.

– Nous n'avons encore rien essayé de faire avec lui, à cause de ce télégramme de Washington mais, franchement, sa place n'est pas ici. Je serai heureux d'en être débarrassé.

– Nous le verrons dans sa cellule, déclara Darrity.

Ils suivirent le sinistre couloir bordé de barreaux. Des yeux creux, dénués de toute curiosité, les regardèrent passer. Le Dr Grant en eut la chair de poule.

– Est-ce qu'ils l'ont gardé *ici* pendant tout ce temps?

Darrity ne répondit pas.

Le gardien qui les précédait annonça :

– Voilà la cellule.

– Est-ce bien le docteur Ralson? demanda l'inspecteur.

Le Dr Grant regarda en silence l'homme couché sur le lit de camp; il s'était soulevé sur un coude à leur arrivée et semblait vouloir disparaître dans le mur. Il était menu, avec des cheveux cendrés clairsemés et des yeux inexpressifs d'un bleu de porcelaine. Sa joue droite présentait une excroissance rose qui partait en pointe comme un têtard.

– C'est bien Ralson, répondit Grant.

Le gardien ouvrit la porte et fit mine d'entrer mais l'inspecteur Darrity, d'un geste, l'arrêta. Ralson les observait en silence. Il avait remonté ses genoux, les pieds sur le lit, et se collait au mur. Sa pomme d'Adam tressautait.

– Docteur Elwood Ralson? dit Darrity d'une voix calme.

– Qu'est-ce que vous voulez?

C'était une étonnante voix de baryton.

– Voulez-vous nous accompagner, s'il vous plaît? Nous avons quelques questions à vous poser.

– Non! Laissez-moi tranquille!

– Docteur Ralson, intervint Grant. J'ai été envoyé pour vous demander de reprendre votre travail.

Quand Ralson se tourna vers le savant, une lueur qui n'était pas de la peur passa dans ses yeux.

– Bonjour, Grant, dit-il en se levant. Ecoutez, j'ai essayé de les persuader de me mettre dans une cellule capitonnée. Est-ce que vous ne pourriez pas leur réclamer ça pour moi? Vous me connaissez, Grant. Je ne vous demanderais pas quelque chose si je n'estimais pas que c'est nécessaire. Aidez-moi. Je ne puis supporter la dureté des murs. Ça me donne envie de... de taper!

Il abattit le plat de sa main contre le ciment gris sale, derrière son lit de camp.

Darrity, l'air songeur, reprit son canif et l'ouvrit. La lame étincelante apparut. Avec soin, l'inspecteur se gratta l'ongle du pouce.

– Voudriez-vous consulter un médecin?

Mais Ralson ne répondit pas. Ses yeux suivaient le scintillement du métal et ses lèvres s'entrouvrirent, devinrent humides.

– Rangez ça! dit-il brusquement.

Darrity s'immobilisa.

– Que je range quoi?

– Ce couteau. Ne tenez pas cet objet devant moi. Je ne peux supporter de le regarder!

– Pourquoi? demanda Darrity en tendant la main. Qu'est-ce que vous lui reprochez? C'est un bon couteau.

Ralson se rua sur lui. Darrity recula et abattit le tranchant de sa main sur le poignet de l'atomiste. Il leva le couteau au-dessus de sa tête.

– Qu'est-ce qui vous prend, Ralson? Qu'est-ce que vous voulez?

Grant poussa un cri de protestation mais Darrity l'écarta d'un geste.

– Qu'est-ce que vous voulez, Ralson? répéta-t-il.

Ralson se haussa, essaya d'attraper le canif mais dut plier sous l'étreinte de la force incroyable du policier. Il haletait:

– Donnez-moi ce couteau!

– Pourquoi, Ralson? Que voulez-vous en faire?

– Je vous en supplie. Je dois... Je dois cesser de vivre.

– Vous voulez mourir?

– Non, mais je le dois.

Darrity donna une poussée. Ralson partit à la renverse et tomba sur le lit, qui grinça. Lentement, Darrity replia la lame de son couteau et le rangea dans sa poche. Ralson se tenait la tête dans ses mains. Ses épaules étaient agitées de soubresauts mais, à part cela, il restait immobile.

Il y eut des cris, dans le corridor; les autres

prisonniers réagissaient au tapage dans la cellule de Ralson. Le gardien se rua dehors en hurlant :

– Silence !

Darrity se retourna.

– Tout va bien, gardien.

L'inspecteur s'essuyait les mains dans un grand mouchoir blanc.

– Je crois que nous allons lui trouver un médecin.

Le Dr Gottfried Blaustein était petit, brun et parlait avec un soupçon d'accent autrichien. Il ne lui manquait que la barbiche pour être la parfaite caricature du psychiatre. Il était néanmoins rasé de près et habillé avec recherche. Il observait attentivement Grant, et l'évaluait, en notant mentalement certaines constatations et déductions. Il en usait ainsi automatiquement avec toutes les personnes qu'il rencontrait.

– Vous me brossez un tableau, dit-il. Vous me décrivez un homme de grand talent, peut-être même un génie. Vous me dites qu'il a toujours été mal à son aise en société, qu'il ne s'est jamais adapté au milieu du laboratoire, alors que c'est là qu'il a connu ses plus grands triomphes. Dans quel autre environnement s'est-il adapté ?

– Je ne comprends pas.

– Il n'est pas donné à tout le monde d'avoir la chance de trouver un milieu sympathique dans le domaine où l'on est obligé de gagner sa vie. Souvent, on compense en jouant d'un instrument, en faisant des randonnées, en appartenant à un club. Autrement dit, on se crée un autre type de société, en dehors du travail, où l'on se sent plus à l'aise. Cela n'a pas forcément un rapport avec la profession. C'est une évasion, et pas nécessairement malsaine. Moi-même, dit en souriant le psychiatre, je collectionne les timbres. Je suis un membre actif de la Société américaine de philatélie.

Grant secoua la tête.

– Je ne sais pas ce qu'il faisait, en dehors des heures de travail. Je doute qu'il ait eu une de ces activités que vous citez.

– Hum! Ma foi, ce serait bien triste. La détente et le plaisir sont là où on les trouve, mais encore faut-il les trouver quelque part, non?

– Avez-vous déjà vu le docteur Ralson?

– Au sujet de ses problèmes? Non.

– Vous n'allez pas lui en parler?

– Oh si! Mais il n'est ici que depuis une semaine. Nous devons lui laisser le temps de se remettre. Il est arrivé dans un état de grande surexcitation. Il délirait presque. Laissons-le se reposer et s'habituer à son nouvel environnement. Je l'interrogerai en temps utile.

– Pensez-vous pouvoir le ramener au travail?

Blaustein sourit.

– Comment le saurais-je? Je ne sais même pas quelle est sa maladie.

– Ne pourriez-vous au moins le débarrasser du pire – de cette obsession de suicide – et poursuivre le traitement quand il se sera remis au travail?

– Peut-être. Mais il me sera impossible de hasarder une hypothèse avant plusieurs entrevues.

– Combien de temps pensez-vous que cela demandera?

– Dans les cas comme celui-ci, docteur Grant, nul ne le sait.

Grant rapprocha vivement ses deux mains, qui claquèrent.

– Faites pour le mieux, alors. Mais dites-vous

que c'est encore plus important que vous ne le croyez.

– Possible. Mais vous pourriez peut-être m'aider, docteur Grant.

– Comment?

– Pourriez-vous m'obtenir certains renseignements qui doivent être classés « secrets »?

– Quel genre de renseignements?

– J'aimerais connaître le pourcentage de suicides, depuis 1945, parmi les savants nucléaires. Et, aussi, le nombre de ceux qui ont abandonné leur emploi pour se consacrer à d'autres domaines de la science ou qui ont carrément abandonné la science.

– Serait-ce en rapport avec Ralson?

– Vous ne pensez pas que cette terrible dépression pourrait être une maladie professionnelle?

– Eh bien... ils sont assez nombreux à avoir quitté leur emploi, naturellement.

– Pourquoi « naturellement »?

– Vous devez savoir ce que c'est, docteur. Dans la recherche atomique moderne, il se développe une atmosphère de grande tension, et il y a la bureaucratie... On travaille avec le gouvernement, on travaille avec les militaires. On ne peut pas parler de ce qu'on fait, on doit faire attention à ce qu'on dit. Naturellement, s'il vous arrive d'avoir une proposition de chaire dans une université, où vous pouvez fixer votre propre emploi du temps, écrire des communications qui n'ont pas à être soumises à la CEA, assister à des congrès qui ne soient pas à huis clos, vous sautez sur l'occasion!

– En abandonnant à jamais votre spécialité?

– Il y a toujours des applications civiles. Bien sûr, il est arrivé qu'un homme parte pour une autre raison. Il ne parvenait pas à dormir la nuit, il entendait cent mille cris montant de Hiroshima, dès qu'il éteignait la lumière. C'est ce qu'il m'avait dit. Aux dernières nouvelles, il était vendeur dans une chemiserie.

– Il ne vous arrive jamais d'entendre des cris, vous-même ?

Grant hocha la tête.

– Ce n'est pas une sensation bien agréable de savoir qu'on pourrait avoir ne serait-ce qu'une toute petite part de responsabilité dans la destruction atomique.

– Quels étaient les sentiments de Ralson ?

– Il ne parlait jamais de ça.

– Autrement dit, s'il éprouvait ce sentiment, il n'avait pas de soupape de sécurité, il ne se confiait pas à vous tous, ses collègues ?

– Eh bien, non.

– Pourtant, la recherche nucléaire doit se faire, n'est-ce pas ?

– Bien sûr !

– Que feriez-vous, docteur Grant, si vous étiez obligé de faire quelque chose que vous ne pouvez pas faire ?

– Je ne sais pas.

– Certaines personnes se tuent.

– Vous voulez dire que c'est ce qui déprime Ralson ?

– Je ne sais pas. Je ne sais pas. Je parlerai ce soir au Dr Ralson. Je ne peux rien promettre, naturellement, mais je vous tiendrai au courant.

– Merci, docteur. Je vais essayer de vous obtenir ces renseignements, promit Grant.

L'aspect d'Elwood Ralson s'était amélioré, depuis une semaine qu'il était dans la maison de santé du Dr Blaustein. Ses joues s'étaient remplies et son agitation quelque peu calmée. Il était sans cravate, sans ceinture et sans lacets.

– Comment vous sentez-vous, docteur Ralson? demanda Blaustein.

– Reposé.

– Avez-vous été bien traité?

– Je n'ai pas à me plaindre, docteur.

La main de Blaustein chercha le coupe-papier avec lequel il avait l'habitude de jouer, quand il était absorbé, mais il tâtonna en vain. On l'avait rangé, bien entendu, comme tout ce qui possédait des bords coupants. Il n'y avait rien sur le bureau, que des papiers.

– Asseyez-vous, docteur Ralson. Comment progressent vos symptômes?

– Vous voulez savoir si j'ai encore ce que vous appelez des impulsions suicidaires? Oui. Ça empire ou ça s'atténue, selon le cours de mes pensées, je crois. Mais cela ne me quitte pas. Vous ne pouvez rien y faire.

– Peut-être avez-vous raison. Il y a bien des choses contre lesquelles je ne peux rien. Mais j'aimerais en savoir plus long sur vous. Vous êtes un homme important...

Ralson renifla avec mépris.

– Vous ne vous considérez pas comme quelqu'un d'important? s'étonna Blaustein.

– Non, pas du tout. Il n'y a pas d'hommes importants, pas plus qu'il n'y a de bactéries individuelles importantes.

– Je ne comprends pas.

– Ça ne m'étonne pas.

– Et cependant, il me semble que, sous votre propos, se cachent de profondes réflexions. Je serais extrêmement intéressé de connaître un peu de ces pensées.

Pour la première fois, Ralson sourit. Ce n'était pas un sourire agréable. Ses narines étaient blafardes. Il déclara :

– C'est amusant de vous observer, docteur. Vous faites si consciencieusement vos petites affaires. Vous devez m'écouter, n'est-ce pas, avec cet air précis d'intérêt bidon et de compassion onctueuse. Je peux vous raconter les choses les plus ridicules et être quand même sûr d'être écouté, n'est-ce pas ?

– Vous ne croyez pas que mon intérêt pourrait être sincère, quand bien même il est professionnel ?

– Non, je ne le crois pas.

– Pourquoi ?

– Ça ne m'intéresse pas d'en parler.

– Préférez-vous retourner dans votre chambre ?

– Si ça ne vous fait rien. Non ! cria Ralson en élevant la voix avec fureur alors qu'il se levait et se rasseyait aussitôt. Non, pourquoi est-ce que je ne me servirais pas de vous, après tout ? Je n'aime pas parler aux gens. Ils sont stupides. Ils ne voient pas les choses. Ils regardent l'évidence pendant des heures et ça ne leur dit rien du tout. Si je leur parlais, ils ne comprendraient pas, ils perdraient patience, ils se moqueraient. Alors que vous, vous êtes obligé d'écouter. Vous ne pouvez pas m'interrompre ni me dire que je suis fou, même si vous le pensez.

– Je me ferai un plaisir d'écouter tout ce que vous voudrez bien me dire.

Ralson respira profondément.

– Je sais quelque chose, depuis un an environ, que bien peu de gens savent. Peut-être est-ce une chose qu'aucune personne vivante ne connaît. Savez-vous que les progrès culturels humains avancent par bonds? En l'espace de deux générations, une ville de trente mille hommes libres a donné le jour à suffisamment de génies littéraires et artistiques pour fournir ce qu'aurait fourni, en des circonstances normales, une nation de plusieurs millions d'habitants pendant un siècle. Je parle, bien entendu, de l'Athènes du siècle de Périclès. Il y a d'autres exemples. Il y a la Florence des Médicis, l'Angleterre d'Elisabeth, l'Espagne des émirs de Cordoue. Il y a eu le spasme des réformes sociales chez les Israélites aux huitième et septième siècles avant Jésus-Christ. Savez-vous ce que cela signifie?

Blaustein hocha la tête.

— Je vois que l'histoire est un sujet qui vous passionne.

— Pourquoi pas? Rien ne dit, je pense, que je doive me limiter au nucléaire et à la mécanique ondulatoire.

— Rien, en effet. Je vous écoute.

— Au début, je pensais pouvoir en apprendre davantage sur l'essence même des cycles historiques en consultant un spécialiste. J'ai eu quelques entretiens avec un historien professionnel. Ce fut une perte de temps.

— Quel était le nom de cet historien professionnel?

— Est-ce important?

— Peut-être pas, si vous le jugez confidentiel. Que vous a-t-il dit?

— Il m'a dit que j'avais tort, que l'histoire semblait seulement progresser par bonds. Il m'a dit qu'après des études approfondies, on constate que les grandes civilisations d'Egypte et de Sumer n'ont pas surgi tout à coup, ni à partir de rien, mais se sont développées sur les bases d'une ancienne sous-civilisation déjà très sophistiquée. Il m'a dit que l'Athènes de Périclès s'était construite sur une Athènes pré-péricléenne moins florissante, mais sans laquelle le siècle de Périclès n'aurait pas existé. Je lui ai demandé pourquoi il n'y avait pas eu une Athènes post-péricléenne encore plus remarquable, et il m'a expliqué qu'Athènes a été détruite par une peste et par une longue guerre avec Sparte. Je l'ai interrogé sur d'autres spasmes culturels et, à chaque fois, une guerre y mettait fin ou, dans certains cas, l'accompagnait même. Il était comme tous les autres. La vérité était là; il n'avait qu'à se pencher et la ramasser. Mais il ne l'a pas fait.

Ralson regarda le plancher et reprit, d'une voix lasse :

– On vient me voir au laboratoire, docteur. On me demande : « Comment diable allons-nous nous débarrasser de tel ou tel effet qui fiche en l'air toutes nos mesures, Ralson? » Ils me montrent les instruments et les diagrammes de montage et je leur réplique : « Ça saute aux yeux! Vous n'avez qu'à faire ci ou ça! Un enfant vous le dirait! » Et je m'en vais, parce que je ne peux pas supporter l'expression ahurie de leurs figures stupides. Et plus tard ils reviennent me dire : « Ça a marché, Ralson! Comment avez-vous trouvé ça? » Je ne peux pas le leur expliquer, docteur, ce serait comme si j'expliquais que l'eau est mouillée! Et je ne pouvais rien expliquer à l'historien. Comme je ne peux rien vous expliquer. C'est une perte de temps.

– Voulez-vous retourner dans votre chambre?

– Oui.

Quand un infirmier eut emmené Ralson, Blaustein resta à son bureau et réfléchit pendant de longues minutes. Sa main trouva automatiquement le tiroir de droite et le coupe-papier. Il le tourna et le retourna entre ses doigts.

Finalement, il décrocha son téléphone et forma un numéro de la liste rouge, qui lui avait été donné.

– Ici Blaustein, dit-il. Il y a un historien professionnel qui a été consulté par Ralson il doit y avoir un peu plus d'un an. Je ne connais pas son nom. Je ne sais même pas s'il est en rapport avec une université. Si vous pouviez le retrouver, j'aimerais bien le voir.

Le Pr Thaddeus Milton regarda Blaustein d'un air réfléchi et passa une main sur ses cheveux gris fer.

– On est venu me voir et j'ai dit qu'effectivement j'avais rencontré cet homme. Mais, à vrai dire, j'ai eu très peu de rapports avec lui. Rien qui dépasse quelques conversations à caractère professionnel.

– Comment est-il venu vous consulter?

– Il m'a écrit. Pourquoi moi plutôt qu'un autre, je ne le sais pas. J'avais écrit une série d'articles pour un magazine de vulgarisation. Ils ont pu attirer son attention.

– Je vois. Quel était le sujet général de ces articles?

– C'était une considération sur la validité de l'approche cyclique de l'histoire. Il s'agissait de savoir s'il était possible d'affirmer qu'une civilisation particulière obéissait à des lois de croissance et de déclin analogues à celles des individus.

– J'ai lu Toynbee, professeur.

– Dans ce cas, vous voyez ce que je veux dire.

– Et quand le docteur Ralson vous a consulté, était-ce en référence à cette approche cyclique de l'histoire?

– Hum! Dans un sens, je suppose. Bien sûr, il n'est pas historien et certaines de ses idées sur les tendances et l'évolution culturelles sont assez spectaculaires, pour ne pas dire sensationnalistes. Pardonnez-moi, docteur, si ma question est indiscrète, mais est-ce que Ralson est un de vos patients?

– Le Dr Ralson ne se porte pas très bien et a été confié à mes soins. Cela, et tout ce que nous pourrons dire ici, doit rester confidentiel, naturellement.

– Tout à fait. Je le comprends parfaitement. Cependant, votre réponse m'explique quelque chose. Certaines de ses idées frisaient l'irrationnel. Il m'a semblé qu'il s'était toujours inquiété du rapport entre ce qu'il appelait les « bonds culturels » et les calamités d'une espèce ou d'une autre. Or, de tels rapports ont été fréquemment observés. La plus grande vitalité d'une nation peut apparaître aux époques de plus grande insécurité nationale. Les Pays-Bas sont un bon exemple. Leurs plus grands artistes, hommes d'Etat et explorateurs appartiennent au début du XVIIe siècle, alors qu'ils livraient une lutte à mort contre la plus grande puissance européenne de l'époque, l'Espagne. Tandis qu'ils étaient au bord de la destruction chez eux, ils bâtissaient un empire en Extrême-Orient et posaient des jalons sur la côte nord-est de l'Amérique du Sud, à la pointe méridionale de l'Afrique et dans la vallée de l'Hudson en Amérique du Nord. La flotte hollandaise tenait en échec l'Angleterre. Ensuite, une fois sa sécurité politique assurée, la Hollande a décliné. Mais, comme je le disais, le cas n'est pas rare. Les groupes, comme les individus, s'élèvent à de singuliers sommets en relevant un défi, et végètent quand il n'y a aucun défi à relever. Là où le docteur Ralson s'est écarté des voies de la raison, cependant, c'est en affirmant que ce point de vue confondait la cause et l'effet. Il m'a déclaré que ce n'étaient pas les temps de guerre et de danger qui stimulaient les « bonds culturels » mais l'inverse. Il prétendait que chaque fois qu'un groupe d'hommes manifestait trop de vitalité et d'habileté, une guerre devenait nécessaire pour détruire toute possibilité d'un développement ultérieur.

– Je vois, murmura Blaustein.

– Je me suis un peu moqué de lui, je le crains. C'est peut-être pour ça qu'il n'est pas venu à notre ultime rendez-vous. Vers la fin de notre dernier entretien, il m'a demandé si je ne trouvais pas bizarre qu'une espèce aussi improbable que l'homme domine la terre, alors qu'il n'avait en sa faveur que l'intelligence. J'avoue que, là, j'ai éclaté de rire. Je n'aurais peut-être pas dû, pauvre garçon.

– C'était une réaction naturelle, reconnut Blaustein, mais je ne dois pas vous faire perdre davantage de votre temps. Vous m'avez été d'un grand secours.

Les deux hommes se serrèrent la main et Thaddeus Milton prit congé.

– Eh bien, dit Darrity, voilà vos statistiques sur les suicides récents dans les milieux scientifiques. Qu'allez-vous en déduire?

– C'est moi qui devrais vous poser cette question, répliqua aimablement Blaustein. Le FBI a dû enquêter à fond.

– Vous pouvez parier la dette nationale là-dessus! Oui, il y a des suicides, pas de doute. Des agents ont étudié la question, dans d'autres services. Le pourcentage est d'environ quatre fois la normale, en tenant compte de l'âge, de la position sociale et de la classe économique.

– Et chez les savants britanniques?

– C'est à peu près le même chiffre.

– Et en Union soviétique?

– Allez savoir, docteur! (Le policier se pencha vers son interlocuteur.) Vous ne pensez pas que les Soviétiques ont une espèce de rayon qui peut pousser les gens à se suicider? Il est quand même suspect que les seuls à être touchés appartiennent à la recherche atomique.

– Vous trouvez? Peut-être pas. Les physiciens nucléaires sont soumis à des tensions particulières. Il est difficile de juger sans une étude approfondie.

– Vous voulez dire que certains complexes ressortent? demanda Darrity avec lassitude.

Blaustein fit une grimace.

– La psychiatrie devient trop populaire. Tout le monde parle de complexes, de névroses, de psychoses et de compulsions, en veux-tu, en voilà. Le complexe de culpabilité de l'un peut être le sommeil paisible de l'autre. Si je pouvais interroger tous les hommes qui se suicident, nous saurions peut-être quelque chose.

– Vous parlez de Ralson.

– Oui, je parle de Ralson.

– Et alors, il a un complexe de culpabilité, lui?

– Pas spécialement. Il a des antécédents qui font que je ne suis pas surpris qu'il ait un souci morbide de la mort. A douze ans, il a vu sa mère mourir sous les roues d'une automobile. Son père est mort lentement d'un cancer. Cependant, l'effet de ces drames sur sa psyché n'est pas clair.

Darrity reprit son chapeau.

– Enfin, je vous souhaite de progresser, docteur. Il y a quelque chose de gros en train, encore plus gros que la bombe H. Je ne sais pas comment quelque chose peut être plus gros que ça, mais il paraît que c'est le cas.

Ralson tenait à rester debout.

– J'ai passé une mauvaise nuit, docteur.

– J'espère, dit Blaustein, que nos entretiens ne vous troublent pas.

– Eh bien si, peut-être. Ils m'obligent à réfléchir à notre sujet. Et quand je le fais, tout va mal. Quel effet croyez-vous que cela fasse, d'être une partie d'une culture bactérienne ?

– Je n'ai jamais pensé à ça, ma foi. Pour une bactérie, je suppose que cela paraît normal.

Ralson n'entendit pas. Il poursuivit, lentement :

– Une culture dans laquelle l'intelligence est étudiée. Nous étudions toutes sortes de choses dans leurs rapports génétiques. Nous prenons des mouches à fruits et nous procédons à des croisements entre mouches aux yeux rouges et mouches aux yeux blancs, pour voir ce que ça donne. Nous nous fichons éperdument des yeux rouges ou blancs, mais nous essayons d'en soutirer certains principes génétiques fondamentaux. Vous voyez ce que je veux dire ?

– Certainement.

– Même chez les humains, nous pouvons suivre diverses caractéristiques physiques. Il y a la lippe des Habsbourg et l'hémophilie qui a commencé avec la reine Victoria et s'est transmise aux descendants des familles royales d'Espagne et de Russie.

Nous pouvons suivre le trajet de la débilité mentale chez les Jukes et les Kallikaks. Nous apprenons ça au lycée, en cours de biologie. Mais on ne peut pas faire l'élevage des êtres humains comme on fait celui des mouches à fruits. Les humains vivent trop longtemps. Il faudrait des siècles pour parvenir à des conclusions. C'est dommage que nous n'ayons pas une race particulière d'hommes qui se reproduiraient de semaine en semaine, hein?

Il attendit une réponse mais Blaustein se contenta de sourire.

– Mais, reprit Ralson, c'est exactement ce que nous serions pour une autre espèce dont la longévité serait de plusieurs millénaires. Pour de tels êtres, nous nous reproduirions assez vite. Nous serions, en somme, des créatures éphémères et ils pourraient étudier la génétique de particularités comme l'aptitude à la musique, l'intelligence scientifique, et ainsi de suite. Ces particularités ne les intéresseraient sans doute pas comme telles, pas plus que nous ne sommes intéressés par les yeux blancs de la mouche à fruits en tant qu'yeux blancs.

– C'est là un concept très intéressant.

– Ce n'est pas simplement un concept. C'est la vérité. Pour moi, c'est évident; je me fiche de ce que c'est pour vous. Mais regardez autour de vous. Regardez la planète. La Terre. Quelle espèce d'animaux ridicules sommes-nous pour être les seigneurs du monde après l'échec des dinosaures? D'accord, nous sommes intelligents, mais qu'est-ce que l'intelligence? Nous pensons que c'est important parce que nous la possédons. Si le tyrannosaure avait eu à désigner la qualité assurant à son avis la suprématie de l'espèce, il aurait choisi la taille ou la force. Et il aurait mieux justifié son choix. Il a duré probablement plus longtemps que nous ne durerons. L'intelligence en soi ne compte pas beaucoup, en tant que garantie de survie. L'éléphant est déplorable comparé au moineau, bien qu'il soit infiniment plus intelligent. Le chien se défend bien, sous la protection de l'homme, mais pas aussi bien que la mouche commune que les humains chassent avec obstination. Ou encore, prenez les primates, en tant que groupe. Les petits tremblent devant leurs ennemis, les plus gros ont toujours été remarquablement inaptes à faire autre chose que se préserver, au mieux. Les babouins sont les meilleurs, mais c'est grâce à leurs canines, pas à leur cerveau.

Un peu de transpiration perlait au front de Ralson.

– Et on voit bien que l'homme a été fait sur mesure, créé selon des spécifications particulières. En général, le primate a une durée de vie plutôt brève. Naturellement, les plus grands vivent plus longtemps, ce qui est une règle à peu près générale dans la vie animale. Cependant, l'être humain a une longévité deux fois plus importante que les autres grands singes, une vie considérablement plus longue que celle du gorille, qui est pourtant bien plus lourd que lui. Nous atteignons la maturité plus tard. C'est comme si nous étions élevés avec soin pour vivre un peu plus longtemps, de manière à ce que notre cycle de vie soit d'une longueur plus commode... Mille ans, ce n'est qu'hier...

Il se mit à crier en gesticulant et Blaustein appuya précipitamment sur un bouton.

Pendant un moment, Ralson se débattit contre l'infirmier en blouse blanche qui cherchait à le maîtriser, puis il se laissa emmener. Blaustein le suivit des yeux en secouant la tête, et décrocha son téléphone. Il obtint Darrity.

— J'aime autant vous prévenir, inspecteur : ça risque de durer longtemps... Je sais... Non, je ne minimise pas l'urgence.

La voix, à l'autre bout du fil, devint plus dure, plus métallique :

— Si, docteur, vous la minimisez! Je vais vous envoyer le Dr Grant. Il vous exposera la situation!

Grant demanda d'abord comment allait Ralson puis, avec un rien de nostalgie dans la voix, s'il pourrait le voir. Blaustein refusa, à contrecœur.

— J'ai été chargé, dit alors Grant, de vous expliquer la situation actuelle de la recherche atomique.

— D'une manière accessible, j'espère?

— Je l'espère aussi. C'est une mesure désespérée. Je dois vous rappeler...

— De n'en souffler mot à personne. Oui. Je sais. L'insécurité, chez vous, est un très mauvais symptôme. Vous devez bien vous douter que ces choses ne peuvent rester cachées.

— Nous vivons dans le secret. C'est contagieux.

— Exactement. Quel est donc le secret actuel?

— Il y a... ou, du moins, il pourrait y avoir une défense contre la bombe atomique.

— Et c'est un secret? Il vaudrait mieux qu'on le crie sur tous les toits du monde! Et tout de suite.

— Dieu du ciel, non! Ecoutez-moi, docteur. Ce n'est encore que sur le papier. C'en est à peu près au stade $E = mc2$. Ce n'est peut-être pas réalisable. Il serait nocif de faire naître des espoirs bientôt déçus. D'autre part, si l'on savait que nous avons *presque* une défense, cela pourrait peut-être créer un désir de déclencher et de gagner une guerre avant même que la défense ne fût totalement au point.

– Cela, je ne puis le croire. Mais je ne veux pas vous détourner du sujet. Quelle est la nature de cette défense, ou bien êtes-vous déjà allé aussi loin que vous l'osez ?

– Non. Je peux aller aussi loin que je veux, aussi loin qu'il le faudra pour vous convaincre que nous devons avoir Ralson... et vite !

– Eh bien, alors, dites-moi tout, et moi aussi je connaîtrai des secrets. Je me ferai l'effet d'être un membre du conseil des ministres !

– Vous en saurez davantage que la plupart d'entre eux. Ecoutez, docteur, je vais vous expliquer ça en langage profane. Jusqu'à présent, les progrès militaires se sont faits plus ou moins à égalité dans les armes offensives et défensives. Une fois déjà, il a semblé y avoir une inclinaison nette et définitive du côté de l'offensive, avec l'invention de la poudre à canon. Mais la défense a rattrapé son retard. L'homme en armure du Moyen Age sur son cheval caparaçonné est devenu l'homme moderne en char d'assaut, et le château fort est devenu le bunker en béton armé. La même chose, comme vous voyez, en infiniment plus grand.

– Très bien. C'est tout à fait clair pour moi. Mais, avec la bombe atomique, nous avons une multiplication de l'ordre de grandeur, non ? Pour la protection, il faut aller au-delà du béton armé et de l'acier.

– Précisément. Seulement, nous ne pouvons pas construire de murs de plus en plus épais. Nous ne trouverons plus de matériaux assez résistants. Alors, nous devons renoncer aux matériaux. Si l'atome attaque, nous devons laisser l'atome se défendre. Nous utiliserons l'énergie elle-même, un champ de force.

– Et qu'est-ce, demanda aimablement Blaustein, qu'un champ de force?

– J'aimerais pouvoir vous le dire. Pour le moment, c'est une équation sur du papier. L'énergie peut être canalisée de manière à créer un mur d'inertie immatérielle. Théoriquement, s'entend. Dans la pratique, nous ne savons pas comment le créer.

– Ce serait un mur infranchissable? Même pour des atomes?

– Même pour les bombes atomiques. La seule limite à sa force serait la quantité d'énergie que nous pourrions lui consacrer. Il pourrait même, toujours théoriquement, être rendu imperméable aux radiations. Les rayons gamma ricocheraient dessus. En somme, nous rêvons d'un écran qui serait en position permanente autour des grandes villes, à une force minimum qui n'utiliserait pratiquement pas d'énergie. Il serait susceptible d'être poussé à son maximum d'intensité en une fraction de milliseconde, au premier choc d'une radiation à ondes courtes; disons la quantité de radiation d'une masse de plutonium assez importante pour se trouver dans une ogive nucléaire. Tout cela est théoriquement possible.

– Pourquoi avez-vous besoin de Ralson, alors?

– Parce qu'il est le seul capable de passer de la théorie à la pratique dans un délai assez rapide, si tant est que la pratique soit possible. De nos jours, chaque minute compte. Vous connaissez la situation internationale. La défense atomique doit être trouvée avant la guerre atomique.

– Vous êtes donc tellement sûr de Ralson?

– Aussi sûr de lui que je peux l'être de qui que ce soit. Il est stupéfiant, docteur. Il a toujours raison. Personne, dans ce domaine, ne sait comment il fait.

– Une sorte d'intuition? hasarda le psychiatre, fort troublé. Une forme de raisonnement qui dépasse les capacités humaines normales. C'est ça?

– Je ne prétends pas savoir ce que c'est.

– Laissez-moi lui parler encore une fois. Je vous tiendrai au courant.

– D'accord.

Grant se leva pour partir puis, se ravisant, il déclara :

– Je dois vous dire, docteur, que si vous ne faites pas quelque chose, la Commission a l'intention de retirer Ralson d'entre vos mains.

– Pour essayer un autre psychiatre? Si c'est là ce qu'elle désire, je m'inclinerai, naturellement. A mon avis, cependant, aucun bon praticien ne pourrait promettre une guérison rapide.

– Nous n'avons peut-être pas l'intention de poursuivre un traitement psychiatrique. Il pourrait être purement et simplement remis au travail.

– Je m'y opposerai, docteur Grant! Vous n'obtiendrez rien de lui. Cela risquerait d'entraîner sa mort.

– N'importe comment, nous n'obtenons rien de lui.

– Ainsi y a-t-il au moins une chance, non?

– Je l'espère. Et ne mentionnez pas le fait que j'ai parlé de vous retirer Ralson.

– Je n'en dirai rien. Je vous remercie de l'avertissement. Au revoir, docteur Grant.

– Je me suis conduit comme un imbécile, la dernière fois, n'est-ce pas, docteur? dit Ralson, l'air fâché.

– Vous voulez dire que vous ne croyez pas à ce que vous avez raconté alors?

– Si, j'y crois!

La maigre charpente de Ralson trembla tout entière, tant était violente son affirmation. Il se précipita à la fenêtre et Blaustein pivota dans son fauteuil pour ne pas le perdre de vue. Le cadre était muni de barreaux. Il ne pouvait pas sauter. Les vitres étaient incassables.

La nuit tombait, des étoiles apparaissaient. Ralson les contempla avec une sorte de fascination et leva brusquement un doigt.

– Chacune d'elles est un incubateur. Elles maintiennent les températures désirées. Différentes expériences : différentes températures. Et les planètes qui tournent autour ne sont que de gigantesques cultures, contenant diverses mixtures nutritionnelles et diverses formes de vie. Les expérimentateurs sont économes aussi, quels qu'ils soient. Ils ont cultivé de nombreuses formes de vie dans cette éprouvette particulière. Des dinosaures à une ère moite, tropicale, et nous-mêmes parmi les glaciers. Ils allument et ils éteignent le soleil et nous essayons d'en comprendre la physique. La physique! s'écria-t-il avec un rictus de mépris.

– Voyons, dit Blaustein, il n'est pas possible que le soleil soit allumé ou éteint à volonté.

– Pourquoi pas? Il est exactement comme un élément chauffant dans un four. Vous croyez que les bactéries savent ce qui produit la chaleur qui les baigne? Qui sait? Elles échafaudent peut-être des théories, des hypothèses, elles aussi. Elles ont peut-être aussi leur cosmogonie sur les catastrophes cosmiques, où des ampoules électriques en conflit créent des chaînes d'antennes Petri. Elles pensent peut-être qu'il y a un créateur bienveillant qui leur fournit l'alimentation et la chaleur et leur dit : « Croissez et multipliez! » Nous nous reproduisons comme elles, sans savoir pourquoi. Nous obéissons à de prétendues lois naturelles qui ne sont que le résultat de notre interprétation de forces incomprises, qui nous sont imposées. Et maintenant, les expérimentateurs procèdent à la plus grande expérience de toutes. Voilà deux cents ans que cela dure. Ils ont décidé, en Angleterre, au XVIIIe siècle, je crois, de développer une espèce aux aptitudes mécaniques. Nous l'appelons la révolution industrielle. Tout a commencé par la vapeur, cela a continué avec l'électricité, et enfin l'atome. C'était une expérience intéressante mais ils ont pris des risques en la laissant s'étendre. C'est pourquoi ils devront avoir recours à des mesures radicales pour l'arrêter.

– Et comment comptent-ils y mettre fin? demanda Blaustein. Est-ce que vous avez une idée là-dessus?

– Vous me demandez, à *moi*, comment ils comptent y mettre fin? Vous pouvez considérer le monde d'aujourd'hui et vous demander ce qui risque de sonner le glas de notre ère technologique. La terre entière a peur de la guerre atomique et ferait n'importe quoi pour l'éviter; et pourtant, toute la terre craint qu'une guerre atomique ne soit inévitable.

– Autrement dit, les expérimentateurs vont déclencher une guerre atomique, que cela nous plaise ou non, afin d'anéantir l'ère technologique où nous vivons, pour tout recommencer de zéro. C'est bien cela, n'est-ce pas?

– Oui. C'est logique. Quand nous stérilisons un instrument, est-ce que les microbes savent d'où vient la chaleur qui les tue? Ou ce qui l'a provoquée? Les expérimentateurs ont des moyens d'augmenter la chaleur de nos émotions, des moyens de manipuler ce qui dépasse notre entendement.

– Dites-moi. Est-ce pour cela que vous voulez mourir? Parce que vous pensez que la destruction de la civilisation est pour bientôt et ne peut être évitée?

– Je ne veux *pas* mourir! s'écria Ralson. Mais je le dois, tout simplement. Docteur, si vous aviez une culture de microbes extrêmement dangereux, que vous deviez garder sous un contrôle absolu, est-ce que vous n'auriez pas une gélose imprégnée de... mettons de pénicilline dans un cercle, à une certaine distance du centre d'inoculation? Tout microbe s'écartant du centre mourrait. Vous n'éprouveriez rien contre les microbes particuliers qui seraient tués, d'ailleurs vous ne sauriez même pas qu'un certain nombre se seraient écartés du centre. Ce serait purement automatique. Il y a un anneau de pénicilline autour de notre intellect, docteur. Quand nous nous écartons trop, quand nous pénétrons la véritable signification de notre existence, nous atteignons la pénicilline et nous devons mourir. Le fonctionnement est lent... mais c'est dur de rester en vie.

Il sourit brièvement, tristement, et demanda :

– Puis-je retourner dans ma chambre maintenant, docteur?

Le lendemain vers midi, Blaustein se rendit dans la chambre de Ralson. C'était une petite pièce nue.

Les murs étaient capitonnés de gris. Deux petites lucarnes situées près du plafond étaient hors d'atteinte. Le matelas était posé à même le sol moquetté. Il n'y avait rien de métallique dans la chambre, rien qui pût être utilisé pour supprimer la vie. Même les ongles de Ralson étaient coupés court.

Il se leva vivement.

– Bonjour!

– Bonjour, docteur Ralson. Puis-je vous parler?

– Ici? Je n'ai pas de siège à vous offrir.

– Ça ne fait rien. Je resterai debout. Je suis assis toute la journée, et il est bon que je sois debout de temps en temps. J'ai réfléchi toute la nuit, docteur Ralson, à ce que vous m'avez dit hier et les jours précédents.

– Et maintenant, vous allez me faire subir un traitement pour me débarrasser de ce que vous prenez pour des lubies?

– Non. Je souhaite simplement vous poser des questions et, peut-être, vous révéler les conséquences de vos théories auxquelles... vous me pardonnerez?... vous n'avez peut-être pas pensé.

– Ah?

– Voyez-vous, docteur Ralson, depuis que vous m'avez exposé vos théories, je sais, moi aussi, ce que vous savez. Cependant, je n'ai aucune idée de suicide.

– La foi n'est pas seulement intellectuelle, docteur. Il vous faudrait avoir une croyance pour ainsi dire viscérale, ce que vous n'avez pas.

– Vous ne pensez pas que cela puisse être un phénomène d'adaptation?

– Que voulez-vous dire?

– Vous n'êtes pas vraiment un biologiste, docteur Ralson. Et tout en étant un brillant physicien, vous ne pensez pas à tout ce qui est en rapport avec ces cultures bactériennes que vous employez comme analogies. Vous savez qu'il est possible de cultiver des espèces bactériennes résistant à la pénicilline, comme à presque tout poison bactérien.

– Et alors?

– Les expérimentateurs qui nous cultivent travaillent sur l'humanité depuis de nombreuses générations, n'est-ce pas? Et cette espèce particulière qu'ils cultivent depuis deux siècles ne donne aucun signe d'extinction spontanée. C'est plutôt une espèce très vigoureuse et très proliférante. De plus anciennes espèces de haute culture ont été limitées à des villes ou de petites régions, et n'ont duré qu'une génération ou deux. Celle-ci se répand dans le monde entier. C'est une espèce extrêmement contagieuse. Vous ne pensez pas qu'elle aurait pu développer une immunité à la pénicilline? Autrement dit, il se peut que les méthodes des expérimentateurs pour éliminer cette culture ne marchent plus très bien, non?

Ralson secoua la tête.

– Ça marche pour moi.

– Vous êtes peut-être non résistant. Ou bien vous êtes tombé sur une très forte concentration de pénicilline. Songez à tous ceux qui ont essayé de mettre la guerre atomique hors la loi, et d'établir une sorte de gouvernement mondial et une paix durable. L'effort s'est accru au cours de ces dernières années, sans résultats trop épouvantables.

– Ils n'éviteront pas la prochaine guerre atomique.

– Non, mais peut-être faut-il un peu plus d'efforts. Les défenseurs de la paix ne se tuent pas. De plus en plus d'êtres humains sont immunisés contre les expérimentateurs. Savez-vous ce qu'ils font dans les laboratoires?

– Je ne veux pas le savoir.

– Vous *devez* le savoir. Ils essaient d'inventer un champ de force qui arrêtera la bombe atomique. Ecoutez, si je cultive une bactérie pathologique virulente, il se peut qu'en dépit de toutes mes précautions, je déclenche la peste. Peut-être sommes-nous des bactéries, pour eux, mais nous sommes dangereux aussi, sinon ils nous supprimeraient avec soin après chaque expérience. Ils ne sont pas rapides, d'accord? Pour eux, mille ans est comme un jour, non? Quand ils s'apercevront que nous nous sommes échappés de la culture, que nous avons échappé à la pénicilline, il sera trop tard pour qu'ils nous arrêtent. Ils nous ont amenés jusqu'à l'atome et si seulement nous pouvons nous empêcher de nous en servir les uns contre les autres, nous risquons d'être trop forts, même pour les expérimentateurs.

Ralson se leva. Il était petit mais il avait tout de même quelques centimètres de plus que Blaustein.

– On travaille réellement à un champ de force?

– Ils essaient. Mais ils ont besoin de vous.

– Non. Je ne peux pas.

– Ils doivent vous avoir, parce que vous pourriez déceler ce qui est si évident à vos yeux. Ce n'est pas évident pour eux. Ils ont besoin de votre aide ou alors... l'homme sera vaincu par les expérimentateurs.

Ralson fit quelques pas rapides, s'écarta et contempla fixement le mur capitonné.

– Mais l'homme doit être vaincu, marmonna-t-il. S'ils créent ce champ de force, ce sera la mort pour eux tous avant que cette défense soit au point.

– Certains peuvent être immunisés, peut-être tous, non? Quoi qu'il arrive, ils mourront quand même. Alors ils essaient.

– Bon... Je vais essayer de les aider.

– Vous voulez toujours vous tuer?

– Oui.

– Mais vous essaierez de ne pas le faire?

– Je vais essayer, docteur, dit Ralson, d'une voix brisée. Il faudra que je sois surveillé.

Blaustein entra et présenta son laissez-passer au factionnaire, dans le hall. Il avait déjà passé l'inspection au portail extérieur mais son laissez-passer, sa signature et lui-même furent de nouveau examinés. Au bout d'un moment, le garde rentra dans sa petite loge et téléphona. La réponse parut satisfaisante. Blaustein s'assit et, trente secondes plus tard, il se releva pour serrer la main du Dr Grant.

– Le président des Etats-Unis aurait lui-même du mal à entrer ici, j'ai l'impression, dit-il.

Le physicien maigre sourit.

– Vous avez raison, surtout s'il venait sans être annoncé.

Ils prirent un ascenseur qui les transporta au douzième étage. Le bureau dans lequel Grant fit entrer son visiteur avait des fenêtres donnant dans trois directions. Il était insonorisé et climatisé. Le mobilier de noyer était admirablement ciré.

– Eh bien! s'exclama Blaustein. C'est un bureau de président de conseil d'administration. La science devient une grosse industrie.

Grant eut l'air gêné.

– Oui, je sais, mais l'argent du gouvernement

coule à flots et il est difficile de persuader un parlementaire que nos travaux sont importants s'il ne peut pas voir, sentir et toucher le vernis de la surface.

Blaustein s'assit et sentit le rembourrage du fauteuil s'affaisser lentement sous son poids.

— Le docteur Elwood Ralson a accepté de reprendre le travail, annonça-t-il.

— Merveilleux! J'espérais que vous me diriez ça. J'espérais que c'était pour cela que vous vouliez me voir.

Comme si cette nouvelle l'inspirait, Grant offrit un cigare au psychiatre, qui le refusa.

— Cependant, reprit Blaustein, il est toujours très malade. Il faudra qu'il soit traité avec délicatesse et précaution.

— Bien sûr. C'est bien naturel.

— Ce n'est pas aussi simple que vous le pensez. Je veux vous parler des problèmes de Ralson, pour que vous compreniez parfaitement la situation.

Il continua de parler et Grant l'écouta, d'abord avec inquiétude, puis avec stupéfaction.

— Mais ce type est complètement fou, docteur! Il ne nous sera d'aucune utilité. Il est cinglé!

— Tout dépend de votre définition du mot « fou ». C'est un mot impropre. Ne l'employez donc pas pour ce qui le concerne. Il a des lubies, certes. Mais on ne peut pas savoir en quoi elles affecteront ses talents particuliers.

— Mais sûrement aucun homme sensé ne pourrait...

— Je vous en prie, je vous en prie! Ne nous lançons pas dans de grandes dissertations sur les définitions psychiatriques de la raison. Cet homme a des lubies, soit. Et, normalement, je n'en ferais pas grand cas. Simplement, on m'a donné à entendre que son talent particulier réside dans sa façon d'aboutir à la solution d'un problème par des voies qui semblent étrangères à la raison ordinaire. C'est bien cela, n'est-ce pas?

– Oui. Cela doit être admis.

– Comment pouvons-nous, vous et moi, juger de la valeur de ses conclusions? Permettez-moi de vous poser une question. Avez-vous eu, dernièrement, des tendances au suicide?

– Je ne crois pas.

– Et les autres savants, ici?

– Non, bien sûr que non.

– Je conseille, toutefois, que tant que dureront les recherches sur ce champ de force, les savants en cause soient observés, ici et chez eux. Il serait même bon qu'ils ne restent pas chez eux. Des bureaux comme celui-ci pourraient être arrangés en petits dortoirs...

– Coucher sur leur lieu de travail? Jamais vous ne leur ferez accepter ça.

– Mais si. Si vous ne leur donnez pas la véritable raison, si vous dites simplement que c'est une mesure de sécurité, ils accepteront. Les « mesures de sécurité », c'est une expression admirable, de nos jours. Ralson doit être surveillé, plus que n'importe lequel d'entre eux.

– Naturellement.

– Mais tout cela est mineur. C'est une chose à faire pour apaiser ma conscience, au cas où les théories de Ralson seraient justes. Je n'y crois pas. Ce sont des hallucinations mais, cela posé, il est nécessaire de se demander la cause de ces hallucinations. De savoir quels sont ses antécédents, ce qu'il y a dans sa vie qui l'oblige à se faire ces idées fausses. La réponse à ces questions n'est pas simple. Il faudrait des années d'une psychanalyse constante pour la découvrir. Et tant que cette réponse ne sera pas donnée, il ne sera pas guéri. Mais, en attendant, nous pouvons peut-être essayer de la deviner, intelligemment. Il a eu une enfance malheureuse qui, d'une façon ou d'une autre, l'a mis en présence de la mort d'une manière extrêmement pénible. De plus, il n'a jamais été capable de se lier avec d'autres enfants ni, plus tard, avec d'autres hommes. Il s'est toujours irrité des formes plus lentes de raisonnement de ses semblables. Quelle que soit la différence entre son esprit et celui des autres, il a dressé un mur entre la société et lui, aussi solide que le champ de force que vous cherchez à créer. Pour des raisons semblables, il a été incapable d'avoir une vie sexuelle normale. Il ne s'est jamais marié, il n'a jamais eu de maîtresse. Il est facile de comprendre qu'il puisse compenser cette incapacité à se faire accepter par son milieu social en se réfugiant dans l'idée que les autres êtres humains lui sont inférieurs. Ce qui est vrai, naturellement, en ce qui concerne son moi cérébral. Bien entendu, la personnalité humaine a bien d'autres facettes, et il n'est pas supérieur en toutes. Nul ne l'est. Les autres, par conséquent, qui sont plus enclins à ne voir que ce qui est inférieur, comme il l'est aussi, ne peuvent accepter ses grands airs. Ils le trouvent bizarre, risible même, ce qui fait qu'il est encore plus important, pour Ralson, de prouver la petitesse et l'infériorité de l'espèce humaine. Comment y réussirait-il mieux qu'en démontrant que l'humanité n'est qu'une forme de bactéries pour d'autres créatures supérieures, qui se livrent sur elle à des expériences? Ses pulsions suicidaires ne sont alors qu'un violent désir de rompre totalement avec son état d'homme, de mettre fin à son identification avec la misérable espèce qu'il a imaginée. Comprenez-vous?

Grant hocha la tête.

– Pauvre diable.

– Oui, c'est malheureux. Si l'on s'était occupé de lui dans son enfance... Bref, il vaut mieux qu'il n'ait aucun contact avec les autres chercheurs. Il est trop malade. Vous-même, vous devez vous arranger pour être le seul à le voir et à lui parler. Ralson est d'accord. Il pense que vous n'êtes pas aussi stupide que les autres.

– C'est très flatteur pour moi, dit Grant avec un petit sourire.

– Vous serez prudent, naturellement. Ne lui parlez de rien d'autre que de son travail. S'il tient à vous exposer ses théories, ce dont je doute, contentez-vous de répondre évasivement et laissez-le faire. Et, à tous moments, écartez tout ce qui est pointu ou coupant de son environnement. Ne le laissez pas approcher d'une fenêtre. Essayez de ne pas perdre de vue ses mains. Vous m'avez bien compris? Je laisse mon patient à vos bons soins, docteur Grant.

– Je ferai de mon mieux, docteur Blaustein.

Pendant deux mois, Ralson vécut dans un coin du bureau de Grant et Grant vécut avec lui. Des barreaux avaient été installés aux fenêtres, les meubles de bois avaient été remplacés par des sofas rembourrés. Ralson se livrait à ses réflexions sur un canapé, et faisait ses calculs sur un bloc-notes posé sur un pouf.

L'écriteau « Défense d'entrer » resta accroché en permanence sur la porte. Les repas étaient déposés devant le bureau. Les toilettes voisines étaient réservées à un usage privé, et la porte de communication entre elles et le bureau avait été enlevée. Grant se servit d'un rasoir électrique. Il fit prendre tous les soirs des somnifères à Ralson, avant de se coucher lui-même.

Et, sans cesse, des rapports étaient remis à Ralson. Il les lisait tandis que Grant l'observait en s'efforçant de ne pas trop paraître le surveiller.

Ensuite, Ralson les laissait tomber par terre et contemplait le plafond, une main abritant ses yeux.

– Rien? demandait Grant.

Ralson secouait lentement la tête.

– Ecoutez, dit un jour Grant, je vais dégager l'immeuble pendant le changement d'équipe. Il est important que vous examiniez quelques-unes de nos maquettes expérimentales.

Ils firent leur visite, errant, la main dans la main, à travers les bâtiments déserts illuminés. Toujours la main dans la main. Celle de Grant était légère. Mais, après chaque expédition, Ralson secouait lentement la tête.

Souvent, il commençait à écrire; à chaque fois, après avoir griffonné quelques lignes, il faisait basculer le pouf d'un coup de pied.

Un jour, enfin, il couvrit rapidement toute la moitié d'un feuillet. Machinalement, Grant s'approcha mais Ralson leva les yeux et couvrit sa feuille d'une main tremblante.

– Appelez Blaustein, dit-il.

– Pardon?

– Appelez Blaustein, j'ai dit! Faites-le venir ici! Tout de suite!

Grant alla au téléphone. Ralson écrivait maintenant à toute vitesse; il ne s'interrompait que pour essuyer nerveusement son front d'un revers de main.

Il se redressa soudain et demanda d'une voix blanche :

– Il vient ?

Grant parut inquiet.

– Il n'est pas à son cabinet.

– Appelez-le chez lui. Joignez-le, où qu'il soit ! Servez-vous de ce téléphone ! Ne jouez pas avec !

Grant téléphona et Ralson tira vers lui un nouveau feuillet. Cinq minutes plus tard, Grant annonça :

– Il arrive. Qu'est-ce qui ne va pas ? Vous avez mauvaise mine.

Ralson répondit d'une voix pâteuse :

– Pas le temps... peux pas parler...

Il écrivait, griffonnait, traçait des diagrammes à grands traits mal assurés. Il paraissait lutter contre ses mains, les forcer à écrire.

– Dictez ! proposa Grant. J'écrirai.

Ralson le repoussa. Ses paroles étaient inintelligibles. Ses mots illisibles. Il tenait son poignet de son autre main, le poussait comme si c'était un morceau de bois. Enfin, il s'effondra sur ses papiers.

Grant le souleva à demi et l'allongea sur le canapé. Il resta penché sur lui, inquiet, agité et désespéré jusqu'à l'arrivée de Blaustein, qui jeta aussitôt un coup d'œil.

– Que s'est-il passé ?

– Je crois qu'il est vivant, répondit Grant, mais Blaustein s'en était déjà assuré.

Grant lui raconta ce qui était arrivé. Blaustein fit une piqûre à Ralson, qui finit par ouvrir des yeux vagues. Il gémit. Blaustein se pencha sur lui.

– Ralson.

Ralson tendit les mains et se cramponna au psychiatre.

– Docteur, reprenez-moi.

– Certainement. Tout de suite. Ainsi, vous avez résolu le problème du champ de force?

– C'est sur les feuillets, Grant. C'est sur les feuillets.

Grant les avait pris et les feuilletait d'un air sceptique. Ralson dit faiblement :

– Tout n'est pas là. C'est tout ce que je peux écrire. Il faudra que vous vous arrangiez avec ça. Emmenez-moi, docteur!

– Un instant, dit Grant. (Et il chuchota précipitamment à Blaustein :) Est-ce que vous ne pourriez pas le laisser ici jusqu'à ce que nous ayons mis ça à l'essai? Je n'en comprends pas la moitié. L'écriture est illisible. Demandez- lui pourquoi il pense que ça marchera.

– Que je lui demande?... N'est-il pas celui qui ne se trompe jamais?

– Demandez-le-moi quand même, dit Ralson qui avait entendu du sofa où il était étendu, les yeux brillants et fous.

Ils se tournèrent vers lui et il expliqua :

– Ils ne veulent pas d'un champ de force. *Eux!* Les expérimentateurs. Tant que je n'avais pas bien compris, les choses sont restées telles qu'elles étaient. Mais je n'avais pas suivi cette pensée jusqu'au bout, cette idée qui est là dans ces papiers, je ne l'avais pas suivie depuis trente secondes quand j'ai senti... j'ai senti... docteur...

– Qu'est-ce qu'il y a?

Ralson chuchota :

– Je suis plus profondément plongé dans la pénicilline. Je m'y sentais plongé de plus en plus profondément en suivant cette idée. Je n'y ai jamais été... si profond... C'est comme ça que j'ai su que j'avais raison. Emmenez-moi!

Blaustein se redressa.

– Il faut que je l'emmène, Grant. Nous n'avons pas le choix. Si vous pouvez déchiffrer ce qu'il a écrit, eh bien, tant mieux. Sinon, je ne peux pas vous aider. Cet homme ne peut plus travailler dans ce domaine, sous peine de mort. Vous le comprenez?

– Mais il meurt d'un mal imaginaire!

– D'accord. Disons qu'il s'agit d'un mal imaginaire. Mais il n'en sera pas moins mort, n'est-ce pas?

Ralson avait de nouveau perdu connaissance et il n'entendit rien de ces propos. Grant le contempla sombrement et soupira :

– Eh bien, emmenez-le, alors.

Dix des plus grandes sommités de l'Institut regardaient d'un air morose les diapositives se succéder sur l'écran. Grant leur faisait face, le visage dur et renfrogné.

– Je crois que l'idée est assez simple, leur dit-il. Vous êtes des mathématiciens et des ingénieurs. Ce gribouillis paraît illisible mais il a une signification. Cette signification doit transparaître dans l'écriture, même déformée. La première page est assez nette. Elle devrait être un bon guide. Chacun de vous devra examiner et réexaminer chaque feuillet. Vous allez noter toutes les versions possibles de chacune de ces pages, telles qu'elles vous apparaissent. Vous travaillerez indépendamment. Je ne veux pas de consultations entre vous.

– Comment savez-vous si cela a une signification, Grant? demanda l'un des savants.

– Je le sais parce que ce sont les notes de Ralson.

– Ralson? Je croyais qu'il était...

– Vous pensiez qu'il était malade, interrompit

Grant, forcé d'élever la voix dans le brouhaha. Je sais. Il l'est. C'est l'écriture d'un homme à moitié mort. C'est tout ce que nous allons obtenir désormais de lui. Quelque part dans ces pattes de mouche, il y a la solution du problème du champ de force. Si nous ne parvenons pas à la trouver, nous risquons de passer des années à la chercher ailleurs.

Ils se mirent au travail. La nuit passa. Deux nuits. Trois nuits...

Grant étudia les résultats. Il secoua la tête.

– Si vous me dites que tout cela se tient, je veux bien vous croire sur parole. Personnellement, je n'y comprends rien.

Lowe, qui en l'absence de Ralson pouvait être considéré comme le meilleur ingénieur nucléaire de l'Institut, haussa les épaules.

– Ce n'est pas précisément clair pour moi non plus. Si ça marche, il n'explique pas pourquoi.

– Il n'a pas eu le temps de l'expliquer. Pouvez-vous construire le générateur tel qu'il le décrit?

– Je peux essayer.

– Voulez-vous voir toutes les autres versions des feuillets?

– Les autres ne tiennent carrément pas debout.

– Voulez-vous vérifier tout de même?

– Bien sûr.

– Et pourriez-vous commencer la construction, malgré tout?

– Je vais la mettre en train. Mais, entre nous, je suis pessimiste.

– Je sais. Moi aussi.

La chose grandissait. Hal Ross, le chef mécanicien, était chargé de la construction en soi, et il ne dormait plus. A toute heure du jour et de la nuit, on le trouvait au travail, en train de gratter son crâne chauve.

Une seule fois, il posa des questions :

– Qu'est-ce que c'est, docteur Lowe ? Je n'ai jamais rien vu de pareil. C'est censé faire quoi ?

– Vous savez où vous êtes, Ross ? répliqua Lowe. Vous savez que nous ne posons pas de questions, ici. Ne me le demandez plus.

Ross ne demanda plus rien. On savait qu'il détestait cette chose que l'on construisait. Il la trouvait laide et anormale. Mais il continua d'y travailler.

Blaustein téléphona un jour. Grant demanda :

– Comment va Ralson ?

– Pas bien. Il veut assister aux essais du projecteur de champ qu'il a conçu.

Grant hésita.

– Nous devrions le permettre, sans doute. C'est le sien, après tout.

– Il faudrait que je vienne avec lui.

Grant eut l'air encore plus malheureux.

– Cela risque d'être dangereux, vous savez. Même pour un simple essai, nous jouons avec de formidables énergies.

– Pas plus dangereux pour nous que pour vous.

– Très bien. La liste des observateurs devra être approuvée par la Commission et par le FBI, mais je vous y ferai figurer.

Blaustein regardait autour de lui. Le projecteur de champ était posé au centre même de l'immense laboratoire d'essai, lui-même à l'écart de tout le reste. Il n'y avait aucune connexion visible avec le plutonium qui servait de source d'énergie, mais il avait déduit, à travers les bribes de conversation de ses voisins – il ne se hasardait surtout pas à interroger Ralson –, que cette connexion s'effectuait par en dessous.

Au début, les observateurs firent le tour de l'engin, en échangeant des propos incompréhensibles, mais à présent ils s'en éloignaient. La galerie se remplissait. Il y avait au moins trois uniformes de généraux de l'autre côté de Blaustein, et toute une coterie de militaires divers. Le psychiatre choisit une portion inoccupée de la balustrade, pour Ralson surtout.

Il faisait chaud dans le laboratoire mais Ralson avait gardé son manteau, dont le col était relevé. Blaustein pensait que cela ne servait à rien. Aucun des anciens collègues de Ralson ne le reconnaîtrait maintenant.

– Vous pensez toujours que vous voulez rester? lui demanda-t-il.

– Je veux rester, affirma Ralson.

Blaustein fut content. Il voulait assister à l'essai. Il tourna la tête en entendant une autre voix :

– Bonjour, docteur Blaustein.

Au premier abord, le psychiatre ne reconnut pas l'homme mais, au bout d'une minute, il s'exclama :

– Inspecteur Darrity! Que faites-vous ici?

– Exactement ce que vous pensez, répondit le policier, et il indiqua les observateurs. Il n'y a aucun moyen de les trier pour être sûr qu'il n'y aura pas d'erreur. Je me suis trouvé une fois aussi près de Klaus Fuchs que je le suis en ce moment de vous.

Il lança son canif en l'air et le rattrapa adroitement au vol.

– Ah, oui. Où pourrait-on trouver de meilleure

sécurité? Quel homme peut se fier même à sa propre conscience? Et vous allez maintenant vous tenir à côté de moi, non?

– Pourquoi pas? dit Darrity avec un sourire. Vous teniez beaucoup à venir ici, n'est-ce pas?

– Pas pour moi-même, inspecteur. Et je vous en prie, rangez ce couteau, s'il vous plaît.

Darrity se tourna avec étonnement dans la direction indiquée par un geste discret de Blaustein. Il rangea son couteau et considéra un moment le compagnon du psychiatre. Il sifflota tout bas.

– Bonjour, docteur Ralson, dit-il.

– Bonjour, bredouilla Ralson d'une voix cassée.

La réaction de Darrity ne surprit pas Blaustein. Ralson avait perdu dix kilos depuis qu'il avait regagné la maison de santé. Il avait le teint jaune, la figure parcheminée, la mine d'un homme qui, tout à coup, a atteint soixante ans.

– Est-ce que l'essai va bientôt commencer? demanda Blaustein.

– On dirait qu'ils commencent maintenant.

Darrity se retourna et s'accouda à la balustrade. Blaustein prit le bras de Ralson et voulut l'entraîner mais l'inspecteur murmura :

– Restez là, docteur. Je ne veux pas que vous vous promeniez partout.

Blaustein regarda autour du laboratoire. Les hommes étaient debout, avec l'air mal à l'aise de personnages transformés en pierre. Il reconnut la haute et maigre silhouette de Grant qui levait lentement une main pour allumer une cigarette, mais se ravisait et remettait dans sa poche cigarette et briquet. Des hommes jeunes, installés aux pupitres de commande, attendaient nerveusement.

Un léger bourdonnement s'éleva et une vague odeur d'ozone imprégna l'atmosphère.

Ralson dit d'une voix dure :

– Regardez !

Les yeux de Blaustein et de Darrity suivirent la direction de l'index pointé. Le projecteur semblait clignoter. C'était comme si de l'air brûlant s'élevait entre l'appareil et les spectateurs. Une boule de fer arriva en se balançant comme un pendule et passa à travers la partie vibrante de l'air.

– Elle a ralenti, non ? s'exclama Blaustein.

Ralson hocha la tête.

– Ils mesurent la hauteur de l'élévation de l'autre côté pour calculer la perte d'élan. Les imbéciles ! Je leur ai *dit* que ça marcherait !

Il avait manifestement du mal à parler.

– Observez simplement, Ralson, lui dit Blaustein. Ne vous énervez pas.

Le balancement du pendule s'arrêta et celui-ci fut hissé. Le clignotement autour du projecteur devint plus intense et la sphère de fer redescendit.

Le mouvement se répéta plusieurs fois et, à chaque fois, le balancement était ralenti avec une nette saccade. La boule faisait un bruit sec en frappant le clignotement. Et enfin, elle *rebondit* littéralement. Lourdement, d'abord, comme si elle heurtait du mastic, puis très vivement, comme si elle frappait de l'acier; le bruit s'en répercuta partout.

On remonta le pendule, et il ne servit plus à rien. Le projecteur était à peine visible derrière la brume de chaleur qui l'entourait.

Grant donna un ordre et l'odeur d'ozone devint plus prononcée, plus âcre. Un cri monta de la petite foule d'observateurs, chacun s'exclamant en s'adressant à son voisin. Une dizaine de doigts se pointèrent.

Blaustein se pencha par-dessus la balustrade, aussi surexcité que les autres. A la place du projecteur, il n'y avait plus qu'un énorme miroir sphérique, d'une netteté parfaite. Il se voyait dedans, un petit homme sur un petit balcon qui s'arrondissait et remontait de chaque côté. Il voyait l'éclairage fluorescent se refléter en taches lumineuses. C'était merveilleusement clair.

– Regardez, Ralson! cria-t-il. Ça reflète l'énergie! Ça reflète les ondes lumineuses comme un miroir! Ralson... Ralson! Inspecteur, où est Ralson?

Darrity pivota.

– Qui? Ralson? Je ne l'ai pas vu! dit-il en regardant de tous côtés, affolé. Mais il ne s'échappera pas, allez. Pas moyen de sortir d'ici, en ce moment. Prenez l'autre côté.

Il se claqua alors la cuisse, fouilla un moment dans sa poche et s'écria :

– Mon canif a disparu!

Ce fut Blaustein qui le trouva. Il était dans le petit bureau de Hal Ross, qui donnait sur le balcon mais qui, dans ces circonstances, avait été abandonné, naturellement. Un chef mécanicien n'avait pas à observer les résultats. Mais son bureau faisait tout à fait l'affaire pour la fin d'une longue bataille contre le suicide.

Blaustein resta un moment sur le seuil, le cœur malade, puis il se détourna. Il vit Darrity qui sortait d'un bureau semblable, à une trentaine de mètres dans la galerie. Il fit un geste et l'inspecteur arriva en courant.

Le Dr Grant tremblait de surexcitation. Il avait tiré deux bouffées de chacune des deux cigarettes qu'il avait allumées et aussitôt écrasées du bout du pied. Il en allumait maintenant une troisième, en disant :

– C'est encore meilleur que tout ce que nous espérions. Nous procéderons à l'essai de tir demain. Je suis certain du résultat, à présent, mais il est prévu et nous devons l'effectuer. Nous omettrons les armes de poing et commencerons tout de suite par le bazooka. Ou peut-être pas. Il sera peut-être nécessaire de bâtir une structure d'essai spéciale pour résoudre le problème du ricochet.

Il jeta sa troisième cigarette. Un général déclara :

– Il nous faudra naturellement essayer un bombardement atomique réel.

– Naturellement. Des dispositions sont déjà prises pour construire une maquette de ville à Eniwetok. Nous pourrions construire un générateur sur place et lâcher la bombe. Il y aurait des animaux.

– Et vous pensez réellement que si nous déployons un champ à pleine puissance, il retiendra la bombe ?

– Pas seulement ça, mon général. Il n'y aura pas de champ visible tant que la bombe ne sera pas lâchée. C'est la radiation du plutonium qui doit activer le champ avant l'explosion. Comme nous l'avons fait ici, en dernier lieu. C'est l'essence même de la chose.

– Vous savez, dit un professeur de Princeton, je vois aussi quelques désavantages. Quand le champ est déployé à son maximum, tout ce qu'il protège se trouve dans l'obscurité totale, par rapport au soleil. Et il me semble également que l'ennemi peut lâcher des missiles radioactifs inoffensifs, pour déclencher le champ à intervalles fréquents. Ce qui serait un inconvénient majeur et userait considérablement notre pile.

– On survit à de tels inconvénients, rétorqua Grant. Ces difficultés seront éventuellement aplanies. Je suis certain que, désormais, le principal problème a été résolu.

L'observateur britannique s'était rapproché de Grant pour lui serrer la main.

– Je me sens déjà mieux pour Londres. Je ne peux pas m'empêcher de souhaiter que votre gouvernement me permette de voir les plans complets. Ce que j'ai vu me paraît remarquablement ingénieux. C'est évident maintenant, mais comment quelqu'un a-t-il pu y penser?

Grant sourit.

– Cette question a souvent été posée, à propos des découvertes du docteur Ralson...

Il se retourna en sentant une main sur son épaule.

– Docteur Blaustein! J'avais presque oublié. Venez, je veux vous parler.

Il entraîna le petit psychiatre à l'écart et lui chuchota à l'oreille :

– Ecoutez, pouvez-vous persuader Ralson de se laisser présenter à ces gens? C'est son triomphe.

– Ralson est mort.

– *Quoi!*

– Pouvez-vous quitter un moment vos invités?

– Oui... Oui... Messieurs, voulez-vous m'excuser quelques minutes? Merci.

Il s'éloigna avec Blaustein.

Les agents fédéraux avaient déjà pris la relève. Discrètement, ils barraient la porte du bureau de

Ross. Au-dehors, la foule allait et venait en discutant de la riposte à Alamogordo dont ils venaient d'être les témoins. A l'intérieur, à leur insu, c'était la mort du découvreur. La barrière de *G-men* se sépara pour permettre à Grant et Blaustein d'entrer. Elle se referma derrière eux.

Grant souleva le drap.

– Il a l'air en paix, murmura-t-il.

– Je dirais même... heureux.

Darrity dit d'une voix sans timbre :

– L'arme du suicide était mon propre couteau. C'est arrivé par ma négligence, et cela figurera au rapport.

– Non, non, protesta Blaustein, ce serait inutile. Il était mon patient et je suis responsable. D'ailleurs, il n'aurait pas vécu huit jours de plus. Depuis qu'il a inventé le projecteur, il était mourant.

– Quelle part de tout ceci devra figurer dans les archives du F.B.I.? demanda Grant. Ne pouvons-nous pas oublier sa folie?

– Je crains que non, docteur Grant, répondit Darrity.

– Je lui ai expliqué toute l'histoire, dit tristement Blaustein.

Le regard de Grant alla de l'un à l'autre.

– Je parlerai au directeur du F.B.I. Je m'adresserai au Président s'il le faut. Je ne vois pas pourquoi il serait nécessaire de mentionner le suicide ou la folie de Ralson. Il passera à la postérité comme l'inventeur du projecteur. C'est bien le moins que nous puissions faire pour lui, dit-il en grinçant des dents.

– Il a laissé un mot, annonça Blaustein.

– Un mot?

Darrity tendit à Grant un petit feuillet en disant :

– Les suicidés laissent presque toujours une lettre. C'est une des raisons pour lesquelles le docteur m'a parlé de ce qui a réellement tué Ralson.

Le billet, adressé à Blaustein, disait :

« Le projecteur marche. Je le savais. Le marché est donc conclu. Vous l'avez et vous n'avez plus besoin de moi. Alors je vais partir. Vous n'avez pas à vous inquiéter pour la race humaine, docteur. Vous aviez raison. Ils nous ont cultivés trop longtemps, ils ont pris trop de risques. Nous sommes hors de la culture, à présent, et ils ne pourront pas nous arrêter. Je le sais. C'est tout ce que je peux dire. Je le sais. »

Il avait signé rapidement et, au-dessous, il y avait une dernière ligne griffonnée : « A condition qu'un assez grand nombre d'hommes résistent à la pénicilline. »

Grant s'apprêtait à rouler le papier en boule mais Darrity tendit vivement la main.

– Pour la bonne règle, docteur.

Grant le lui donna et murmura :

– Pauvre Ralson ! Il est mort en croyant à toutes ces sottises !

Blaustein hocha la tête.

Eh oui. Il aura de belles funérailles, je suppose, et son invention sera acclamée sans qu'on fasse mention de la folie ni du suicide. Mais les hommes du gouvernement continueront de s'intéresser à ses folles théories. Elles ne sont peut-être pas si folles, non, inspecteur Darrity ?

– C'est ridicule, docteur ! s'exclama Grant. Il n'y a pas un seul savant de chez nous qui ait manifesté le moindre malaise !

– Dites-lui, monsieur Darrity, dit Blaustein.

– Il y a eu un autre suicide. Non, non, aucun de vos savants. Personne de diplômé. Cela s'est passé ce matin, et nous avons enquêté parce que nous pensions qu'il pourrait y avoir un rapport avec l'essai d'aujourd'hui. Il ne semblait pas y en avoir et nous avons préféré garder le secret jusqu'après l'essai. Seulement maintenant, il semble bien qu'il y ait un rapport. L'homme qui est mort était un brave type, avec une femme et trois gosses. Aucune raison de mourir. Pas d'antécédents de maladie mentale. Il s'est jeté sous une voiture. Nous avons des témoins et il est certain qu'il l'a fait volontairement. Il n'est pas mort sur le coup et les témoins ont appelé un médecin. Il était horriblement blessé mais ses derniers mots ont été : « Je me sens bien mieux maintenant », et il est mort.

— Qui était-ce ? cria Grant.

— Hal Ross. Le type qui a construit le projecteur. Le type à qui appartenait ce bureau.

Blaustein alla à la fenêtre. Le ciel du soir s'assombrissait et des étoiles apparaissaient.

— Cet homme ne savait rien des idées de Ralson, il ne lui avait jamais parlé, dit Darrity. Les savants sont probablement résistants, dans leur ensemble. Ils doivent l'être, sinon ils seraient vite exclus de la profession scientifique. Ralson était une exception, un hyper-sensible à la pénicilline qui a tenu à résister. Vous voyez ce qui lui est arrivé. Mais les autres, ceux qui exercent des professions où il n'y a pas d'élimination constante des natures sensibles ? Quelle portion de l'humanité est résistante à la pénicilline ?

— Vous *croyez* Ralson ? demanda Grant avec horreur.

— Je ne sais pas.

Blaustein contempla les étoiles.

Des incubateurs ?

LES HÔTES

(HOSTESS)

Rose Smollett était heureuse, presque triomphante. Elle ôta ses gants, rangea son chapeau et tourna vers son mari des yeux brillants.

– Drake, nous allons l'avoir ici!

Drake la considéra avec agacement.

– Tu as manqué le dîner. Je croyais que tu devais rentrer à sept heures.

– Ah, ça n'a pas d'importance. J'ai mangé un morceau en chemin. Mais, Drake, nous allons le recevoir ici!

– Qui, ici? Qu'est-ce que tu racontes?

– Ce docteur de la planète Hawkins! Tu ne savais donc pas que c'était le sujet de la conférence d'aujourd'hui? Nous avons passé toute la journée à en parler. C'est la chose la plus passionnante qui pouvait arriver!

Drake Smollett écarta la pipe de son visage. Il regarda fixement l'objet, puis sa femme.

– Voyons, que je comprenne bien. Quand tu

parles du docteur de la planète Hawkins, tu veux dire le Hawkinsien que vous avez à l'Institut?

– Bien sûr, voyons! De qui d'autre pourrais-je parler?

– Et puis-je te demander ce que diable tu veux dire en racontant que nous devons l'avoir ici?

– Drake, tu ne comprends donc pas?

– Qu'y a-t-il à comprendre? Ton Institut s'intéresse peut-être à ce truc-là, mais pas moi. Qu'est-ce que j'ai à faire de lui, personnellement? C'est l'Institut que ça regarde, n'est-ce pas?

– Mais mon chéri, dit Rose, patiente, le Hawkinsien aimerait séjourner quelque part, dans une maison particulière, où il ne serait pas gêné par un protocole officiel, où il pourrait s'arranger selon ses goûts et ses souhaits. Je trouve ça très compréhensible.

– Pourquoi chez *nous*?

– Parce que notre maison lui convient, je suppose. On m'a demandé si j'acceptais et, franchement, je considère cela comme un privilège!

Drake passa une main dans ses cheveux bruns et réussit à les ébouriffer.

– Ecoute! Nous avons une bonne petite maison, bien commode, ici. Ce n'est pas la demeure la plus élégante du monde, mais elle nous suffit. Seulement, je ne vois pas que nous ayons de la place pour des visiteurs extraterrestres.

Rose prit un air inquiet. Elle ôta ses lunettes et les rangea dans leur étui.

– Il peut loger dans la chambre d'ami. Il s'occupera de lui-même. Je lui ai déjà parlé et il est très agréable. Franchement, nous devons faire preuve d'une certaine faculté d'adaptation.

– Mais oui, rien qu'un peu d'adaptation! Les

Hawkinsiens respirent du cyanure. Nous devrons aussi nous adapter à ça, je suppose?

– Il transporte son cyanure dans un petit cylindre. Tu ne le remarqueras même pas.

– Et qu'est-ce qu'il a d'autre que je ne remarquerai pas?

– Mais rien! Ils sont parfaitement inoffensifs. Enfin quoi, ils sont même végétariens!

– Et qu'est-ce que ça veut dire, ça? Est-ce que nous lui servirons une balle de foin pour dîner?

La lèvre inférieure de Rose trembla.

– Drake, tu es délibérément odieux! Il y a beaucoup de végétariens, sur Terre. Ils ne mangent pas de foin.

– Et nous? Est-ce que nous mangerons de la viande, ou est-ce qu'il va nous prendre pour des cannibales? Je ne vais pas vivre de salades pour lui faire plaisir, je t'avertis!

– Tu es complètement ridicule.

Rose se sentait sans défense. Elle s'était mariée relativement tard. Sa carrière était déjà fixée, elle-même y paraissait bien installée. Elle était professeur de biologie à l'Institut Jenkins de Sciences naturelles, auteur de plus de vingt communications. En un mot, sa voie était nette, bien dégagée, elle était faite pour une carrière et pour rester vieille fille. Et voilà qu'à trente-cinq ans, elle s'était mariée; et elle se sentait encore un peu ahurie de se considérer comme une jeune épouse, depuis moins d'un an.

Il lui arrivait aussi d'être embarrassée, parce qu'elle s'apercevait parfois qu'elle ne savait absolument pas comment manipuler son mari. Que faisait-on quand l'homme de la famille devenait têtu comme une mule? Ce n'était expliqué dans aucun de ses cours. Avec sa carrière et son esprit indépendant, elle ne pouvait se résoudre à le cajoler.

Aussi le regarda-t-elle posément pour dire avec simplicité :

– C'est très important pour moi.

– Pourquoi ?

– Parce que, Drake. S'il séjourne un moment ici, je pourrai l'étudier de près. Très peu de travaux ont été faits sur la biologie et la psychologie du Hawkinsien, ou sur aucune autre intelligence extraterrestre. Nous connaissons un peu de leur sociologie et de leur histoire, naturellement, mais c'est tout. Tu dois bien voir que c'est une occasion en or ! Il séjourne ici, nous l'observons, nous lui parlons, nous étudions ses habitudes...

– Ça ne m'intéresse pas.

– Ah, Drake ! Je ne te comprends pas.

– Tu vas dire que je ne suis pas comme ça d'habitude.

– Eh bien, en effet, tu ne l'es pas.

Drake resta un moment silencieux. Il parut se replier sur lui-même : ses pommettes saillantes et son menton fort se figèrent dans une position qui évoquait une sombre réflexion. Enfin, il dit :

– Ecoute, j'ai un peu entendu parler des Hawkinsiens, dans mes propres affaires. Tu dis qu'il y a eu des enquêtes sur leur sociologie mais aucune sur leur biologie. Bien sûr. C'est parce que les Hawkinsiens ne sont pas plus contents d'être étudiés comme des spécimens que nous ne le serions nous-mêmes. Je me suis entretenu avec des hommes chargés de groupes de sécurité observant les diverses missions hawkinsiennes sur Terre. Les missions en question restent dans les chambres qui leur sont affectées et ne les quittent que pour les cérémonies les plus officielles. Ils n'ont rien à voir avec les Terriens. Il est évident que leur répulsion à notre égard est aussi grande que la mienne vis-à-vis d'eux. D'ailleurs, je ne comprends pas pourquoi ce Hawkinsien de l'Institut serait différent. Il me semble que c'est contraire à tous les règlements de le faire venir ici, tout seul, d'abord... et qu'il veuille rester dans la maison d'un Terrien, c'est comme de poser une cerise au marasquin au sommet d'un parfait glacé, voilà!

Rose soupira.

– C'est différent. Je m'étonne que tu ne puisses pas le comprendre, Drake. Il est médecin. Il est venu ici par le biais de la recherche médicale, et je veux bien t'accorder que ça ne lui fait probablement pas plaisir de vivre parmi des êtres humains, et qu'il nous trouvera absolument horribles. Mais il doit rester quand même! Tu crois que ça leur plaît, aux médecins humains, d'aller sous les Tropiques? Tu crois qu'ils aiment se faire dévorer par des moustiques porteurs de virus?

– Qu'est-ce que c'est que cette histoire de moustiques? demanda vivement Drake. Quel rapport ont-ils avec tout ça?

– Mais rien, voyons, rien! C'est juste une image qui m'est venue. Je pensais à Reed et à ses expériences sur la fièvre jaune.

Drake haussa les épaules.

– Comme tu voudras.

Pendant un moment, Rose hésita, puis elle demanda :

– Tu n'es pas en colère à propos de ça, dis?

A ses propres oreilles, sa voix parut désagréablement puérile.

– Non.

Et cela, Rose le savait, voulait dire qu'il l'était.

Rose s'examina dans sa glace en pied, d'un air dubitatif. Elle n'avait jamais été belle et s'était fait une raison, au point que cela n'avait plus d'importance à ses yeux. Ça n'en aurait certainement aucune pour un être de la planète Hawkins. Ce qui l'inquiétait, c'était son rôle de maîtresse de maison dans des circonstances aussi bizarres : il lui faudrait avoir du tact à l'égard de l'extra-terrestre aussi bien qu'à l'égard de son mari. Elle se demanda ce qui serait le plus difficile.

Drake devait revenir tard, ce soir-là; il ne serait pas rentré avant une demi-heure. Rose avait tendance à imaginer qu'il s'était arrangé, exprès, dans l'intention malveillante de la laisser seule avec son problème. Elle en éprouvait un vague ressentiment.

Il lui avait téléphoné juste avant midi, à l'Institut, et lui avait demandé avec brusquerie :

— Quand dois-tu l'amener chez nous?

— Dans trois heures.

— Très bien. Comment s'appelle-t-il? Le Hawkinsien?

— Qu'est-ce que ça peut te faire?

Elle n'avait pu maîtriser le ton glacial de sa voix.

— Disons que je me livre à une petite enquête. Après tout, la chose va vivre chez moi.

— Ah, je t'en prie, Drake! Ne rapporte pas ton travail à la maison!

— Pourquoi pas, Rose? N'est-ce pas exactement ce que tu fais?

C'était vrai, naturellement, alors elle lui avait donné le renseignement qu'il voulait.

C'était la première fois, depuis qu'ils étaient mariés, qu'ils avaient même un semblant de querelle et, assise devant sa glace, elle se demanda si elle ne devait pas essayer de considérer les choses sous son angle à lui. Dans le fond, elle avait épousé un policier. Bien sûr, il était plus qu'un simple policier; il était membre du Conseil Mondial de Sécurité.

Ses amis s'étaient étonnés. La plus grosse surprise avait été le mariage en soi, mais puisqu'elle s'était décidée à se marier, pourquoi pas avec un biologiste? Ou si elle voulait s'écarter un peu de son domaine, avec un anthropologue, ou même un chimiste? Pourquoi un policier? Telle était l'attitude générale. Personne ne posait ces questions, bien entendu, mais à l'époque de son mariage, elles étaient dans l'air.

Elle en avait été très fâchée et l'était encore. Un homme avait le droit d'épouser qui il voulait, mais un docteur en biologie, espèce féminine, choquait si elle choisissait d'épouser un homme qui n'était jamais allé plus loin que le baccalauréat. Pourquoi? Cela ne regardait personne! Il était beau, d'une certaine façon, intelligent, d'une autre, et elle était parfaitement satisfaite de son choix.

Pourtant, dans quelle mesure ce snobisme ne déteignait-il pas sur elle? Ne pensait-elle pas que ses propres travaux, ses enquêtes biologiques, étaient importants, tandis que le travail de Drake était tout juste bon à rester entre les quatre murs de son petit bureau, dans les vieux bâtiments de l'O.N.U., au bord de l'East River?

Agitée, elle se leva brusquement, respira profondément et prit la décision de laisser ce genre de pensées derrière elle. Elle ne voulait pas se disputer avec son mari. Elle lui laisserait faire ce qu'il voulait. Elle s'était engagée à recevoir le Hawkinsien à titre d'invité, mais autrement, Drake se comporterait à sa guise. Il lui faisait déjà une assez grande concession.

Harg Tholan attendait paisiblement au milieu du living-room quand Rose descendit de sa chambre. Il ne s'était pas assis car il n'était pas anatomiquement bâti pour cela. Il se tenait donc debout, sur deux paires de membres très rapprochés, et une troisième paire, d'une forme tout à fait différente, était accrochée à une région qui, chez un être humain, serait le haut du torse. Sa peau était dure, brillante et rugueuse et sa figure avait une lointaine ressemblance avec quelque chose d'extraterrestrement bovin. Il n'était cependant pas totalement répugnant et il portait une manière de vêtement sur la partie inférieure de son corps, pour éviter d'offenser la sensibilité de ses hôtes humains.

– Mrs Smollett, dit-il, j'apprécie votre hospitalité au-delà de ma faculté de l'exprimer dans votre langue.

Sur ce, il s'inclina au point que ses membres antérieurs touchèrent un moment le plancher.

Rose savait que c'était un geste de reconnaissance, chez les êtres de la planète Hawkins. Elle était heureuse qu'il parlât aussi bien l'anglais. La forme de sa bouche, aggravée par l'absence d'incisive, lui donnait un accent sifflant, mais à part cela, on aurait pu le croire natif de la Terre, à l'entendre.

– Mon mari ne va pas tarder à rentrer, et nous dînerons.

– Votre mari ?... Ah oui, bien sûr.

Elle fit mine de n'avoir pas entendu sa remarque. S'il y avait une source d'incompréhension infinie entre les cinq races intelligentes de la galaxie connue, c'étaient bien les différences concernant leur vie sexuelle et les institutions qui la régissaient. Le concept de mari et femme, par exemple, n'existait que sur Terre. Les autres races parvenaient à avoir une certaine compréhension intellectuelle de ce que cela représentait, mais jamais émotionnelle.

– J'ai consulté l'Institut pour la composition de votre menu. J'espère qu'il n'y aura rien qui ne vous convienne pas.

Le Hawkinsien cligna rapidement des yeux plusieurs fois. Rose se souvint que c'était une expression d'amusement.

– Les protéines sont les protéines, ma chère Mrs Smollett. Pour les autres facteurs dont j'ai besoin et qui ne sont pas fournis par votre alimentation, j'ai apporté suffisamment de concentrés pour y suppléer.

Effectivement, les protéines étaient les protéines, Rose le savait aussi. Son souci pour le régime de la créature n'était qu'une forme de politesse. Au cours de la découverte de la vie sur les planètes d'étoiles lointaines, une des plus intéressantes généralisations qui s'étaient révélées était que si la vie pouvait se former à base de substances autres que les protéines – même par des éléments autres que le carbone –, il n'en demeurait pas moins que les cinq intelligences connues étaient de nature protéinique. Cela signifiait que chacune de ces cinq formes de vie intelligente pouvait se nourrir pendant des périodes prolongées avec l'alimentation de n'importe laquelle des quatre autres.

Rose entendit la clef de Drake dans la serrure et se crispa d'appréhension.

Elle dut reconnaître qu'il fut parfait. Il entra et,

sans hésitation, tendit sa main au Hawkinsien en disant aimablement :

– Bonsoir, docteur Tholan.

Le Hawkinsien offrit un long membre assez gauche et tous deux se serrèrent, pour ainsi dire, la main. Rose l'avait déjà fait et connaissait la sensation bizarre d'une main hawkinsienne dans la sienne. Elle l'avait trouvée rugueuse, brûlante et sèche. Elle imaginait que, pour le Hawkinsien, la sienne et celle de Drake devaient paraître froides et gluantes.

Au moment des présentations officielles, elle avait observé la main de l'extra-terrestre. C'était un excellent exemple de convergence d'évolution. Son développement morphologique était entièrement différent de celui de la main humaine, tout en étant parvenu à une assez bonne similitude approximative. Elle avait quatre doigts et était dénuée de pouce. Chaque doigt possédait cinq articulations indépendantes. Ainsi, la flexibilité perdue par l'absence de pouce opposable était compensée par les facultés quasi tentaculaires des doigts. Ce qui était encore plus intéressant aux yeux de biologiste de Rose, c'était que chaque doigt se terminait par un petit vestige de sabot, minuscule et impossible à identifier par un profane, mais visiblement adapté à une époque antérieure à la course, tout comme les doigts de l'homme l'étaient jadis à l'escalade.

Drake demanda, d'une manière assez amicale :

– Etes-vous tout à fait à votre aise, monsieur ?

– Tout à fait, assura le Hawkinsien. Votre femme a été très prévenante, en prenant ses dispositions.

– Voulez-vous boire quelque chose ?

Le Hawkinsien ne répondit pas mais regarda

Rose avec une très légère contorsion des muscles faciaux indiquant une émotion que, malheureusement, elle ne put interpréter. Elle expliqua, nerveusement :

– Sur Terre, la coutume est d'absorber des liquides corsés à l'alcool éthylique. Nous trouvons cela stimulant.

– Ah oui ! Dans ce cas, je suis contraint de refuser. L'alcool éthylique aurait une influence désastreuse sur mon métabolisme.

– Il en a aussi sur celui des Terriens, mais je comprends, docteur Tholan, dit Drake. Seriez-vous choqué si je buvais moi-même quelque chose ?

– Absolument pas.

Drake passa tout près de Rose en allant à la desserte et marmonna un seul mot.

– Dieu ! dit-il entre ses dents.

Sa voix était à peine audible mais il réussit à mettre dix-sept points d'exclamation après ce mot.

Le Hawkinsien se tenait debout à table. Ses doigts étaient des modèles de dextérité, alors qu'il se débattait avec ses couverts. Rose s'efforça de ne pas le regarder manger. Sa large bouche sans lèvres fendait sa figure d'une manière alarmante et, quand il mastiquait, ses lourdes mâchoires se déplaçaient horizontalement, d'une manière déconcertante. C'était une autre preuve de ses antécédents d'ongulé. Rose se demanda si, dans la retraite de la chambre qu'elle lui avait réservée, il se mettrait à ruminer plus tard; et elle fut prise de panique de peur que Drake n'ait la même idée et ne quitte la table avec dégoût. Mais Drake prenait les choses très calmement.

– Je suppose, docteur Tholan, dit-il, que ce cylindre à votre côté contient du cyanure?

Rose sursauta. Elle n'avait rien remarqué. C'était un objet de métal concave, un peu comme une gourde de soldat, sur la peau de la créature, et à demi caché par le vêtement. Mais Drake, forcément, avait un œil de policier.

Le Hawkinsien ne fut pas du tout déconcerté.

– En effet, répondit-il.

De ses doigts équipés de sabots, il détacha un mince tuyau flexible qui remontait le long de son corps et dont la teinte se confondait avec la couleur jaunâtre de sa peau et en introduisit l'extrémité dans un coin de sa large bouche.

Rose en fut vaguement gênée, comme à une exhibition de sous-vêtements intimes.

– Est-ce que cela contient du cyanure pur?

Le Hawkinsien cligna des yeux avec amusement.

– J'espère que vous ne craignez pas un danger possible pour les Terriens. Je sais que ce gaz est pour vous terriblement toxique mais je n'ai besoin que de petites quantités. Le gaz contenu dans ce cylindre est composé de cinq pour cent d'hydrocyanure, le reste étant de l'oxygène. Rien ne s'en dégage, excepté lorsque je suce le tube, et cela n'a pas besoin d'être fait fréquemment.

– Ah, bien. Et vous avez réellement besoin de ce gaz pour vivre?

Rose s'affola un peu. On ne posait pas ce genre de questions sans une prudente préparation. Il était impossible de prévoir les points sensibles d'une psychologie extra-terrestre. Drake avait dû le faire exprès, puisqu'il savait qu'il pouvait obtenir des réponses à ce genre de questions en les lui posant, à elle. Ou bien préférait-il ne rien lui demander?

Le Hawkinsien resta apparemment imperturbable.

– Vous n'êtes pas biologiste, monsieur Smollett ?

– Non, docteur.

– Mais vous êtes en rapports étroits avec Mme le Dr Smollett ?

Drake sourit.

– Oui, je suis marié avec Mme le Dr Smollett mais je ne suis quand même pas biologiste, simplement un fonctionnaire mineur du gouvernement. Les amis de ma femme, ajouta-t-il, m'appellent un flic.

Rose se mordit l'intérieur de la joue. Dans ce cas-là, c'était le Hawkinsien qui avait atteint un point sensible de la psychologie étrangère. Sur la planète Hawkins, il existait un strict système de castes, et les associations entre celles-ci étaient limitées. Mais Drake ne devait pas le savoir. Le Hawkinsien se tourna vers elle.

– M'autorisez-vous, madame, à expliquer un peu de notre biochimie à votre mari ? Ce sera ennuyeux pour vous, car je suis sûr que vous devez déjà la comprendre fort bien.

– Je vous en prie, docteur Tholan.

– Voyez-vous, monsieur Smollett, votre système respiratoire et celui de toutes les créatures respirant sur Terre est, me dit-on, contrôlé par certaines enzymes contenant du métal. Ce métal est généralement du fer, mais peut être parfois du cuivre. Dans un cas comme dans l'autre, de petites traces de cyanure se combinent avec ces métaux et immobilisent le système respiratoire de la cellule terrienne vivante. Elle est alors privée d'absorption d'oxygène et tuée en quelques minutes. La vie, sur ma planète, est constituée autrement. Les éléments clefs de la respiration ne contiennent ni fer ni cuivre, ni aucun métal d'ailleurs. C'est pourquoi mon sang est incolore. Nos éléments contiennent certains groupes organiques essentiels à la vie, et ces groupes ne peuvent être gardés intacts qu'en présence d'une faible concentration de cyanure. Indiscutablement, ce type de protéines s'est développé au cours de millions d'années d'évolution dans un monde possédant dans son atmosphère, au naturel, quelques dixièmes d'un pour cent d'hydrocyanure. Divers de nos micro-organismes innés libèrent le gaz.

– Votre exposé est extrêmement clair, docteur, et très intéressant, dit Drake. Que se passe-t-il si vous ne pouvez pas en respirer? Est-ce que vous disparaissez, comme ça? demanda-t-il en claquant des doigts.

– Pas tout à fait. Ce n'est pas l'équivalent du cyanure pour vous. Dans mon cas, son absence serait semblable à une lente strangulation. Cela arrive quelquefois, dans des pièces mal aérées de notre monde, quand le cyanure est progressivement consommé et tombe au-dessous de la concentration minimum nécessaire. Les résultats sont très douloureux et difficiles à soigner.

Rose devait tirer son chapeau à Drake; il avait l'air sincèrement intéressé. Et, grâce au ciel, ce catéchisme ne semblait pas gêner l'extra-terrestre.

La suite du dîner se déroula sans incident. Ce fut presque agréable.

Toute la soirée, Drake resta ainsi, intéressé. Plus encore : absorbé. Il éclipsait Rose et elle en était heureuse. C'était lui, dans le fond, qui était vraiment original et ce n'était que sa profession, à elle, son entraînement spécialisé, qui le faisait paraître

plus terne. Elle le considéra tristement et pensa :
Pourquoi m'a-t-il épousée?

Drake était assis, les jambes croisées, les mains jointes sous son menton, et observait attentivement le Hawkinsien. L'extra-terrestre lui faisait face, debout à sa manière de quadrupède.

– J'ai du mal à vous considérer comme un médecin, dit tout à coup Drake.

Le Hawkinsien, amusé, cligna rapidement des yeux.

– Je comprends ce que vous voulez dire. J'ai moi-même du mal à vous considérer comme un policier. Dans mon monde, les policiers sont des personnes extrêmement spécialisées et distinctes.

– Vraiment? dit Drake avec une curieuse ironie, et il changea de conversation : Si je comprends bien, vous n'êtes pas ici en voyage d'agrément?

– Non, c'est un voyage d'étude. J'ai l'intention d'analyser cette curieuse planète que vous appelez Terre, comme elle n'a encore jamais été analysée par mon peuple.

– Curieuse? demanda Drake. En quel sens?

Le Hawkinsien consulta Rose du regard.

– Est-il au courant de la mort par inhibition?

Elle fut embarrassée.

– Son travail est très prenant. Mon mari n'a guère le temps d'écouter les détails de mes travaux, avoua-t-elle.

Elle songea que ce n'était pas une bonne réponse et, encore une fois, elle eut droit à une de ces expressions indéchiffrables de l'extra-terrestre, qui se tourna de nouveau vers Drake.

– Je suis toujours stupéfait de constater que vous, les Terriens, savez très peu de chose sur vos caractéristiques insolites. Ecoutez, il y a cinq races intelligentes dans la Galaxie. Elles se sont toutes développées indépendamment les unes des autres tout en réussissant à converger d'une façon remarquable. C'est comme si, à la longue, l'intelligence exigeait une certaine configuration physique pour s'épanouir. Mais je laisse cette question aux philosophes. Je n'ai pas besoin d'insister sur un point qui doit vous être familier. Or, si l'on étudie attentivement les différences entre les intelligences, on s'aperçoit constamment que c'est vous, les Terriens, qui, plus que tous les autres, êtes uniques en votre genre. Par exemple, c'est seulement sur Terre que la vie dépend pour la respiration d'enzymes métalliques. Votre population est la seule pour qui l'hydrocyanure est un poison. Vous êtes la seule forme de vie intelligente qui soit carnivore. Vous êtes la seule forme de vie qui n'ait pas évolué à partir d'un ruminant. Et, ce qui est encore plus intéressant, vous êtes la seule forme de vie intelligente qui cesse de grandir en atteignant sa maturité.

Drake sourit à l'extra-terrestre. Le cœur de Rose se mit à battre plus vite. C'était ce qu'il avait de plus charmant, ce large sourire, et il s'en servait à la perfection, avec naturel. Ce n'était ni forcé ni faux. Il s'adaptait à la présence de cette créature étrangère. Il était agréable, poli, et il devait faire cela pour elle. Cette pensée la réchauffa et elle se la répéta. Il faisait cela pour elle; c'était pour elle qu'il était aimable avec le Hawkinsien.

Drake disait en ce moment, avec son charmant sourire :

– Vous ne me paraissez pas très grand, docteur Tholan. Vous devez avoir deux à trois centimètres de plus que moi, c'est-à-dire un mètre quatre-vingt-sept. Est-ce parce que vous êtes jeune, ou bien les autres, dans votre monde, sont-ils généralement de petite taille ?

– Ni l'un ni l'autre. Nous grandissons de moins en moins rapidement, au fil des années, si bien qu'à mon âge il me faudrait quinze ans pour grandir encore de deux ou trois centimètres mais – et c'est là le point important – nous ne cessons jamais. Jamais complètement. Et, naturellement, la conséquence est que nous ne mourons jamais complètement.

Drake eut un sursaut et même Rose se redressa brusquement. Voilà qui était nouveau. A sa connaissance, très peu d'expéditions avaient rapporté ce renseignement de la planète Hawkins. Elle était extrêmement curieuse de la suite mais retint toute exclamation, pour laisser Drake parler pour elle.

– Vous ne mourez pas complètement ? Voudriez-vous dire, alors, que les habitants de la planète Hawkins sont immortels ?

– Aucun peuple n'est vraiment immortel. S'il n'y avait aucune autre façon de mourir, il y aurait toujours les accidents, et si cela échoue, il y a l'ennui. Peu d'entre nous vivent plus de quelques siècles de votre temps. Il est quand même déplaisant de penser que la mort puisse survenir involontairement. C'est une chose qui, pour nous, est particulièrement horrible. Le simple fait d'y penser me trouble. Penser qu'en dépit de ma volonté est de tous mes soins la mort puisse venir !...

– Nous y sommes, quant à nous, tout à fait habitués, dit assez sombrement Drake.

– Vous, les Terriens, vous vivez avec cette idée. Pas nous. C'est pourquoi nous sommes très inquiets de constater que l'incidence de la mort par inhibition augmente depuis quelques années.

106

– Vous n'avez pas encore expliqué ce qu'est au juste la mort par inhibition, mais laissez-moi deviner. Est-ce un arrêt pathologique de la croissance?

– Exactement.

– Et la mort survient combien de temps après l'arrêt de la croissance?

– Dans l'année. C'est une maladie de langueur, une maladie tragique et absolument incurable.

– Quelle en est la cause?

Le Hawkinsien prit un temps de réflexion assez long avant de répondre, et même alors, il y avait dans sa manière de parler quelque chose de crispé, un certain malaise.

– Nous ne savons rien des causes de la maladie, Mr Smollett.

Drake hocha la tête, songeur. Rose suivait la conversation comme un spectateur un match de tennis.

– Et pourquoi êtes-vous venu sur Terre pour étudier cette maladie? demanda Drake.

– Parce que, encore une fois, les Terriens sont uniques. Ils sont les seuls êtres intelligents immunisés contre ce phénomène. La mort par inhibition frappe toutes les autres races. Vos biologistes le savent-ils, madame?

Il s'adressait si soudainement à elle qu'elle sursauta.

– Non, pas du tout, répondit-elle.

– Cela ne me surprend pas. Ce renseignement est le fruit de recherches très récentes. La mort par inhibition est fréquemment diagnostiquée d'une façon erronée et son incidence est beaucoup plus basse sur les autres planètes. Il est d'ailleurs assez bizarre de constater – un véritable sujet de philosophie – que l'incidence de ce genre de mort est la plus élevée sur mon monde, qui est le plus proche de la Terre, et plus basse sur chacune des planètes plus éloignées; c'est ainsi qu'elle est la plus basse sur Tempora, qui est la plus éloignée de la Terre, alors que la Terre elle-même est immunisée. Quelque part, dans la biochimie du Terrien, se trouve le secret de cette immunité. Il serait bien intéressant de le découvrir.

– Comment pouvez-vous dire que la Terre est immunisée? A mes yeux, l'incidence est de cent pour cent! Tous les Terriens cessent de grandir et tous les Terriens meurent. Nous souffrons *tous* de la mort par inhibition!

– Pas du tout. Les Terriens vivent jusqu'à soixante-dix ans après l'arrêt de leur croissance. Ce n'est pas la mort que nous connaissons nous-mêmes. Votre maladie équivalente est plutôt une question de croissance désordonnée. Le cancer, vous l'appelez. Mais je vous ennuie...

Rose protesta aussitôt. Drake aussi, avec encore plus de véhémence, mais le Hawkinsien changea résolument de sujet. Ce fut alors que Rose conçut ses premiers soupçons : Drake tournait adroitement autour de Harg Tholan, il le harcelait, le poussait dans ses retranchements, cherchait constamment à ramener la conversation là où le Hawkinsien l'avait interrompue. Il n'était ni désagréable ni maladroit, mais Rose le connaissait, elle savait ce qu'il faisait. Que pourrait-il chercher d'autre que ce qui était exigé par sa profession? A ce moment, comme pour répondre à ses pensées, le Hawkinsien reprit la phrase qui commençait à tourner dans sa tête comme un disque rayé. Il demanda :

– N'avez-vous pas dit que vous étiez un policier?

– Oui, répliqua sèchement Drake.

– Dans ce cas, il y a quelque chose que j'aimerais que vous fassiez pour moi. Je désire vous le demander depuis le début de la soirée, depuis que je connais votre profession, mais j'hésitais. Je ne voudrais pas être un embarras pour mes hôtes.

– Nous ferons ce que nous pourrons.

– Je suis profondément curieux de la manière de vivre des Terriens, une curiosité qui n'est peut-être pas partagée par la majorité de mes compatriotes. Je me demande si vous pourriez me faire visiter un des sièges de la police de votre planète.

– Je ne fais pas partie des services de police proprement dits, comme vous les imaginez, dit Drake avec prudence. Mais je ne suis pas un inconnu pour la police de New York. Je peux arranger aisément une visite. Demain?

– Ce serait parfait pour moi. Est-ce qu'il me sera possible de visiter le Bureau des personnes disparues?

– Le quoi?

Le Hawkinsien resserra ses quatre jambes, comme s'il devenait plus passionné.

– C'est une de mes lubies, un petit sujet d'intérêt bizarre qui m'a toujours intrigué. Il paraît que vous avez un groupe d'officiers de police dont la seule fonction est de rechercher des hommes disparus.

– Et aussi des femmes et des enfants, ajouta Drake. Mais pourquoi cela vous intéresse-t-il particulièrement?

– Parce que, en cela encore, vous êtes uniques. Sur notre planète, les personnes disparues n'existent pas. Je ne peux pas vous expliquer le mécanisme, naturellement, mais chez les peuples des autres mondes, on a toujours conscience de la présence d'une autre personne, surtout s'il existe un solide lien d'affection. Nous avons toujours conscience de l'endroit précis où sont les autres, où que ce soit sur la planète.

Rose eut de nouveau l'intérêt vivement éveillé. Les expéditions scientifiques sur la planète Hawkins avaient toujours eu la plus grande difficulté à pénétrer les mécanismes émotionnels intimes des autochtones, et elle en avait maintenant un chez elle, qui parlait librement, qui les lui expliquerait si elle le désirait! Elle oublia de s'inquiéter de Drake et intervint dans la conversation :

– Etes-vous capable d'éprouver cette conscience même en ce moment, sur Terre?

– Vous voulez dire à travers l'espace? Non, je crains que non. Mais vous voyez l'importance de la chose. Tout ce que la Terre a d'unique devrait être relié. Si l'on arrive à expliquer le manque de cette faculté, l'immunité contre la mort par inhibition sera peut-être expliquée du même coup. D'ailleurs, je trouve très curieux qu'une forme de vie communautaire intelligente puisse être élaborée par des gens chez qui manque cette perception. Comment un Terrien peut-il savoir, par exemple, quand il a formé un sous-groupe compatible, une famille? Vous deux, par exemple, comment savez-vous qu'il y a un lien réel entre vous?

Rose se surprit à hocher la tête. Comme ce sens-là lui manquait! Mais Drake ne fit que sourire.

– Nous avons nos moyens nous aussi. Il nous est difficile d'expliquer ce que nous appelons l'amour comme il vous est difficile d'expliquer votre perception.

– Sans doute. Mais, dites-moi franchement, Mr Smollett... si votre femme quittait cette pièce et passait dans une autre sans que vous l'ayez vue partir, est-ce que réellement vous ne sauriez pas où elle se trouve ?

– Je ne le saurais vraiment pas.

– Ahurissant, murmura le Hawkinsien, puis il ajouta : Je vous en prie, ne soyez pas offensé par le fait que je trouve cela révoltant !

Une fois la lumière éteinte dans la chambre, Rose alla trois fois à la porte, l'entrouvrit et regarda dans le couloir. Elle sentait que Drake l'observait. Il finit par demander, avec un peu d'amusement dans la voix :

– Qu'est-ce que tu as ?

– Je veux te parler.

– Tu as peur que notre ami t'entende ?

Rose chuchotait. Elle se mit au lit et posa la tête sur l'oreiller de son mari, pour mieux lui murmurer à l'oreille :

– Pourquoi parlais-tu de la mort par inhibition avec le docteur Tholan ?

– Je m'intéresse à tes travaux, Rose. Tu l'as toujours souhaité, non ?

– J'aimerais mieux que tu ne sois pas aussi sarcastique, répliqua-t-elle avec violence. (Autant de violence qu'elle pouvait en montrer en chuchotant.) Je sais qu'il y a un peu de ton intérêt là-dedans, un intérêt de policier, probablement. Qu'est-ce que c'est ?

– Je t'en parlerai demain.

– Non. Tout de suite !

Il glissa une main sous la tête de Rose et la souleva. Pendant un instant un peu fou, elle crut qu'il allait l'embrasser... un baiser spontané comme le faisaient parfois les maris, ou comme elle imaginait qu'ils le faisaient. Jamais Drake, cependant, pas plus maintenant qu'auparavant. Il se contenta de la serrer contre lui pour lui souffler :

– Pourquoi est-ce que cela t'intéresse tellement ?

Sa main était dure, presque brutale sur sa nuque, et elle se raidit, voulut s'écarter, en élevant à présent la voix :

– Arrête, Drake !

– Je ne veux pas d'autres questions de toi, ni d'interventions. Tu fais ton travail, je fais le mien.

– La nature de mon travail est connue de tout le monde, et n'a rien de secret.

– La nature de mon travail, répliqua-t-il, est tout le contraire, par définition. Mais je te confierai ceci. Notre ami à six pattes est ici chez nous pour une raison précise. Ce n'est pas par hasard que tu as été choisie comme biologiste responsable. Sais-tu qu'il y a deux jours, il enquêtait sur moi à la Commission ?

– Tu veux rire !

– Pas le moins du monde. Il y a des niveaux, dans cette affaire, dont tu ignores tout. Mais c'est mon travail et je n'en parlerai pas davantage avec toi. Tu comprends ?

– Non, mais je ne t'interrogerai pas, si tu ne le veux pas.

– Alors, dors !

Elle resta couchée sur le dos, toute raide, et les minutes s'écoulèrent, puis les quarts d'heure. Elle essayait de raccorder les pièces du puzzle. Malgré ce que Drake lui avait dit, les courbes et les couleurs refusaient de s'assembler. Elle se demanda ce que dirait Drake, s'il savait qu'elle avait un enregistrement de la conversation de cette soirée!

Pour le moment, une image restait très nette dans son souvenir; elle planait et paraissait se moquer d'elle. Le Hawkinsien, à la fin de la longue soirée, s'était tourné vers elle et lui avait dit gravement :

– Bonne nuit, Mrs Smollett. Vous êtes la plus charmante des hôtesses.

Sur l'instant, elle avait eu désespérément envie de pouffer. Comment pouvait-il la traiter d'hôtesse « charmante »? Pour lui, elle ne pouvait être qu'une horreur, une monstruosité avec trop peu de membres et une figure trop étroite.

Mais, alors que le Hawkinsien faisait ce petit compliment totalement dépourvu de signification, Drake avait pâli! Pendant un instant, ses yeux étaient devenus brûlants de quelque chose qui n'était pas loin d'évoquer la terreur.

Jamais elle n'avait vu Drake avoir peur de quoi que ce soit, et l'image de cette seconde de panique pure resta en elle, jusqu'à ce que toutes ses autres pensées disparaissent dans les ténèbres du sommeil.

Le lendemain, Rose n'arriva pas avant midi à son bureau. Elle avait volontairement attendu que Drake et le Hawkinsien soient partis, car ce fut alors seulement qu'elle put retirer le petit magnétophone caché, la veille, derrière le fauteuil de Drake. Elle n'avait eu initialement aucune intention de lui en cacher la présence. Mais il était rentré si tard qu'elle n'avait pu lui en parler, le Hawkinsien étant présent. Et ensuite, naturellement, les choses avaient changé...

La mise en place de cet enregistreur avait été

une routine. Les déclarations et les intonations de l'extra-terrestre devaient être conservées pour être étudiées par divers spécialistes, à l'Institut. L'appareil avait été caché pour éviter les déformations de timidité ou de trac que sa vue risquerait de provoquer, et maintenant, elle ne pouvait plus communiquer l'enregistrement aux membres de l'Institut. Il allait servir à une tout autre fonction. Une fonction assez sordide.

Elle allait espionner Drake.

Elle effleura la petite boîte du bout des doigts et se demanda, hors de propos, comment Drake allait se débrouiller dans la journée. Les relations entre les mondes habités n'étaient pas si courantes, et la vue d'un Hawkinsien dans les rues de la ville attirerait probablement une foule de badauds. Mais Drake saurait bien se tirer d'affaire. Il savait toujours.

Elle écouta encore une fois la bande sonore de la soirée, en repassant les moments intéressants. Ce que Drake lui avait dit ne la satisfaisait pas. Pourquoi le Hawkinsien se serait-il intéressé à eux deux en particulier ? Pourtant, Drake n'était pas un menteur. Elle aurait aimé se renseigner à la Commission de Sécurité, mais elle savait que c'était impossible. Elle aurait trop l'impression d'être déloyale. Non, Drake ne lui avait certainement pas menti.

Mais tout de même, pourquoi est-ce que Harg Tholan ne se serait pas renseigné sur eux ? Il avait pu se renseigner de même sur les familles de tous les biologistes de l'Institut. C'était bien naturel de vouloir choisir le foyer qu'il trouverait le plus agréable, suivant ses propres normes, quelles qu'elles fussent.

Et s'il l'avait fait – et même s'il ne s'était

renseigné que sur eux, les Smollett –, pourquoi cela ferait-il passer brusquement Drake de l'hostilité déclarée à l'intérêt le plus intense? Drake devait savoir des choses qu'il gardait pour lui. Le ciel seul savait quoi.

Les pensées de Rose explorèrent lentement toutes les possibilités d'intrigues interstellaires. Jusqu'à présent, il n'y avait certainement aucun signe d'hostilité ni de mésentente entre les cinq races intelligentes connues, habitant dans la Galaxie. Elles étaient encore séparées par des espaces trop vastes pour que naisse de l'inimitié. Le plus simple contact avec elles était presque impossible. Les intérêts économiques et politiques ne comportaient pas le plus petit élément susceptible de causer un conflit.

Mais ce n'était que son idée, à elle, et elle ne faisait pas partie de la Commission de Sécurité. S'il y avait conflit, s'il y avait danger, s'il y avait une raison quelconque de soupçonner que la mission du Hawkinsien n'était pas pacifique... Drake le saurait.

Mais Drake était-il assez haut placé au sein des conseils de la Commission pour connaître, automatiquement, les dangers de la visite d'un médecin hawkinsien? Elle avait toujours pensé que sa situation était celle d'un petit fonctionnaire, et il n'avait jamais prétendu le contraire. Et pourtant...

Pourrait-il être plus important?

A cette idée, elle haussa les épaules. Cela lui rappelait les romans d'espionnage du xxe siècle, les grands drames en costumes du temps où il existait des choses comme les secrets de la bombe atomique.

Elle prit une feuille de papier et, d'un mouvement vif, la partagea en deux par une ligne verticale au crayon. Elle intitula une colonne « Harg Tholan », et l'autre « Drake ». Sous « Harg Tholan », elle écrivit : *bona fide* avec trois points d'interrogation. Etait-il vraiment médecin, après tout ? Ou bien ce que l'on ne pourrait appeler qu'un agent interstellaire ? Quelle preuve avait-on, même à l'Institut, de sa profession, à part ce qu'il disait lui-même ? Etait-ce la raison pour laquelle Drake l'avait aussi inlassablement interrogé sur la mort par inhibition ? S'était-il renseigné à l'avance et tentait-il de prendre le Hawkinsien en flagrant délit d'erreur ?

Rose hésita un moment, puis elle se leva d'un bond, plia sa feuille de papier, la mit dans la poche de sa veste courte et sortit de son bureau. Sans dire un mot aux personnes qu'elle croisait, elle quitta l'Institut. Elle ne laissa aucun message au bureau de la réception pour indiquer où elle allait, ni quand elle reviendrait.

Une fois dehors, elle descendit rapidement au troisième niveau de transport souterrain et attendit le passage d'un compartiment vide. Les deux minutes lui parurent d'une longueur insoutenable. C'est tout juste si elle eut la force de dire dans le micro au-dessus du siège :

– Académie de médecine de New York.

La porte du petit véhicule se ferma et le sifflement du déplacement d'air autour du compartiment devint de plus en plus strident.

Depuis vingt ans, l'Académie de médecine de New York avait été agrandie, verticalement et horizontalement. La bibliothèque occupait à elle seule le troisième étage d'une aile entière. Sans aucun doute, si tous les ouvrages, livres, brochures et périodiques, avaient été sous leur forme imprimée plutôt que sur microfilms, le bâtiment tout entier, si gigantesque qu'il fût, n'eût pas suffi à les contenir. D'ailleurs, il était déjà question, Rose le savait, de limiter les œuvres imprimées aux cinq dernières années, au lieu de dix actuellement.

Etant membre de l'Académie, Rose avait libre accès à la bibliothèque. Elle se hâta vers les alcôves consacrées à la médecine extra-terrestre, et fut soulagée de les trouver inoccupées.

Sans doute eût-il mieux valu demander l'aide d'un bibliothécaire, mais elle préféra s'en passer. Moins elle laisserait de traces, moins Drake risquerait de relever sa piste.

Ainsi, sans guide, elle se contenta de passer le long des rayonnages, en suivant anxieusement les titres du bout des doigts. Les livres étaient presque tous en anglais, mais il y en avait aussi en allemand et en russe. Aucun, assez ironiquement, n'était en symboles extra-terrestres. Il y avait une salle pour ces textes originaux, mais ils n'étaient à la disposition que des traducteurs officiels.

Son œil et son index errants s'arrêtèrent soudain. Elle avait trouvé ce qu'elle cherchait.

Elle retira une demi-douzaine de volumes de l'étagère et les étala sur la petite table noire. Cherchant à tâtons l'interrupteur, elle ouvrit le premier tome. Il était intitulé *Etudes sur l'inhibition*. Elle le feuilleta, puis consulta l'index des auteurs. Le nom de Harg Tholan y figurait.

Elle consulta, une par une, toutes les références indiquées puis elle retourna à l'étagère des traductions pour avoir celles du plus grand nombre de communications originales.

Elle passa plus de deux heures à l'Académie. Quand elle eut fini, elle savait au moins qu'il existait bien un médecin hawkinsien appelé Harg

Tholan, spécialiste et expert de la mort par inhibition. Il était en rapport avec l'organisation hawkinsienne de recherche qui avait été en correspondance avec l'Institut. Naturellement, le Harg Tholan qu'elle connaissait pouvait se faire passer pour le médecin, afin de rendre son rôle plus réaliste, mais pourquoi cela serait-il nécessaire ?

Rose tira le papier de sa poche et, là où elle avait écrit *bona fide* avec trois points d'interrogation, elle ajouta un OUI en capitales. Elle retourna à l'Institut et, à seize heures, elle était de nouveau à son bureau. Elle appela le standard pour dire qu'elle ne prendrait aucune communication téléphonique puis elle ferma la porte à clef.

Sous la colonne « Harg Tholan », elle écrivit deux questions : « Pourquoi Harg Tholan est-il venu seul sur Terre ? » Elle laissa un grand espace, puis : « Pourquoi s'intéresse-t-il au Bureau des personnes disparues ? »

Indiscutablement, la mort par inhibition était bien ce qu'en avait dit le Hawkinsien. D'après les lectures de Rose à l'Académie, il était évident que cette affection représentait la majeure partie de la recherche médicale sur la planète Hawkins. Elle faisait encore plus peur que le cancer sur Terre. S'ils avaient pensé trouver la solution au problème sur Terre, les Hawkinsiens auraient envoyé toute une expédition. Etait-ce par méfiance, ou par soupçon, qu'ils n'avaient envoyé qu'un seul enquêteur ?

Qu'est-ce donc que Harg Tholan avait dit la veille ? L'incidence de la mort par inhibition était la plus élevée sur sa propre planète, qui était la plus rapprochée de la Terre, et la plus basse dans le monde le plus éloigné. A quoi il convenait d'ajouter

118

le fait impliqué par le Hawkinsien, et confirmé par ses propres lectures à l'Académie, que l'incidence avait considérablement augmenté depuis le contact interstellaire avec la Terre...

Lentement, à regret, elle en tira une conclusion : les habitants de la planète Hawkins avaient peut-être estimé que la Terre avait découvert la cause de la mort par inhibition et la propageait délibérément parmi les races étrangères de la Galaxie, dans l'intention peut-être de dominer toutes les étoiles.

Elle rejeta cette conclusion avec un sentiment proche de la panique. Non, c'était impossible. D'abord, la Terre ne voudrait pas faire une chose aussi horrible. Et ensuite, elle ne le pourrait pas !

Quant aux progrès scientifiques, les êtres de la planète Hawkins étaient certainement les égaux des Terriens. La mort par inhibition sévissait là-bas depuis des millénaires et tous les efforts de leur recherche médicale avaient été des échecs complets. La Terre, dans ses enquêtes longue distance sur la biochimie extra-terrestre, n'aurait absolument pas pu mieux réussir. D'ailleurs, il n'y avait à sa connaissance aucune enquête, à proprement parler, de la part des biologistes et des médecins terriens, sur la pathologie hawkinsienne.

Cependant, tout indiquait que Harg Tholan était venu avec des soupçons et avait été reçu en suspect. Soigneusement, sous la question « Pourquoi Harg Tholan est-il venu seul sur Terre ? », elle écrivit la réponse : « La planète Hawkins croit que la Terre cause la mort par inhibition. »

Mais alors, que venait faire là-dedans le Bureau des personnes disparues ? En tant que scientifique, elle était rigoureuse quant à ses propres hypothèses. *Tous* les faits devaient concorder, et pas seulement certains d'entre eux.

Le Bureau des personnes disparues! Si c'était une fausse piste, uniquement destinée à égarer Drake, elle était maladroite puisqu'elle n'était apparue qu'après une heure de conversation sur la mort par inhibition.

Etait-ce alors considéré comme une occasion d'étudier Drake? Mais pourquoi? Serait-ce le point *majeur*? Le Hawkinsien s'était renseigné sur Drake avant de venir chez eux. Etait-il venu parce que Drake était un policier, ayant accès au Bureau des personnes disparues?

Mais pourquoi? Pourquoi?

Elle renonça et passa à la colonne intitulée « Drake ».

Et là, une question s'inscrivit, non pas à l'encre sur du papier mais en lettres bien plus visibles par la pensée. *Pourquoi m'a-t-il épousée?* pensa Rose, et elle posa ses mains sur ses yeux, pour se préserver de la lumière hostile.

Ils avaient fait connaissance tout à fait par hasard, moins d'un an plus tôt, quand il était venu s'installer dans l'immeuble où elle habitait. Les « bonjours-bonsoirs » polis étaient devenus des conversations amicales qui, à leur tour, avaient abouti à quelques dîners dans un restaurant du quartier. Il était charmant, tout s'était passé normalement, c'était nouveau pour elle et elle était tombée amoureuse.

Quand il lui demanda de l'épouser, elle fut heureuse, plus qu'heureuse. Sur le moment, elle trouva de nombreuses explications. Il appréciait son intelligence et son amitié. Elle était une charmante jeune femme. Elle serait une bonne épouse, une merveilleuse compagne.

Elle s'était donné toutes ces explications et y

avait cru à moitié. Mais croire à moitié ne suffisait pas.

A vrai dire, elle ne trouvait aucun grave défaut à Drake, en tant que mari. Il était toujours prévenant, bon, courtois. Leur vie conjugale n'était pas passionnée mais cela convenait à la tiédeur émotionnelle de la fin de la trentaine. Elle n'avait plus dix-neuf ans. Qu'espérait-elle ?

Justement : elle n'avait plus dix-neuf ans. Elle n'était pas belle, ni séduisante, ni élégante. Qu'espérait-elle ? Aurait-elle osé espérer épouser Drake, beau, solide, et dont l'intérêt pour les choses intellectuelles était très mince, lui qui ne l'avait jamais interrogée sur ses travaux depuis des mois qu'ils étaient mariés, ni offert de lui parler des siens ? Pourquoi, dans ces conditions, l'avait-il épousée ?

Mais il n'y avait pas de réponse à cette question, qui n'avait aucun rapport avec ce que Rose essayait de faire à présent. C'était une digression, se dit-elle farouchement, une distraction puérile de la tâche qu'elle s'était imposée. Elle se conduisait comme une gamine de dix-neuf ans, après tout, sans aucune excuse chronologique.

Elle s'aperçut que la pointe de son crayon s'était cassée, elle ne savait comment, et elle en prit un autre pour écrire, dans la colonne « Drake » : « Pourquoi soupçonne-t-il Harg Tholan ? » et, au-dessous, elle dessina une flèche pointant vers l'autre colonne.

Ce qu'elle y avait écrit était une explication suffisante. Si la Terre propageait la mort par inhibition, ou si la Terre savait qu'elle en était soupçonnée, alors, manifestement, elle se préparerait à des représailles possibles des extra-terrestres. En fait, le décor serait planté pour les manœuvres préliminaires de la première guerre interstellaire de l'histoire. C'était une explication logique mais horrible.

Restait maintenant la seconde question, celle à laquelle elle ne pouvait répondre. Elle l'écrivit lentement : « Pourquoi la réaction de Drake à la formule polie de Tholan : *Vous êtes la plus charmante des hôtesses* ? »

Elle essaya de revivre exactement la scène.

Le Hawkinsien avait parlé d'une manière inoffensive, banale, polie, et Drake s'était aussitôt figé. Elle avait écouté et réécouté ce passage de l'enregistrement. Un Terrien aurait pu le dire de la même façon indifférente, en quittant une réception. L'enregistrement ne rendait pas l'expression de Drake et Rose ne pouvait se fier pour cela qu'à son souvenir. Ses yeux avaient soudain brillé de haine et de peur, or Drake n'avait peur de rien. Et qu'y avait-il à craindre dans la simple phrase : « Vous êtes la plus charmante des hôtesses », qui pût le bouleverser à ce point ? Etait-ce de la jalousie ? Absurde. L'impression que Tholan était sarcastique ? Peut-être, mais improbable. Elle était sûre que Tholan était sincère.

Elle renonça à chercher et traça un gros point d'interrogation sous cette seconde question. Il y en avait deux, maintenant, dans la colonne « Harg Tholan », et une chez « Drake ». Y aurait-il un rapport entre l'intérêt de Tholan pour les disparitions et la réaction de Drake à une phrase polie ? Elle n'en voyait aucun.

Elle laissa tomber sa tête sur ses bras croisés. Le bureau s'assombrissait et elle était très fatiguée. Pendant un moment, elle dut planer dans cet état singulier entre la veille et le sommeil, où les pensées et les mots échappent à tout contrôle du conscient et vagabondent au hasard dans la tête, d'une manière surréaliste. Mais en quelque lieu qu'ils dansent et bondissent, ils en revenaient toujours à cette même phrase : « Vous êtes la plus charmante des hôtesses. » Par moments, elle entendait la voix cultivée et sans vie de Tholan, et parfois le ton vibrant de Drake. Quand Drake le disait, c'était avec amour, un amour qu'elle n'entendait jamais de lui dans la réalité. Elle aimait le lui entendre dire.

Soudain, elle se réveilla en sursaut. Il faisait tout à fait nuit dans la pièce, à présent, et elle alluma sa lampe de bureau. Elle cligna des yeux et fronça un peu les sourcils. Une autre pensée avait dû lui venir dans son demi-sommeil agité. Il y avait une autre phrase qui avait troublé Drake. Laquelle ? L'effort de la réflexion lui plissa le front. Ce n'était pas dans la conversation enregistrée, donc ce devait être avant. Rien ne vint et elle s'énerva.

Regardant sa montre, elle laissa échapper une exclamation. Il était près de huit heures. Ils devaient l'attendre, à la maison.

Mais elle n'avait pas envie de rentrer. Elle ne voulait pas les affronter. Lentement, elle prit la feuille où elle avait noté ses idées de l'après-midi, la déchira en petits morceaux et les laissa tomber dans le petit cendrier à combustion atomique, sur la table. Ils disparurent dans une petite bouffée de fumée et il n'en resta rien.

Si seulement il ne restait rien non plus des pensées qu'ils représentaient ! Mais non, rien à faire. Et elle devait rentrer chez elle.

Ils ne l'attendaient pas. En sortant des tubes au niveau de la rue, elle les vit descendre d'un gyrotaxi. Le pilote, les yeux ronds, regarda un instant ses clients puis il s'envola, plana une seconde et prit de l'altitude. Par un accord tacite, tous trois attendirent d'être entrés avant de parler. Rose dit alors avec indifférence :

— J'espère que vous avez passé une bonne journée, docteur Tholan.

— Certainement. Fascinante et profitable aussi, je crois.

— Avez-vous eu le temps de déjeuner?

Rose n'avait rien mangé de la journée mais elle n'avait absolument pas faim.

— Oui, bien sûr.

— Nous nous sommes fait apporter à déjeuner et à dîner. Des sandwiches, intervint Drake qui paraissait fatigué.

— Bonsoir, Drake, dit-elle en lui adressant enfin la parole.

Mais il la regarda à peine.

— Bonsoir.

— Vos tomates, dit le Hawkinsien, sont des fruits remarquables. Nous n'avons rien chez nous qui puisse s'y comparer par le goût. J'ai bien dû en manger deux douzaines, ainsi que tout un flacon de dérivé de tomate.

— Du ketchup, expliqua laconiquement Drake.

— Et comment s'est passée votre visite au Bureau des personnes disparues, docteur Tholan? L'avez-vous trouvée instructive? demanda Rose.

— Oh, oui. Sans aucun doute.

Elle lui tourna le dos et, sans le regarder, elle demanda encore tout en tapotant les coussins du canapé :

— En quel sens?

— Je trouve très intéressant qu'une importante majorité des personnes disparues soient masculines. Les épouses signalent fréquemment la disparition d'un mari, alors que l'inverse est extrêmement rare.

— Oh, cela n'a rien de mystérieux, docteur Tholan. Voyez-vous, vous ne comprenez pas l'organisation économique que nous avons, ici, sur la Terre. Sur cette planète, c'est l'homme qui est, généralement, le membre de la famille dont elle dépend en tant qu'unité économique. C'est lui dont le travail est remboursé en unités de devises. Le rôle de la femme est habituellement de s'occuper de la maison et des enfants.

— Ce n'est sûrement pas universel !

— Plus ou moins, dit Drake. Si c'est à ma femme que vous pensez, elle est un exemple de la minorité de femmes capables de faire seules leur chemin dans le monde.

Rose lui jeta un coup d'œil vif. Se moquait-il ?

— En somme, ce que vous insinuez, Mrs Smollett, dit le Hawkinsien, c'est que les femmes, étant économiquement dépendantes de leurs compagnons masculins, ont moins de possibilités de disparaître ?

— C'est une manière aimable de l'exprimer, mais c'est à peu près la vérité.

— Et ce que vous appelez le Bureau des personnes disparues, à New York, représente un bon échantillonnage de ces cas pour l'ensemble de la planète ?

— Eh bien, oui, je le pense.

L'extra-terrestre dit alors, à brûle-pourpoint :

— Et y a-t-il une explication économique au fait que, depuis le développement des voyages interstellaires, le pourcentage d'hommes jeunes parmi les personnes disparues est plus élevé que jamais ?

Ce fut Drake qui répondit, assez sèchement :

— Seigneur, c'est encore moins mystérieux ! De

nos jours, le fugueur a tout l'espace à sa disposition, pour disparaître. Tout garçon désireux de fuir des ennuis n'a qu'à sauter à bord du premier cargo spatial venu. On cherche constamment des hommes d'équipage, sans poser de questions, et ensuite, il est pratiquement impossible de retrouver le fugueur, s'il veut réellement disparaître de la circulation.

– Et il s'agit presque toujours d'hommes dans leur première année de mariage.

Rose éclata de rire.

– C'est justement le temps où les ennuis d'un homme paraissent les plus insurmontables! S'il résiste à la première année, il n'a généralement plus aucune raison de disparaître.

Drake était visiblement moins amusé. Rose lui trouva encore une fois l'air fatigué et malheureux. Pourquoi tenait-il tant à porter seul le fardeau? Puis elle pensa qu'il y était peut-être obligé.

– Cela vous offenserait-il si je me déconnectais pendant un certain temps? demanda brusquement le Hawkinsien.

– Pas du tout, répondit Rose. J'espère que votre journée n'a pas été trop épuisante. Comme vous venez d'une planète où la gravité est plus forte que celle de la Terre, je crains que nous n'ayons trop présumé de votre endurance.

– Oh, je ne suis pas fatigué au sens physique...

Il considéra un moment les jambes de Rose et cligna rapidement des yeux, révélant son amusement.

– Vous savez, je m'attends toujours à voir les Terriens tomber en avant ou en arrière, à cause de la pauvreté de leurs membres pour se tenir debout. Pardonnez-moi si ma réflexion paraît trop familière, mais elle m'a été inspirée par votre allusion à la gravité. Sur ma planète, deux jambes ne suffi-raient pas. Mais là n'est pas la question, pour le moment. Simplement, j'ai dû absorber tant de nouveaux concepts insolites que j'éprouve le besoin de me déconnecter un moment.

Rose haussa mentalement les épaules. Après tout, c'était le plus près qu'une race pouvait se rapprocher d'une autre. D'après ce qu'avaient compris *grosso modo* toutes les expéditions vers la planète Hawkins, les Hawkinsiens avaient la faculté de dissocier leur esprit conscient de leurs fonctions corporelles et de lui permettre de plon-ger, sans aucun dérangement, dans un processus de méditation pouvant durer plusieurs jours ter-riens. Les Hawkinsiens trouvaient cet état agréa-ble, et même parfois nécessaire, sans qu'aucun Terrien pût vraiment savoir à quoi cela servait.

En revanche, jamais les Terriens n'avaient été capables d'expliquer le concept de « sommeil » à un Hawkinsien, ni à aucun autre extra-terrestre. Ce que le Terrien appelait le sommeil, ou le rêve, était pour le Hawkinsien un symptôme alarmant de désintégration mentale.

Rose pensa, non sans un certain malaise : *Voilà encore un aspect par lequel les Terriens sont uniques.*

Le Hawkinsien partait à reculons, en balayant le sol de ses membres antérieurs, pour un au revoir courtois. Drake le salua d'un bref signe de tête avant de le voir disparaître au coin du couloir. Ils entendirent sa porte s'ouvrir, se fermer, puis plus rien.

Après plusieurs minutes d'un silence pesant, le fauteuil de Drake grinça quand il changea nerveu-sement de position. Avec une vague horreur, Rose remarqua du sang sur ses lèvres. Elle se dit : *Il a des ennuis. Je dois lui parler. Je ne peux pas laisser durer cela.*

— Drake !

Il parut la regarder de loin, de très loin. Lentement, son regard s'anima et il demanda :

— Qu'est-ce qu'il y a ? Est-ce que tu en as fini pour la journée, toi aussi ?

— Non, je suis prête à commencer. C'est aujourd'hui le lendemain dont tu parlais. Tu ne vas rien me dire ?

— Pardon ?

— Hier soir, tu as dit que tu me parlerais aujourd'hui. Je suis prête à t'écouter maintenant.

Drake fronça les sourcils. Son regard parut se dérober sous son front assombri, et Rose sentit sa résolution l'abandonner un peu.

— Je croyais qu'il était entendu que tu ne me poserais plus de questions sur mon travail, dans cette affaire.

— Je pense qu'il est trop tard pour ça. J'en sais déjà trop sur ton travail.

— Qu'est-ce que ça veut dire ? cria-t-il en se levant d'un bond. (Puis il se reprit, s'approcha d'elle pour lui poser les mains sur les épaules et répéta, d'une voix plus basse :) Qu'est-ce que tu veux dire ?

Rose garda les yeux baissés sur ses mains, croisées sur ses genoux. Elle supporta patiemment l'étreinte des doigts durs sur ses épaules et murmura :

— Le docteur Tholan pense que la Terre propage volontairement la mort par inhibition. C'est cela, n'est-ce pas ?

Elle attendit. Peu à peu l'étreinte se relâcha et il recula, les bras ballants, la mine perplexe et triste.

– Où es-tu allée pêcher cette idée?

– C'est vrai, n'est-ce pas?

Il rétorqua après un soupir, d'une voix qui sonnait faux :

– Je veux savoir exactement pourquoi tu dis ça. Ne joue pas à des jeux stupides avec moi, Rose. C'est trop grave.

– Si je te le dis, est-ce que tu répondras à ma question? Est-ce que la Terre propage délibérément la maladie?

Il leva les bras au ciel.

– Ah, pour l'amour de Dieu!

Il s'accroupit devant elle, lui prit les deux mains, et elle sentit les siennes trembler. Il se força à parler tendrement, d'une voix rassurante.

– Rose, ma chérie, écoute : tu as mis la main sur quelque chose de brûlant et tu crois pouvoir t'en servir pour me taquiner, m'entraîner dans un peu d'escrime verbale conjugale. Non, je ne demande pas grand-chose. Dis-moi simplement, exactement, ce qui te fait dire... ce que tu as dit.

– J'ai passé l'après-midi à l'Académie de médecine de New York. A lire.

– Mais pourquoi? Qu'est-ce qui t'a fait aller là-bas?

– D'abord, tu avais l'air de terriblement t'intéresser à la mort par inhibition. Ensuite, le docteur Tholan a fait ces réflexions, sur l'incidence qui a augmenté depuis les voyages interstellaires, et le fait qu'elle soit la plus élevée dans la planète la plus rapprochée de la Terre.

– Et tes lectures? Qu'est-ce que tu as lu, Rose?

– Ce que j'ai lu confirme ce qu'il dit. Je n'ai pu que tout parcourir rapidement, dans la direction de leurs recherches des dernières décennies. Mais il me paraît évident que certains Hawkinsiens au moins envisagent la possibilité que la mort par inhibition soit originaire de la Terre.

– Est-ce qu'ils le disent ouvertement?

– Non. Ou s'ils le disent, je ne l'ai pas vu.

Elle considéra son mari avec un peu d'étonnement. Dans une affaire pareille, le gouvernement avait sûrement dû étudier la recherche hawkinsienne sur la question. Elle demanda, doucement :

– Tu ne sais rien de la recherche hawkinsienne à ce sujet, Drake? Le gouvernement...

– Peu importe!

Il s'était relevé, éloigné, mais il revint vers elle. Ses yeux étincelaient. Il dit, comme s'il faisait une extraordinaire découverte :

– Mais tu es une experte de la question!

L'était-elle? S'apercevait-il maintenant, seulement, qu'il avait besoin d'elle? Les narines de Rose palpitèrent et elle répliqua :

– Je suis biologiste.

– Oui, je sais, mais je veux dire que ta spécialité est la croissance. Est-ce que tu ne m'as pas dit un jour que tu avais fait des travaux sur la croissance?

– Si l'on peut dire. J'ai publié vingt communications pour ma bourse de la Société du cancer, sur les rapports entre la fine structure de l'acide nucléique et le développement embryologique.

– Parfait. J'aurais dû y penser. Dis-moi, Rose... Ecoute, excuse-moi de m'être emporté tout à l'heure. Tu es aussi compétente que n'importe qui pour comprendre la direction de leurs recherches, si tu lis un papier là-dessus, n'est-ce pas? demanda-t-il d'une voix étranglée par une nouvelle émotion.

– Assez compétente, oui.

– Alors, dis-moi comment ils pensent que la maladie se propage. Les détails!

– Ah, vraiment, tu m'en demandes trop! J'ai passé quelques heures à l'Académie, c'est tout. J'aurais besoin de beaucoup plus de temps pour être capable de répondre à ta question.

– Une supposition intelligente, alors. Tu peux imaginer l'importance de tout cela!

– Bien sûr, dit-elle sans conviction. *Etudes sur l'inhibition* est un important traité sur la question. Il doit résumer toutes les informations disponibles sur la recherche.

– Oui? Et il date de quand?

– C'est une publication périodique. Le dernier volume remonte à environ un an.

– Est-ce qu'il contient un exposé de ses travaux?

D'un geste, Drake désignait la direction de la chambre de Harg Tholan.

– Plus que de tous les autres. C'est un des plus grands chercheurs dans ce domaine. Je me suis particulièrement intéressée à ses communications.

– Quelles sont ses hypothèses sur l'origine de la maladie? Essaie de te rappeler, Rose!

Elle secoua la tête.

– Je jurerais qu'il rend la Terre responsable, mais il reconnaît qu'ils savent très peu de chose sur la propagation de la maladie. De cela aussi, j'en jurerais.

Il se tenait devant elle, très raide, les poings crispés sur les hanches, et sa voix ne fut qu'un murmure :

– Cela pourrait être une surestimation totale. Qui sait... Je vais m'en assurer tout de suite, Rose! Merci de ton aide.

Elle courut derrière lui :

– Que vas-tu faire ?

– Lui poser quelques questions.

Drake fouillait dans les tiroirs de son bureau. Enfin sa main droite en ressortit, munie d'un pistolet-aiguille.

– Non, Drake ! cria Rose.

Il la repoussa sans ménagement et fila dans le couloir, vers la chambre du Hawkinsien.

D'un geste violent, il ouvrit la porte et entra. Rose était sur ses talons, elle essayait de le retenir par le bras. Mais il s'arrêta et considéra Harg Tholan.

L'extra-terrestre était debout, immobile, le regard vague, ses quatre membres inférieurs écartés dans quatre directions, autant qu'ils pouvaient l'être. Rose eut honte de son intrusion, comme si elle profanait un rite intime. Mais Drake, apparemment indifférent, s'approcha à un mètre de la créature, et resta planté là. Ils étaient face à face. Drake tenait le pistolet-aiguille avec aisance, en le pointant sur le centre du torse de Tholan.

– Ne dis rien, dit-il à Rose. Il va progressivement prendre conscience de moi.

– Comment le sais-tu ?

– Je le sais. Maintenant, sors d'ici.

Mais elle ne bougea pas et Drake était désormais trop absorbé pour faire attention à elle.

Par endroits, la peau de la figure du Hawkinsien commençait à frémir légèrement. C'était plutôt répugnant et Rose préféra ne pas regarder.

– Ça ira, docteur Tholan, dit Drake. Ne vous rejetez en connexion avec aucun de vos membres. Vos organes sensoriels et votre boîte vocale suffisent amplement.

Le Hawkinsien répondit d'une voix sourde :

– Pourquoi envahissez-vous ma chambre de déconnexion? Et pourquoi êtes-vous armé? demanda-t-il, plus fort.

Sa tête ballotta un peu, au sommet de son torse figé. Il obéissait, semblait-il, à l'ordre de Drake de rester dissocié de ses membres. Rose se demanda comment Drake savait qu'une telle connexion partielle était possible. Elle-même l'ignorait.

– Que voulez-vous? reprit le Hawkinsien.

Et cette fois, Drake répliqua :

– La réponse à certaines questions.

– Avec une arme à la main? Je ne me soumettrai pas aux caprices de votre discourtoisie.

– Vous ne vous soumettrez pas seulement à mes caprices. Vous pourrez vous sauver la vie.

– Cela m'est d'une considérable indifférence, dans ces circonstances. Je regrette, Mr Smollett, que les devoirs envers un invité soient si mal compris sur Terre.

– Vous n'êtes pas mon invité! Vous vous êtes introduit dans ma maison sous un faux prétexte. Vous aviez une raison pour cela, vous aviez l'intention de vous servir de moi à vos propres fins. Je n'ai aucune vergogne à inverser le procédé.

– Vous feriez mieux de tirer. Cela gagnera du temps.

– Vous êtes convaincu que vous ne répondrez pas à mes questions? Cela, en soi, est déjà suspect. Il me semble que vous estimez certaines réponses plus importantes que votre vie.

– J'attache une grande importance aux principes de la courtoisie. Vous, un Terrien, ne le comprenez peut-être pas.

– En effet. Mais moi, un Terrien, je comprends une chose!

Drake avait fait un bond. Rose n'avait pas eu le

temps de crier. Le Hawkinsien n'avait pu reconnecter ses membres. Quand il recula, le tuyau flexible du cylindre de cyanure de Harg Tholan était dans la main de Drake. Au coin de la large bouche de l'extra-terrestre, où le tuyau avait été fixé, une petite goutte de liquide incolore coulait d'une entaille dans la peau rugueuse, et se solidifiait lentement en un globule de gelée brunâtre, comme oxydé.

Drake tira sur le tuyau et le cylindre se détacha. Il enfonça le bouton contrôlant le débit de gaz, au sommet du cylindre, et le léger sifflement se tut.

— Je doute, dit-il, qu'assez de cyanure se soit échappé pour nous faire du mal. J'espère, en revanche, que vous comprenez ce qui va vous arriver, si vous ne répondez pas aux questions que je vais vous poser... Et je vous conseille de répondre de façon à me convaincre que vous dites la vérité.

— Rendez-moi mon cylindre, dit lentement le Hawkinsien. Sinon, je serai obligé de vous attaquer, et vous serez dans l'obligation de me tuer.

Drake recula.

— Pas du tout. Attaquez-moi, et je tire dans vos jambes. Vous les perdrez, toutes les quatre, s'il le faut, mais vous vivrez encore, d'une manière horrible. Vous vivrez pour mourir de manque de cyanure. Ce sera une mort extrêmement pénible. Je ne suis qu'un Terrien et je ne puis en imaginer toutes les horreurs mais vous, vous le pouvez.

La bouche du Hawkinsien était ouverte et, à l'intérieur, quelque chose de jaune verdâtre frémit. Rose eut envie de vomir. Elle voulut hurler : *Rends-lui son cylindre, Drake!* Mais aucun son ne sortit de sa gorge. Elle ne pouvait même pas tourner la tête.

– Vous avez environ une heure, je crois, avant que les effets deviennent irréversibles, dit Drake. Parlez vite, docteur Tholan, et votre cylindre vous sera rendu.

– Et ensuite?

– Ensuite, qu'est-ce que ça peut vous faire? Même si je vous tue alors, ce sera une mort propre, rapide, pas un manque de cyanure.

Quelque chose parut émaner du Hawkinsien. Sa voix devint gutturale et il bredouilla, comme s'il n'avait plus l'énergie de parler correctement l'anglais.

– Quelles sont vos questions? demanda-t-il sans quitter des yeux le cylindre dans la main de Drake.

Drake le balançait exprès, comme dans le supplice de Tantale, et les yeux de la créature le suivaient... le suivaient...

– Quelle est votre théorie concernant la mort par inhibition? Quelle est la véritable raison de votre venue sur Terre? Pourquoi vous intéressez-vous au Bureau des personnes disparues?

Rose attendait, haletante, anxieuse. C'étaient les questions qu'elle aurait aimé poser elle aussi. Pas de cette façon, sans doute, mais dans le métier de Drake, la bonté et l'humanité passaient après la nécessité.

Elle se le répéta plusieurs fois, par réaction contre la haine qu'elle se surprenait à éprouver pour Drake, à cause de ce qu'il faisait au Dr Tholan.

– La bonne réponse, dit le Hawkinsien, exigerait plus de temps que l'heure que vous me laissez. Vous me faites amèrement honte en me faisant parler sous la contrainte. Sur ma planète, en aucun cas vous n'auriez pu. C'est seulement ici, sur cette révoltante planète, que je puis être privé de cyanure.

– Vous perdez un temps précieux, docteur!

– J'aurais fini par vous le dire, Mr Smollett. J'avais besoin de votre aide. C'est pourquoi je suis venu ici.

– Vous ne répondez toujours pas à mes questions.

– Je vais y répondre. Depuis des années, outre mes travaux scientifiques, j'effectue à titre privé des investigations sur les cellules de mes malades souffrant de mort par inhibition. J'ai été contraint de travailler dans le plus grand secret et sans assistance, car les méthodes que j'emploie pour étudier le corps de mes patients sont réprouvées par mes compatriotes. Votre société aurait les mêmes sentiments contre la vivisection humaine. Pour cette raison, je ne pouvais pas présenter les résultats obtenus à mes confrères médecins avant d'être venu vérifier mes hypothèses sur Terre.

– Quelles sont vos hypothèses? demanda Drake.

La fébrilité était revenue dans ses yeux.

– Il est devenu de plus en plus évident pour moi, à mesure que je poursuivais mon étude, que toute la direction de la recherche sur la mort par inhibition était erronée. Physiquement, il n'y a pas de solution au mystère. La mort par inhibition est uniquement une maladie de l'esprit.

– Voyons, docteur Tholan! s'écria Rose, ce n'est pas psychosomatique!

Un léger voile gris passa sur les yeux du Hawkinsien. Il ne regardait plus Rose ni Drake.

– Non, ce n'est pas psychosomatique. C'est une véritable maladie de l'esprit, une affection mentale. Mes patients avaient un esprit double. Au-delà et sous celui qui leur appartenait visiblement, il y avait la preuve d'un *autre,* d'un esprit *étranger.* J'ai travaillé sur des malades de la mort par inhibition appartenant à d'autres races que la mienne, et j'ai découvert la même chose chez eux. En un mot, il n'y a pas cinq intelligences dans la Galaxie, mais six. Et la sixième est parasitaire.

– C'est fou... C'est impossible! s'écria Rose. Vous devez vous tromper, docteur Tholan!

– Je ne me trompe pas. Avant de venir sur Terre, je le pensais. Mais mon séjour à l'Institut et mes recherches au Bureau des personnes disparues m'ont convaincu que je ne me trompe pas. Qu'y a-t-il de si impossible dans le concept d'une intelligence parasitaire? Les intelligences comme celles-là ne laissent pas de vestiges, pas de fossiles, pas même d'artefacts, si leur seule fonction est de se nourrir de l'activité mentale d'autres créatures. On peut imaginer un tel parasite qui, au cours de millions d'années, peut-être, perdrait toutes les parties de son être physique à l'exception de ce qui lui est nécessaire, exactement comme un ver solitaire parmi vos parasites physiques terrestres, qui perdrait éventuellement toutes ses fonctions sauf celle de la reproduction. Dans le cas de l'intelligence parasitaire, tous les attributs physiques finiraient par être perdus. Elle ne deviendrait plus que pur esprit, vivant d'une façon mentale que nous ne pouvons concevoir, de l'esprit des autres. En particulier de l'esprit des Terriens.

– Pourquoi particulièrement des Terriens? demanda Rose.

Drake se tenait un peu à l'écart, écoutant intensément sans poser d'autres questions. Il lui suffisait de laisser parler le Hawkinsien.

– L'idée ne vous est jamais venue que la sixième

intelligence est native de la Terre? Depuis le commencement, l'humanité vit avec elle, s'y est adaptée, en est inconsciente. C'est pourquoi les espèces supérieures de la faune terrestre, y compris l'homme, ne grandissent plus après la maturité et finissent par mourir de ce que l'on appelle « une mort naturelle ». C'est le résultat de cette infection parasitaire universelle. C'est pourquoi vous dormez et vous rêvez, parce que c'est à ce moment-là que l'esprit doit se nourrir. Et c'est aussi le moment où votre conscience de sa présence est la plus faible. C'est pourquoi l'esprit terrestre, seul de toutes les intelligences, est tellement sujet à l'instabilité. Où trouve-t-on ailleurs, dans la Galaxie, des doubles personnalités et autres manifestations de ce genre? Après tout, même aujourd'hui, il doit y avoir, de temps en temps, des esprits humains visiblement infectés par la présence du parasite. D'une manière ou d'une autre, ces esprits parasitaires sont capables de traverser l'espace. Ils n'ont pas de limitations physiques. Ils peuvent errer entre les étoiles, dans ce qui doit correspondre à un état d'hibernation. Pourquoi les premiers l'ont fait, je n'en sais rien et on ne le saura probablement jamais. Mais, une fois que ces pionniers ont découvert la présence d'intelligences sur d'autres planètes de la Galaxie, un petit flot régulier d'intelligences parasitaires a fait son chemin dans l'espace. Nous, des mondes externes, devions être pour elles un régal de gourmet, sinon elles ne se seraient pas donné tant de mal pour nous atteindre. J'imagine que beaucoup n'ont pas réussi leur voyage, mais, pour celles qui sont arrivées, cela devait en valoir la peine. Par malheur pour elles, voyez-vous, nous autres, de ces mondes étrangers, nous n'avions pas vécu avec ces parasites depuis des millions d'années, comme l'homme et ses ancêtres. Nous ne nous étions pas adaptés. Nos éléments les plus faibles n'avaient pas été progressivement tués au cours de centaines de générations, jusqu'à ce qu'il ne reste que les plus résistants. Donc, alors que les Terriens pouvaient survivre à l'infection pendant des dizaines d'années, sans grand mal, nous mourions d'une mort rapide en un an.

– Est-ce pour cela que l'incidence a augmenté depuis les voyages interstellaires entre la Terre et les autres planètes ?

– Oui.

Un silence tomba, puis le Hawkinsien, dans un brusque sursaut d'énergie, s'écria :

– Rendez-moi mon cylindre ! Vous avez vos réponses.

– Et le Bureau des personnes disparues ? demanda froidement Drake.

Il balançait de nouveau le cylindre mais le Hawkinsien ne suivait plus ses mouvements. Le voile gris translucide de ses yeux s'était encore opacifié, et Rose se demanda si c'était simplement une expression de faiblesse ou un exemple des transformations provoquées par le manque de cyanure.

– Comme nous ne sommes pas bien adaptés à l'intelligence qui infecte l'homme, reprit l'extraterrestre, elle ne s'est pas bien adaptée à nous. Elle peut vivre à nos dépens – elle le préfère même, apparemment – mais elle ne peut pas se reproduire avec nous seuls comme source de vie. La mort par inhibition n'est donc pas directement contagieuse chez nous.

Rose le regarda avec une horreur croissante.

– Qu'insinuez-vous, docteur Tholan ?

– Le Terrien demeure l'hôte principal pour le

parasite. Un Terrien peut nous infecter, s'il demeure parmi nous. Mais le parasite, une fois installé dans une intelligence des mondes extérieurs, doit retourner chez un Terrien, s'il veut se reproduire. Avant les voyages interplanétaires, ce n'était possible que par un retour à travers l'espace et, par conséquent, l'incidence d'infection restait minimale. Maintenant, nous sommes infectés et réinfectés, tandis que les parasites retournent sur Terre et reviennent à tous, par l'esprit des Terriens voyageant dans l'espace.

— Et les personnes disparues?... souffla Rose.

— Ce sont les hôtes intermédiaires. Naturellement, j'ignore le processus exact. L'esprit terrestre masculin paraît le mieux convenir à leurs desseins. Vous vous souvenez qu'à l'Institut, on m'a dit que l'espérance de vie du mâle humain est de trois ans de moins, en moyenne, que celle de la femme. Une fois la reproduction accomplie, l'homme infecté s'en va, par vaisseau spatial, vers les mondes extérieurs. Il disparaît.

— Mais c'est impossible! protesta Rose. Ce que vous dites suppose que l'esprit parasite peut contrôler les actes de son hôte! Ce n'est pas possible, sinon nous, sur Terre, nous aurions remarqué leur présence.

— Le contrôle, chère madame, peut être très subtil et, de plus, n'être exercé que pendant la période de reproduction active. Je désigne simplement votre Bureau des personnes disparues. Pourquoi vos jeunes gens disparaissent-ils? Vous avez, certes, des explications économiques et psychologiques, mais elles ne suffisent pas. Je me sens très mal, à présent, et je ne pourrai pas parler encore bien longtemps. Je n'ai plus que ceci à dire. Avec le parasite mental, votre peuple et le mien ont un ennemi commun. Les Terriens non plus n'auraient pas besoin de mourir involontairement, sans sa présence. Je pensais que si j'étais incapable de retourner dans mon propre monde avec mes renseignements, parce qu'ils étaient obtenus d'une façon peu orthodoxe, je pourrais les communiquer aux autorités de la Terre, et leur demander leur aide pour anéantir ce danger. Jugez de mon plaisir lorsque j'ai appris que le mari d'une des biologistes de l'Institut faisait partie d'un des plus importants organismes d'investigation de la Terre. Naturellement, j'ai fait ce que je pouvais pour être invité chez lui, afin de pouvoir traiter avec lui en particulier, pour le convaincre de la terrible vérité, profiter de sa situation pour le pousser à m'aider dans la guerre contre les parasites. C'est devenu impossible, bien entendu. Je ne puis vous le reprocher. Vous êtes terriens, je ne peux pas vous demander de comprendre la psychologie de ma race. Néanmoins, vous devez comprendre ceci : je ne peux plus avoir de rapports avec vous deux. Je ne pourrai même pas supporter de rester plus longtemps sur Terre.

– Ainsi, vous seul, de toute votre race, êtes au courant de votre théorie ?

– Moi seul.

Drake lui tendit le cylindre.

– Votre cyanure, docteur Tholan.

Le Hawkinsien s'en empara avidement. Ses doigts souples manipulèrent le tuyau et réglèrent le débit avec la plus grande délicatesse. En dix secondes, il l'eut remis en place et inspira le gaz à grandes goulées. Ses yeux devenaient progressivement plus clairs et limpides.

Drake attendit que la respiration de l'extraterrestre fût redevenue normale. Alors, impassible, il leva son pistolet-aiguille et tira. Rose hurla. Le Hawkinsien resta debout. Ses quatre membres inférieurs étaient incapables de fléchir mais sa tête ballotta et le tuyau de cyanure tomba de sa bouche, soudain devenue flasque. Une fois de plus, Drake se hâta de fermer le débit et jeta le cylindre de côté. Puis il contempla sombrement la créature morte. Aucune marque extérieure n'indiquait qu'elle avait été tuée. Le projectile du pistolet-aiguille, plus fin que l'aiguille qui donnait son nom à l'arme, pénétrait sans bruit et sans effort dans le corps où il explosait, avec des effets dévastateurs, dans la cavité abdominale.

Sans cesser de crier, Rose se précipita hors de la chambre. Drake la poursuivit et la saisit par le bras. Elle entendit le claquement sec de sa main sur sa joue, mais ne sentit pas les coups; elle fondit en larmes, secouée par de petits sanglots.

– Je t'ai dit de ne pas te mêler de ça, gronda Drake. Que vas-tu faire, maintenant?

– Lâche-moi! Je veux partir. Je veux m'en aller!

– A cause d'une chose que mon métier m'obligeait à faire? Tu as entendu ce que disait cette créature. Tu crois que je pouvais lui permettre de retourner dans son monde et de répandre ces mensonges? On l'aurait crue. Et que se serait-il passé, à ton avis? Peux-tu imaginer ce que serait une guerre interstellaire? Ils se figureraient qu'ils doivent nous tuer tous, pour supprimer la maladie!

Au prix d'un effort qui lui donna l'impression d'être retournée comme un gant, Rose se ressaisit. Elle regarda Drake dans les yeux et déclara:

– Ce qu'a dit le docteur Tholan n'était ni des mensonges ni de fausses idées, Drake.

– Allons, voyons, tu as les nerfs à vif! Tu as besoin de dormir.

– Je sais qu'il a dit la vérité parce que la Commission de Sécurité connaît parfaitement cette même théorie, et sait qu'elle est vraie.

– Comment peux-tu dire une chose aussi invraisemblable!

– Tu l'as laissée échapper toi-même, par deux fois.

– Assieds-toi, ordonna Drake. (Et quand elle obéit, il la considéra avec curiosité.) Ainsi, je me serais trahi par deux fois, hein? Tu as bien rempli ta journée de détection, on dirait. Tu as des facettes que tu m'avais bien cachées, ma chère.

Il s'assit et croisa les jambes. Rose se dit qu'en effet, elle avait eu une journée bien remplie. De là où elle était, elle voyait la pendule électrique dans la cuisine; il était deux heures du matin. Harg Tholan était entré dans leur maison trente-cinq heures plus tôt et, maintenant, il gisait assassiné dans la chambre d'ami.

– Eh bien, tu ne vas pas me dire quand j'ai fait mes deux gaffes? demanda Drake.

– Tu es devenu blême quand Harg Tholan m'a dit que j'étais « la plus charmante des hôtesses ». Hôte a un double sens, tu sais? Un hôte est celui qui abrite un parasite.

– Numéro un. Quel est le numéro deux?

– C'est quelque chose que tu as fait avant l'arrivée de Harg Tholan. Voilà des heures que j'essaie de me le rappeler. Tu te souviens, Drake? Tu disais que c'était désagréable pour les Hawkinsiens d'avoir des relations avec les Terriens, et je t'ai répondu que Harg Tholan était médecin et devait avoir cette sorte de relations. Je t'ai demandé si tu pensais que ça faisait plaisir aux médecins humains d'aller sous les Tropiques, ou de se laisser piquer par des moustiques infectés. Tu as été bouleversé, tu te souviens?

— Je ne me doutais pas que j'étais si transparent, dit Drake en riant. Les moustiques sont les hôtes des parasites de la malaria et de la fièvre jaune... J'ai fait de mon mieux pour te tenir à l'écart de tout ça. Maintenant, il ne me reste qu'à te dire la vérité. Je le dois parce que seule la vérité – ou la mort – te fera garder le silence. Et je ne veux pas te tuer.

Elle eut un mouvement de recul, dans son fauteuil, et ouvrit de grands yeux.

— La Commission connaît la vérité, dit Drake. Cela ne nous sert à rien. Tout ce que nous pouvons faire, c'est nous efforcer par tous les moyens d'empêcher les autres mondes de l'apprendre.

— Mais la vérité ne peut pas éternellement rester cachée, Drake! Harg Tholan l'a découverte. Tu l'as tué, mais un autre extra-terrestre fera la même découverte, et ainsi de suite. Tu ne peux pas les tuer tous!

— Nous le savons aussi. Nous n'avons pas le choix.

— Pourquoi? cria Rose. Harg Tholan t'a donné la solution. Il n'a pas même évoqué la menace d'une guerre entre les mondes. Il a, au contraire, suggéré que nous nous unissions aux autres intelligences pour aider à supprimer le parasite. Et nous le pouvons! Si, en commun avec les autres, nous consacrons absolument tous nos efforts à...

— Tu veux dire que nous pouvions avoir confiance en lui? Est-ce qu'il parlait au nom de son gouvernement ou des autres races?

— Pouvons-nous oser refuser ce risque?

— Tu ne comprends donc pas!

Drake se pencha vers sa femme et prit une de ses mains, froide et inerte, entre les siennes. Il poursuivit :

– C'est sans doute idiot d'essayer de t'apprendre quelque chose sur ta spécialité, mais écoute-moi jusqu'au bout. Harg Tholan avait raison. L'homme et ses ancêtres préhistoriques ont vécu pendant des millénaires avec cette intelligence parasitaire, certainement pendant une période bien plus longue que celle qui s'est écoulée depuis que nous sommes *Homo sapiens*. Durant ce laps de temps, non seulement nous nous y sommes adaptés, mais encore nous en sommes devenus dépendants. Il ne s'agit plus d'un cas de parasitisme mais de coopération. Vous avez un nom pour ça, vous les biologistes.

Elle lui arracha sa main.

– De quoi parles-tu ? De symbiose ?

– Exactement. Nous avons une maladie à nous, souviens-toi. Une maladie inverse, une maladie de prolifération, de croissance sans frein. Nous l'avons déjà citée par contraste avec la mort par inhibition. Quelle est la cause du cancer ? Depuis combien de temps y travaillent les biologistes, les physiologistes, les biochimistes et tant d'autres ? Quels succès ont-ils remportés dans leurs recherches ? Hein ? Peux-tu répondre d'une façon satisfaisante, maintenant ?

– Non, souffla-t-elle. Je ne le peux pas. De quoi parles-tu ?

– C'est bien joli de dire que si nous pouvions éliminer le parasite, nous aurions une croissance éternelle et une vie aussi longue que nous le voudrions. Ou bien que nous vivrions jusqu'à ce que nous en ayons assez d'être trop grands et de vivre trop longtemps. Nous pourrions alors nous suicider bien proprement. Mais combien de millions d'années se sont écoulées depuis que le corps humain a eu l'occasion de grandir d'une manière aussi débridée? En est-il encore capable? Est-ce que notre chimie corporelle s'y prête? Est-ce que le corps possède les indispensables... comment appelles-tu cela, déjà?

— Enzymes? proposa Rose dans un souffle.

— Oui, les enzymes. C'est impossible, pour nous. Si, pour une raison ou une autre, l'intelligence parasitaire, comme l'appelait Harg Tholan, quitte le corps humain, ou si ses rapports avec l'esprit humain sont altérés, la croissance se fait, mais d'une manière désordonnée. Nous appelons cette prolifération « cancer ». Tout est là. Il n'y a aucun moyen de se débarrasser du parasite. Nous sommes liés pour l'éternité. Pour se débarrasser de leur mort par inhibition, les extraterrestres devront d'abord supprimer toute vie vertébrée sur la Terre. Il n'y a pas d'autre solution pour eux, alors nous devons leur cacher la vérité. Est-ce que tu comprends?

Elle avait la bouche sèche et il lui était difficile de parler.

— Je comprends, Drake...

Elle remarqua qu'il avait le front moite et qu'un filet de transpiration coulait sur chacune de ses joues.

— Et maintenant, dit-elle, il faut que tu emportes le cadavre de la maison.

— Il est très tard, il fait nuit noire, et j'arriverai à le traîner dehors. Ensuite...

Il se tourna vers elle.

— Je ne sais pas quand je reviendrai.

— Je comprends, Drake, répéta-t-elle.

Harg Tholan était lourd. Drake dut le traîner

dans tout l'appartement. Rose détourna la tête, en réprimant une nausée. Elle se cacha les yeux jusqu'à ce qu'elle entende la porte extérieure se refermer. Alors elle se chuchota :

– Je comprends, Drake.

Il était trois heures du matin. Une heure s'était écoulée depuis qu'elle avait entendu le léger déclic de la porte d'entrée se refermant sur Drake et son fardeau. Elle ne savait pas où il allait, ni ce qu'il avait l'intention de faire...

Elle restait assise, engourdie. Elle n'avait pas envie de dormir, pas envie de bouger. Son esprit tournait inlassablement en rond, en s'écartant de la chose qu'elle savait et ne voulait pas savoir.

Des esprits parasitaires! N'était-ce qu'une coïncidence ou existait-il une singulière mémoire de l'espèce, un vestige ténu d'une lointaine tradition ou connaissance, remontant à des millénaires, qui gardait vivace le mythe du commencement de l'humanité? Elle songea qu'il y avait, au début, deux intelligences sur Terre. Les êtres humains dans le Jardin d'Eden, et le serpent « qui était plus subtil que toutes les autres bêtes des champs ». Le serpent infecta l'homme et, en conséquence, perdit ses membres; ses attributs physiques n'étaient plus nécessaires. Et à cause de cette infection, l'homme fut chassé du jardin de la vie éternelle, et la mort partit à la conquête du monde.

Cependant, malgré ses efforts, la ronde des pensées de Rose revint vers Drake. Elle les chassa mais elles revinrent encore; elle compta et nomma tous les objets qu'elle voyait autour d'elle, elle cria : « Non, non, non! » mais les pensées revenaient. Impitoyables.

Drake lui avait menti. L'histoire était plausible. Elle aurait tenu, dans la plupart des circonstances, mais Drake n'était pas biologiste. Le cancer ne pouvait pas être, comme il le disait, une maladie résultant d'une faculté perdue de croissance normale. Le cancer attaquait des enfants en pleine croissance, il pouvait même s'attaquer à des tissus embryonnaires. Il s'attaquait aux poissons qui, comme les extraterrestres, ne cessaient jamais de grandir leur vie durant, et ne mouraient que de maladie ou d'accident. Il s'attaquait aux plantes dont il était impossible de parasiter l'intelligence, puisqu'elles n'en avaient pas. Le cancer n'avait rien à voir avec la présence ou l'absence de croissance normale; c'était la maladie générale de la vie, contre laquelle aucun tissu, aucun organisme multicellulaire n'était totalement immunisé.

Il n'aurait pas dû se donner la peine de mentir. Il n'aurait pas dû se laisser persuader, par quelque obscure faiblesse sentimentale, d'éviter la nécessité de la tuer de cette manière. Elle allait le répéter, à l'Institut. Le parasite pouvait être battu. Son absence ne causerait pas le cancer. Mais qui la croirait ?

Elle plaqua ses mains sur ses yeux. Les hommes qui disparaissaient étaient généralement dans leur première année de mariage. Quel que fût le processus de reproduction des intelligences parasitaires, il devait exiger une association étroite entre deux parasites, le genre d'association continue qui n'était possible que si leurs hôtes respectifs étaient également en étroite liaison. Comme dans le cas des jeunes mariés.

Elle sentit ses pensées se dissocier lentement.

On viendrait l'interroger, on lui demanderait : « Où est Harg Tholan ? » et elle répondrait : « Avec

148

mon mari. » Seulement, on lui dirait : « Où est votre mari? » parce qu'il serait parti, lui aussi. Il n'avait plus besoin d'elle. Il ne reviendrait jamais. On ne le retrouverait jamais parce qu'il serait dans l'espace. Elle les signalerait tous les deux, Drake Smollett et Harg Tholan, au Bureau des personnes disparues.

Elle voulut pleurer mais en fut incapable; elle avait les yeux secs et c'était douloureux.

Soudain, elle se mit à rire sans pouvoir s'arrêter. C'était très drôle. Elle avait cherché les réponses à une multitude de questions et les avait toutes trouvées. Elle avait même découvert la réponse à une question qu'elle croyait sans aucun rapport avec le sujet.

Elle avait finalement appris pourquoi Drake l'avait épousée.

SALLY
(SALLY)

Sally arrivait par la route du lac, alors je lui fis signe et l'appelai par son nom. J'aimais toujours voir Sally. Je les aimais toutes, comprenez-moi bien, mais Sally était la plus jolie. Cela ne faisait aucun doute.

Elle accéléra un peu quand j'agitai la main. Sans rien perdre de sa dignité, elle n'était pas comme ça. Elle arriva simplement un peu plus vite, pour montrer qu'elle était heureuse de me voir aussi.

Je me tournai vers l'homme debout à côté de moi.

– Voilà Sally, lui dis-je.

Il me sourit et hocha la tête. Mrs Hester l'avait amené en disant :

– Voilà M. Gelhorn, Jake. Vous vous souvenez, il a écrit pour demander un rendez-vous.

Elle faisait la conversation, c'est tout. J'ai un million de choses à faire à la Ferme et je ne peux vraiment pas perdre mon temps à m'occuper du courrier. C'est pourquoi j'ai Mrs Hester. Elle habite à côté et elle sait très bien veiller à toutes les stupidités, sans venir à tout propos me déranger avec ces détails. Et, surtout, elle aime Sally et les autres. Certaines personnes ne les aiment pas.

– Heureux de vous voir, M. Gelhorn, dis-je.

– Raymond J. Gelhorn, fit-il en me tendant sa main que je pris, serrai et lui rendis.

C'était un type assez grand, une demi-tête de plus que moi, et plus large, aussi. Il devait avoir la moitié de mon âge, la trentaine. Il avait des cheveux noirs plaqués, avec la raie au milieu, et une fine moustache très soigneusement taillée. Sa mâchoire s'élargissait au-dessous des oreilles, ce qui donnait l'impression qu'il souffrait des oreillons. Il aurait été parfait pour jouer les méchants à la vidéo, ce qui me fit juger qu'il devait être un brave homme. Et ce qui prouve que la vidéo ne peut pas se tromper à tous les coups.

– Jacob Folkers, répondis-je. Que puis-je pour vous ?

Il me sourit. C'était un large sourire, montrant des dents blanches.

– Vous pourriez me parler un peu de votre Ferme que voici, si ça ne vous dérange pas trop.

J'entendis Sally arriver derrière moi et je tendis la main. Elle se glissa dessous et je sentis l'émail dur et lisse de son aile, tout tiède.

– Une belle automatobile, estima Gelhorn.

C'était une façon de parler. Sally était une décapotable de 2045 avec un moteur positronique Hennis-Carleton et un châssis Armat. Elle avait la ligne la plus belle, la plus élancée que j'aie jamais vue. Je connaissais pourtant tous les modèles, sans exception. Depuis cinq ans, elle était ma préférée et je lui avais consacré et ajouté tout ce que je pouvais rêver. Pendant ce temps, il n'y avait jamais eu un être humain derrière son volant.

Pas une seule fois.

– Sally, dis-je en la caressant tendrement, je te présente M. Gelhorn.

Le ronronnement des cylindres de Sally monta d'un ton. Je tendis l'oreille avec attention, pour guetter le moindre bruit insolite. Depuis quelque temps, j'entendais cogner le moteur de presque toutes les voitures, et le changement d'essence n'y avait pas fait grand bien. Toutefois, Sally tournait aussi rond que sa peinture était lustrée.

– Vous donnez des noms à toutes vos voitures? demanda Gelhorn.

Il paraissait amusé et Mrs Hester n'aime pas les gens qui ont l'air de se moquer de la Ferme. Elle répliqua avec vivacité :

– Certainement. Les voitures ont chacune leur personnalité, n'est-ce pas? Les coupés sont tous masculins, et les décapotables féminines.

Gelhorn souriait de nouveau.

– Est-ce que vous leur faites faire garage à part?

Mrs Hester le foudroya du regard. Gelhorn s'adressa à moi :

– Et maintenant, M. Folkers, est-ce que je pourrais vous parler en particulier?

– Ça dépend. Etes-vous journaliste?

– Non, monsieur. Je suis agent de ventes. La conversation que nous aurons ne donnera lieu à aucune publication. Je puis vous assurer que je tiens à ce qu'elle reste strictement privée.

Nous descendîmes sur le chemin. Mrs Hester s'éloigna. Sally nous suivit.

– Cela ne vous ennuie pas que Sally nous accompagne, n'est-ce pas? demandai-je.

– Pas du tout. Elle ne peut pas répéter ce que nous dirons, hein?

Il rit de sa propre plaisanterie et frictionna la calandre de Sally. Elle emballa son moteur et Gelhorn retira vivement sa main.

– Elle n'est pas habituée aux étrangers, expliquai-je.

Nous nous assîmes sur le banc, sous le grand chêne, d'où nous pouvions admirer le circuit privé de l'autre côté du lac. C'était l'heure chaude de la journée et les voitures étaient sorties en force, au moins trente d'entre elles. Même de loin, je pus voir que Jeremiah jouait à son petit jeu habituel, en arrivant subrepticement derrière un ancien modèle sérieux, pour accélérer d'un coup et doubler à toute vitesse en faisant hurler ses freins exprès. Deux semaines plus tôt, il avait fait dégager de l'asphalte le vieil Angus, et j'avais dû sévir, en coupant son moteur pendant deux jours.

Cela n'avait servi à rien, hélas, et il fallait croire qu'il n'y avait rien à faire. Jeremiah est un modèle de sport et ils sont tous des têtes brûlées.

– Eh bien, M. Gelhorn, fis-je, si vous me disiez pourquoi vous voulez ces renseignements?

Mais il regardait simplement autour de lui.

– C'est un endroit ahurissant, M. Folkers.

– J'aimerais bien que vous m'appeliez Jake. Comme tout le monde.

– D'accord, Jake. Combien de voitures avez-vous ici?

– Cinquante et une. Nous en recevons une ou deux neuves, chaque année. Une année, nous en avons eu cinq. Nous n'en avons encore perdu aucune. Elles sont toutes en parfait état de marche. Nous avons même une Mat-O-Mot de 2015 en

154

état de marche. Une des premières automatiques. Elle a été la première de l'écurie.

Ce bon vieux Matthew. A présent, il restait presque toute la journée au garage mais aussi, il était le grand-papa de toutes les voitures à moteur positronique. C'était au temps où les aveugles de guerre, les paraplégiques et les chefs d'Etat étaient les seuls à conduire des automatiques. Mais Samson Harridge était mon patron, et assez riche pour s'en procurer une. A l'époque, j'étais son chauffeur.

Cette pensée me donne l'impression d'être vieux. Je me souviens du temps où pas une automobile au monde n'était assez intelligente pour retrouver son chemin et rentrer seule à la maison. J'étais le chauffeur de gros tas de mécaniques mortes qui avaient besoin à tout instant de la main d'un homme à leurs commandes. Ces machines-là avaient l'habitude de tuer chaque année des milliers de personnes.

Les automatiques avaient réglé ce problème. Un cerveau positronique réagissait beaucoup plus vite qu'un cerveau humain, naturellement, et payait les gens pour qu'ils ne touchent pas aux commandes. On montait, on tapait sa destination et on laissait la voiture prendre le chemin qu'elle voulait.

Nous trouvons cela tout naturel, aujourd'hui, mais je me rappelle les premières lois obligeant les vieilles machines à quitter les grandes routes, et limitant leur utilisation aux automatiques. Dieu, quel tollé! On traitait l'affaire de tous les noms, communiste ou fasciste... mais les routes furent dégagées et le massacre arrêté, tandis que des personnes de plus en plus nombreuses allaient et venaient sans problème, à la nouvelle manière.

Naturellement, les automatiques étaient de dix à

cent fois plus chères que les voitures à conduite manuelle, et peu de gens avaient les moyens de s'offrir un véhicule particulier. L'industrie se spécialisa dans la construction d'omnibus automatiques. Vous pouviez appeler une compagnie et en avoir un qui s'arrêtait devant votre porte en quelques minutes, pour vous emmener où vous vouliez. En général, on se trouvait en compagnie d'autres personnes allant dans la même direction, mais quel mal y avait-il à cela?

Cependant, Samson Harridge avait une voiture particulière et, le jour de son arrivée, j'allai trouver le patron. La voiture n'était pas Matthew pour moi, alors. Je ne savais pas qu'elle allait devenir un jour le doyen de la Ferme. Je savais seulement qu'elle me volait mon emploi et je la détestais.

J'ai dit :

— Vous n'allez plus avoir besoin de moi, M. Harridge?

— Qu'est-ce que vous racontez, Jake? Vous ne pensez quand même pas que je vais confier ma personne à une mécanique comme ça? Vous allez rester au volant!

— Mais ça marche tout seul, M. Harridge. Ça examine la route, ça réagit correctement aux obstacles, aux êtres humains et aux autres voitures, ça se souvient des itinéraires.

— C'est ce qu'on dit, Jake, c'est ce qu'on dit. Mais, malgré tout, vous allez vous mettre au volant, au cas où quelque chose irait de travers.

C'est drôle, comme on peut en venir à aimer une voiture. En un rien de temps, je l'appelais Matthew et je passais tout mon temps à la lustrer et à régler son moteur. Un cerveau positronique reste en meilleur état quand il a, à tout instant, le contrôle de son châssis, ce qui fait que ça vaut vraiment la

156

peine de garder le réservoir plein en permanence, pour que le moteur puisse tourner au ralenti, jour et nuit. Avec un peu de pratique, je parvins à savoir comment se sentait Matthew rien qu'au bruit de son moteur.

A sa façon, Harridge finit par avoir de l'affection pour Matthew, lui aussi. Il n'avait personne d'autre à aimer. Il avait divorcé, ou survécu à trois femmes, et il vécut plus vieux que ses cinq enfants et ses trois petits-enfants. Ce qui fait qu'à sa mort, on n'a pas été tellement étonné de le voir léguer toute sa fortune à une Ferme pour les Automobiles à la retraite, avec moi à sa tête, et Matthew comme premier membre d'une lignée distinguée.

C'est devenu toute ma vie. Je ne me suis jamais marié. On ne peut pas être marié et soigner en même temps des automatiques comme elles doivent l'être.

Les journaux ont trouvé ça drôle mais, au bout d'un moment, ils ont cessé de s'en moquer. Il y a des choses qui ne prêtent pas à la plaisanterie. Vous n'avez peut-être jamais eu les moyens de posséder une automatique, et vous n'en aurez peut-être jamais, mais croyez-moi, on finit par les aimer. Elles sont dures au travail et affectueuses. Il faudrait être un homme sans cœur pour en maltraiter une, ou supporter d'en voir une maltraitée.

C'en est venu au point que lorsqu'un homme avait eu une automatique depuis un certain temps, il prenait des dispositions pour qu'elle aille à la Ferme, s'il n'avait pas d'héritier sur qui il pouvait compter pour en prendre soin.

J'expliquai tout cela à Gelhorn.

— Cinquante et une voitures ? s'exclama-t-il. Cela représente beaucoup d'argent !

– Cinquante mille minimum par automatique, comme investissement initial, lui dis-je. Elles doivent valoir bien plus que ça, maintenant. J'ai fait des choses pour elles.

– Il doit falloir beaucoup d'argent pour faire marcher la Ferme.

– Vous pouvez le dire. La Ferme est une organisation sans but lucratif, ce qui nous vaut des réductions d'impôts et, naturellement, les nouvelles automatiques qui nous arrivent viennent avec leur dot, généralement une petite fortune, placée en fidéicommis. Malgré tout, les frais ne cessent d'augmenter. Je dois veiller à l'entretien des jardins, remplacer continuellement l'asphalte de la piste ou le réparer. Il y a l'essence, l'huile, les réparations, les gadgets. Ça n'en finit plus.

– Et vous y avez consacré beaucoup de temps?

– C'est sûr, M. Gelhorn. Trente-trois ans.

– Vous ne semblez pas y gagner grand-chose pour vous-même.

– Ah non? Vous m'étonnez, M. Gelhorn. J'ai Sally et les cinquante autres. Regardez-la!

Je riais. Je ne pouvais m'en empêcher. Sally était si propre, ça faisait presque mal. Un insecte avait dû mourir sur son pare-brise ou un grain de poussière était tombé, alors elle se mettait au travail. Un petit tube était sorti et aspergeait la vitre de Tergosol. Le produit s'étalait sur la pellicule de silicone de la surface et, aussitôt, de petits balais-éponges se mettaient en place pour chasser l'eau dans la petite rainure qui la faisait couler par terre. Pas une goutte n'éclaboussa son capot vert pomme. Balais et tube de détergent rentrèrent et disparurent.

– Je n'ai jamais vu une automatique faire ça! s'écria Gelhorn.

– Non, sans doute. C'est un système que j'ai installé spécialement sur nos voitures. Elles sont propres. Elles n'arrêtent pas de polir leurs vitres. Elles aiment ça. J'ai même équipé Sally de lances lustrantes. Elle se lustre tous les soirs, jusqu'à ce qu'on puisse se voir dans n'importe laquelle de ses parties, pour se raser comme devant une glace. Si j'arrive à trouver l'argent, j'en équiperai les autres filles. Les décapotables sont très coquettes.

– Je peux vous dire comment trouver de l'argent, si ça vous intéresse.

– Ça m'intéresse toujours. Comment ?

– N'est-ce pas évident, Jake ? N'importe laquelle de vos voitures vaut cinquante mille minimum, vous avez dit. Je parie que la plupart dépassent les six chiffres.

– Et alors ?

– Vous n'avez jamais pensé à en vendre quelques-unes ?

Je secouai la tête.

– Vous ne le comprendrez peut-être pas, M. Gelhorn, mais je ne peux en vendre aucune. Elles appartiennent à la Ferme, pas à moi.

– L'argent reviendrait à la Ferme.

– Les statuts de la Ferme stipulent que les voitures reçoivent des soins à perpétuité. Elles ne peuvent être vendues.

– Et les moteurs, alors ?

– Je ne vous comprends pas.

Gelhorn changea de position et sa voix se fit confidentielle.

– Ecoutez, Jake, laissez-moi vous expliquer la situation. Il y a un important marché pour les automatiques particulières, si elles pouvaient être construites à des prix assez bas. D'accord ?

– Ce n'est un secret pour personne.

– Et le moteur représente quatre-vingt-quinze pour cent du prix. D'accord? Or, je sais où trouver un stock de carrosseries. Je sais aussi où je peux vendre des automatiques à un bon prix, vingt ou trente mille pour les modèles meilleur marché, cinquante à soixante mille les plus luxueux. Tout ce qu'il me faut, c'est des moteurs. Vous voyez la solution?

– Non, M. Gelhorn.

Je la voyais très bien, mais je ne voulais pas le lui dire.

– Ça devrait vous sauter aux yeux. Vous en avez cinquante et une. Vous êtes un mécanicien expert en automatobiles, Jake. Vous devez l'être. Vous pourriez démonter un moteur et le placer sur une autre voiture et personne ne remarquerait la différence.

– Ce ne serait pas très moral.

– Vous ne feriez pas de mal aux voitures. Vous leur rendriez un service. Utilisez vos plus vieilles voitures. Utilisez cette vieille Mat-O-Mot.

– Allons, allons, M. Gelhorn, un moment. Les moteurs et les carrosseries ne sont pas deux choses séparées. C'est une unité. Ces moteurs sont habitués à leur propre carrosserie. Ils ne seraient pas heureux sur une autre voiture.

– Bon, d'accord, je veux bien. Vous avez parfaitement raison, Jake. Ce serait comme si je prenais votre cerveau pour le mettre dans le crâne de quelqu'un d'autre. Oui? Vous pensez que vous n'aimeriez pas ça?

– Je ne crois pas que ça me plairait, en effet.

– Mais si je prenais votre cerveau pour le mettre dans le corps d'un jeune athlète? Hein, Jake? Vous n'êtes plus un jeunot. Si vous aviez le choix, est-ce que vous n'aimeriez pas avoir de nouveau vingt ans? C'est ce que j'offre à certains de vos moteurs positroniques. Ils seront placés dans des carrosseries neuves, de 57. Les tout derniers modèles.

J'éclatai de rire.

– Ça ne tient guère debout, M. Gelhorn. Certaines de nos voitures sont vieilles, peut-être, mais elles sont bien soignées. Personne ne les conduit. Elles ont le droit de faire ce qu'elles veulent. Elles sont à la *retraite*, M. Gelhorn. Je ne voudrais pas d'un corps de vingt ans si, pour cela, je devais creuser des tranchées pendant tout le restant de ma nouvelle vie, sans jamais avoir assez à manger... Qu'est-ce tu en penses, Sally?

Les deux portières de Sally s'ouvrirent et se refermèrent avec un claquement étouffé.

– Qu'est-ce que c'est que ça? s'exclama Gelhorn.

– C'est le rire de Sally.

Il se força à sourire. Il pensait sûrement que je plaisantais, que c'était une mauvaise blague. Il insista :

– Soyez raisonnable, Jake. Les voitures sont faites pour être conduites. Elles ne sont probablement pas heureuses si on ne les conduit pas.

– Sally n'a pas été conduite depuis cinq ans. Elle m'a l'air assez heureuse.

– Je me le demande !

Il se leva et marcha lentement vers Sally.

– Alors, Sally, qu'est-ce que tu dirais de faire un petit tour?

Le moteur de Sally s'emballa. Elle recula.

– Ne la bousculez pas, M. Gelhorn, conseillai-je. Elle est assez nerveuse.

Il y avait deux coupés, à une centaine de mètres sur la route. Ils s'étaient arrêtés. Peut-être observaient-ils la scène, à leur façon. Je ne m'occupai pas d'eux. J'avais l'œil sur Sally et je l'y gardai.

– Du calme, doucement, Sally, dit Gelhorn.

Il bondit et saisit la poignée de la portière. Elle ne bougea pas, naturellement.

– Ça s'est ouvert il y a une minute! cria-t-il.

– Verrouillage automatique, dis-je. Elle tient beaucoup à préserver son intimité, Sally.

Il lâcha la porte et déclara, en insistant sur chaque mot :

– Une voiture qui tient à préserver son intimité ne devrait pas se promener avec sa capote baissée.

Il recula de trois ou quatre pas, puis, rapidement, si vite que je ne pus l'arrêter, il courut et sauta dans la voiture. Il prit Sally par surprise parce que, en tombant assis, il coupa le contact avant qu'elle puisse le verrouiller.

Pour la première fois depuis cinq ans, le moteur de Sally s'arrêta.

Je crois que je poussai un cri, mais Gelhorn avait tourné la manette sur « Manuel » et l'avait verrouillée ainsi. Il mit le moteur en marche. Sally se ranimait mais elle n'avait plus aucune liberté d'action.

Il démarra. Les coupés étaient encore là. Ils se retournèrent et s'en allèrent, pas très vite. Je suppose que tout cela devait constituer une énigme pour eux.

L'un d'eux était Giuseppe, d'une usine de Milan, et l'autre Stephen. Ils ne se quittaient pas. Ils étaient tous deux nouveaux à la Ferme, mais ils étaient là depuis assez longtemps pour savoir que nos voitures n'avaient tout simplement pas de conducteurs.

Gelhorn continua de filer tout droit et quand les

coupés s'enfoncèrent finalement dans la tête que Sally n'allait pas ralentir, qu'elle ne *pouvait* pas ralentir, il était trop tard pour autre chose que les mesures désespérées.

Ils s'écartèrent à toute vitesse, un de chaque côté, et Sally passa entre eux comme une fusée. Steve renversa la barrière du bord du lac et s'arrêta dans l'herbe à quelques centimètres, à peine, du bord de l'eau. Giuseppe cahota sur le bas-côté opposé et finit par stopper en frémissant.

Je ramenai Steve sur la chaussée et j'étais en train de l'examiner pour voir si la barrière lui avait fait du mal quand Gelhorn revint.

Il ouvrit la portière de Sally et mit pied à terre. Penché à l'intérieur, il coupa une seconde fois le contact.

— Et voilà, dit-il. Je pense que je lui ai fait beaucoup de bien.

Je maîtrisai ma colère.

— Pourquoi avez-vous foncé entre les coupés? Il n'y avait aucune raison!

— Je m'attendais à les voir s'écarter.

— C'est ce qu'ils ont fait. Celui-là est passé à travers la barrière.

— Je suis navré, Jake. Je pensais qu'ils s'écarteraient plus vite que ça. Vous savez ce que c'est. J'ai pris des tas de bus mais je ne suis monté que deux ou trois fois dans ma vie dans une automatique, et c'était la première fois que j'en conduisais une. C'est pour vous dire! Ça m'a monté à la tête, d'en conduire une, et pourtant je ne me laisse pas impressionner facilement. Tenez, je vais vous dire, nous n'avons pas besoin de descendre à moins de vingt pour cent au-dessous du prix de la liste pour toucher un marché intéressant, et ce serait quatre-vingt-dix pour cent de bénéfice.

– Que nous partagerions?

– Moitié-moitié. Et c'est moi qui prends les risques, ne l'oubliez pas.

– Très bien. Je vous ai écouté. Maintenant écoutez-moi, dis-je en élevant la voix, parce que j'étais vraiment trop en colère pour rester poli plus longtemps. Quand vous coupez le moteur de Sally, vous lui faites mal. Ça vous plairait d'être assommé et de perdre connaissance? C'est ce que vous faites à Sally, quand vous lui coupez le contact.

– Vous exagérez, Jake. Les automatobus ont leur moteur arrêté tous les soirs.

– Bien sûr, et c'est pour ça que je ne veux pas de mes garçons et filles dans vos luxueuses carrosseries de 57, où je ne sais pas comment ils seront traités. Les bus ont besoin d'importantes réparations de leurs circuits positroniques, environ tous les deux ans. Les circuits du vieux Matthew n'ont pas été touchés depuis vingt ans. Qu'est-ce que vous pouvez m'offrir de comparable à ça?

– Allons, vous êtes énervé, en ce moment. Réfléchissez donc à tête reposée à ma proposition, et reprenez contact avec moi, hein?

– C'est tout réfléchi. Si jamais je vous revois, j'appelle la police.

La bouche de Gelhorn devint dure, mauvaise.

– Minute, vieux débris!

– Minute vous-même! Vous êtes ici dans une propriété privée et je vous ordonne de déguerpir.

Il haussa les épaules.

– Bon, bon, alors au revoir.

– Mrs Hester vous raccompagnera. Et il n'y a pas d'au revoir. C'est adieu.

Mais ce ne fut pas un adieu. Je le revis deux jours plus tard. Deux jours et demi, plutôt, car il était près de midi quand je l'avais vu la première fois et un peu après minuit la deuxième.

Je m'assis dans mon lit quand il alluma, en clignant des yeux jusqu'à ce que je me fasse une idée de ce qui se passait. Une fois que je vis clair, je n'eus pas besoin de beaucoup d'explications. D'aucune, même. Il avait un pistolet dans la main droite, le vilain petit canon-aiguille tout juste visible entre deux doigts. Je savais qu'il lui suffirait d'augmenter la pression de sa main pour que je sois mis en pièces.

– Habillez-vous, Jake, dit-il.

Je ne bougeai pas. Je le dévisageai simplement.

– Ecoutez, Jake, je connais la situation. Je vous ai rendu visite il y a deux jours, souvenez-vous. Je sais que vous n'avez pas de gardiens, ici, pas de clôtures électrifiées, pas de système d'alarme. Rien.

– Je n'en ai pas besoin. En revanche, rien ne vous empêche de partir, M. Gelhorn. A votre place, c'est ce que je ferais. Cet endroit peut devenir très dangereux.

Il rit un peu.

– Il l'est, pour quelqu'un qui est du mauvais côté d'un pistolet de poing.

– Je le vois. Je sais que vous en avez un.

– Alors grouillez-vous! Mes hommes attendent.

– Non, monsieur. Pas si vous ne me dites pas ce que vous voulez, et même alors, il n'est pas sûr que je bouge.

– Je vous ai fait une proposition, avant-hier.

– La réponse n'a pas changé. C'est non.

– Des détails ont été ajoutés à la proposition. Je suis venu ici avec des hommes et un automatobus. Vous avez une chance de venir avec moi et de démonter vingt-cinq des moteurs positroniques.

Les vingt-cinq que vous voudrez, ça m'est égal. Nous les chargerons dans le bus et les emporterons. Une fois qu'ils auront trouvé acquéreur, je vous ferai parvenir votre part de l'argent.

– Pour ça, j'ai votre parole, je suppose?

Il n'eut pas l'air de penser que je parlais ironiquement.

– Vous l'avez.

– Non, dis-je.

– Si vous vous entêtez à dire non, nous ferons ça à notre manière. Je démonterai les moteurs moi-même, seulement moi, je démonterai tous les cinquante et un. Tous, autant qu'ils sont.

– Ce n'est pas facile de démonter des moteurs positroniques, M. Gelhorn. Etes-vous un expert de la robotique? Et même si vous l'êtes, vous savez, ces moteurs ont été modifiés par mes soins.

– Je sais, Jake. Et à dire vrai, je ne suis pas un expert. Je risque d'endommager pas mal de moteurs en essayant de les démonter. C'est pourquoi il me faudra travailler à tous les cinquante et un, si vous refusez de m'aider. Parce que je risque de n'en avoir que vingt-cinq, une fois que j'aurai fini. Les premiers que je vais attaquer seront probablement ceux qui souffriront le plus. En attendant que je me fasse la main, voyez-vous. Et si je dois faire ça moi-même, je crois que je commencerai par Sally.

– Je ne peux pas croire que vous parlez sérieusement, M. Gelhorn.

– Je parle très sérieusement, Jake, dit-il. (Et il prit un temps pour que ça pénètre bien dans mon esprit :) Si vous voulez m'aider, vous pouvez garder Sally. Autrement, elle risque de beaucoup souffrir. Je regrette.

– Je vais vous accompagner mais je vous donne

un dernier avertissement. Vous aurez des ennuis, M. Gelhorn.

Il trouva la chose très drôle. Il riait encore tout bas quand nous descendîmes ensemble.

Un automatobus attendait à l'entrée de l'allée des garages. L'ombre de trois hommes se dessinait à côté, et leurs faisceaux flash s'allumèrent à notre approche.

– J'ai le vieux, dit Gelhorn à voix basse. Venez. Faites avancer le camion dans l'allée et commençons.

Un des autres se pencha à l'intérieur et tapa les indications voulues sur le tableau de bord. Nous remontâmes l'allée et le bus nous suivit docilement.

– Il n'entrera pas dans le garage, dis-je. La porte ne le permettra pas. Nous n'avons pas de bus, ici. Rien que des voitures particulières.

– D'accord, dit Gelhorn. Faites-le attendre dans l'herbe, hors de vue.

J'entendis le marmonnement des voitures alors que nous étions encore à dix mètres du garage.

En général, elles se calmaient à mon entrée. Pas cette fois. Je crois qu'elles savaient qu'il y avait des intrus et, une fois que la figure de Gelhorn et des autres fut visible, elles devinrent plus bruyantes. Tous les moteurs grondaient, ils cognaient irrégulièrement, au point que les murs en frémissaient.

La lumière s'alluma automatiquement dès que nous fûmes à l'intérieur. Le bruit des voitures ne semblait pas gêner Gelhorn mais les trois autres avaient l'air surpris et mal à l'aise. Ils avaient une allure de tueurs à gages; leur expression était due moins à des traits physiques qu'à un éclat chafouin du regard et à une mine de chien battu. Je connaissais ce type d'individus et ne m'inquiétai pas. L'un d'eux maugréa :

– Bon Dieu, elles en consomment!

– Mes voitures consomment continuellement de l'essence, répliquai-je sèchement.

– Pas ce soir, trancha Gelhorn. Arrêtez-les!

– Ce n'est pas si facile, M. Gelhorn, dis-je.

– Allez-y! cria-t-il.

Je ne bougeai pas. Son pistolet-aiguille était braqué sur moi.

– Je vous l'ai dit, M. Gelhorn. Toutes mes voitures ont été bien traitées, depuis qu'elles sont ici, à la Ferme. Elles ont l'habitude d'être traitées de cette manière et tout autre comportement a le don de les irriter.

– Vous avez une minute, répliqua-t-il. Les sermons seront pour une autre fois.

– J'essaie de vous expliquer quelque chose. J'essaie de vous expliquer que mes voitures comprennent ce que je leur dis. Avec du temps et de la patience, on peut apprendre cela à un moteur positronique. Mes voitures ont appris. Sally a compris votre proposition, il y a deux jours. Vous vous souvenez qu'elle a ri quand je lui ai demandé son opinion. Elle sait aussi ce que vous lui avez fait, à elle et à ces deux coupés que vous avez dispersés. Et les autres savent comment on traite les malfaiteurs en général.

– Ecoutez, espèce de vieux fou...

– Tout ce que j'ai à dire, c'est... Attaquez! criai-je.

Un des hommes blêmit et hurla mais sa voix fut couverte par le bruit de cinquante et un avertisseurs retentissant en même temps. Ils restèrent bloqués et, entre les quatre murs du garage, se répercutèrent les échos d'un grand appel sauvage, métallique. Deux voitures s'avancèrent, sans accélérer, mais sans que l'on pût se méprendre sur leur objectif. Deux autres se mirent en ligne derrière elles. Toutes les voitures s'agitaient maintenant dans leurs boxes.

Les bandits ouvrirent de grands yeux et reculèrent.

– Ne vous mettez pas contre un mur! criai-je.

Apparemment, ils avaient eu eux-mêmes cette pensée instinctive. Ils se précipitèrent vers la porte.

Sur le seuil, un des hommes se retourna et brandit son poing armé d'un pistolet-aiguille. Le projectile jaillit comme un éclair bleu en direction de la première voiture. C'était Giuseppe.

Une fine bande de peinture s'écailla sur le capot de Giuseppe, et la moitié droite de son pare-brise s'étoila, mais ne se creva pas.

Les hommes étaient dehors, courant comme des fous; deux par deux, les voitures les pourchassèrent dans la nuit, leurs klaxons sonnant la charge.

J'avais une main sur le bras de Gelhorn, mais je ne crois pas qu'il avait l'intention de bouger. Ses lèvres tremblaient.

– C'est pour ça que je n'ai pas besoin de clôtures électrifiées ni de gardiens. Mes biens se protègent eux-mêmes.

Les yeux de Gelhorn suivaient, fascinés, les voitures qui passaient devant nous, deux par deux, à toute vitesse.

– Ce sont des tueuses! souffla-t-il.

– Ne soyez pas stupide. Elles ne vont pas tuer vos hommes.

– Des tueuses!

– Elles vont simplement leur donner une bonne

leçon. Mes voitures ont été spécialement entraînées à la poursuite cross-country, en prévision d'occasions comme celle-ci. Je crois que ce qui attend vos hommes sera pire qu'un meurtre rapide. Est-ce que vous avez déjà été traqué par une automobile?

Gelhorn ne répondit pas. Je continuai de parler. Je voulais que rien ne lui échappe.

– Il y aura des ombres qui n'iront pas plus vite que vos hommes, qui leur courront après de-ci, de-là, qui leur barreront le passage, qui leur corneront au nez, qui leur fonceront dessus et les manqueront d'un poil, dans un grand hurlement de freins et un tonnerre de moteurs. Elles continueront jusqu'à ce que vos hommes s'écroulent, à bout de souffle et à moitié morts, en attendant que des roues leur écrasent les os. Les voitures ne le feront pas. Elles les laisseront. Mais vous pouvez parier ce que vous voudrez que vos hommes ne reviendront jamais ici. Pas pour tout l'argent que vous, ou dix comme vous, pourriez leur offrir. Ecoutez...

Je resserrai ma prise sur son bras. Il tendit l'oreille.

– Vous entendez claquer les portières?

Le bruit était lointain, étouffé, mais bien reconnaissable.

– Elles rient. Elles s'amusent!

La figure de Gelhorn se convulsa de rage. Il leva sa main. Il tenait toujours son pistolet de poing.

– Je ne vous le conseille pas. Une automatobile est toujours avec nous.

Je crois que jusqu'alors, il n'avait pas remarqué la présence de Sally. Elle venait de s'avancer sans bruit. Son aile avant droite me touchait presque mais je n'entendais pas son moteur. C'était comme si elle retenait sa respiration.

Gelhorn poussa un cri.

– Elle ne vous touchera pas tant que je serai avec vous. Mais si vous me tuez... Vous savez, Sally ne vous aime pas.

Gelhorn tourna son arme en direction de Sally.

– Son moteur est bien protégé, dis-je, et avant que vous pressiez l'arme une seconde fois, elle sera sur vous.

– D'accord, dans ce cas! hurla-t-il.

Et, tout à coup, mon bras fut tordu derrière mon dos; je pouvais à peine me tenir debout. Il me maintenait entre Sally et lui, sans relâcher un instant son étreinte.

– Reculez avec moi et n'essayez pas de vous dégager, vous entendez, vieux débris? Sinon, je vous déboîte le bras!

Je fus obligé d'obéir. Sally nous suivit de près, inquiète, ne sachant que faire. Je voulus lui dire quelque chose mais je ne pus que serrer les dents et gémir.

L'automatobus de Gelhorn était toujours devant le garage. Il m'y fit monter de force, sauta après moi et verrouilla les portières.

– Ça va, maintenant, nous pouvons causer!

Je me frottai le bras, en tentant de rétablir la circulation, et machinalement, sans effort conscient, j'examinai le tableau de bord.

– C'est une reconstruction, dis-je.

– Et alors? répliqua-t-il ironiquement. C'est un exemple de mon travail. J'ai pris un châssis abandonné, j'ai trouvé un cerveau que je pouvais utiliser et je me suis fabriqué un bus particulier. Et alors?

Je saisis le panneau de réparation et le repoussai d'un côté.

– Qu'est-ce qui vous prend? Touchez pas à ça!

Le tranchant de sa main s'abattit sur mon épaule, qui en resta tout engourdie. Je me débattis.

– Je ne veux pas faire de mal à ce bus! Pour qui me prenez-vous? Je veux simplement regarder quelques-uns des raccords de moteur.

Ce ne fut pas long. Quand je me retournai vers lui, je bouillais.

– Vous êtes un monstre et une ordure! Vous n'aviez pas le droit d'installer ce moteur vous-même! Pourquoi n'avez-vous pas fait appel à un spécialiste de robotique?

– J'ai l'air d'un fou? répliqua-t-il.

– Même si c'était un moteur volé, vous n'aviez pas le droit de le traiter comme ça! Je ne traiterais pas un homme comme vous avez traité ce moteur! De la soudure, des bandes adhésives, des pinces crocodile! C'est brutal!

– Ça marche, n'est-ce pas?

– Bien sûr que ça marche, mais ce doit être l'enfer pour ce bus. On peut vivre avec des migraines et de l'arthrite aiguë, mais ce n'est pas une vie. Ce véhicule *souffre*!

– Ah, bouclez-la!

Il jeta un coup d'œil à Sally, qui s'était rapprochée du bus, le plus qu'elle le pouvait, et roulait à côté. Il s'assura que les portières étaient bien verrouillées.

– Nous allons nous tirer de là, maintenant, avant que les autres reviennent. Nous resterons cachés.

– En quoi est-ce que ça vous aidera?

– Vos voitures finiront bien par tomber en panne d'essence, un jour ou l'autre, non? Vous n'êtes pas allé jusqu'à les équiper de façon à ce qu'elles fassent le plein toutes seules, dites? Nous reviendrons et nous achèverons le travail!

– On va me rechercher. Mrs Hester appellera la police.

Mais il n'y avait plus moyen de le raisonner. Il tapa la mise en marche du bus. Le véhicule fit un bond. Sally le suivit. Gelhorn pouffa.

– Que peut-elle faire, tant que vous êtes là, avec moi?

Sally parut le comprendre aussi. Elle prit de la vitesse, nous doubla et disparut. Gelhorn baissa la vitre pour cracher dehors.

Le bus cahotait sur la route obscure et son moteur cognait irrégulièrement. Gelhorn mit en veilleuse les phares périphériques et il n'y eut plus que la ligne verte phosphorescente au milieu de la chaussée pour nous éviter de nous jeter dans les arbres. Il n'y avait pour ainsi dire pas de circulation. Deux voitures nous croisèrent; il n'y en avait aucune de notre côté de la route, pas plus devant que derrière.

Je fus le premier à entendre les claquements de portières. Secs et rapides, dans le silence. D'abord sur notre droite, puis sur la gauche. Les mains de Gelhorn tremblèrent quand il tapa fébrilement pour accélérer. Un rayon lumineux jaillit d'un bosquet et nous aveugla. Un autre plongea sur nous, d'au-delà de la glissière de sécurité, de l'autre côté. A quatre cents mètres devant nous, à l'échangeur, il y eut un *scouiiiiiiss* quand une voiture bondit et s'arrêta en travers de notre chemin.

– Sally est allée chercher les autres, dis-je. Je crois que nous sommes cernés.

– Et alors? Qu'est-ce qu'ils peuvent faire?

Il était penché sur les commandes et regardait à travers le pare-brise.

– Et n'allez pas jouer au petit soldat, vous, le vieux, marmonna-t-il.

Je ne pouvais pas. J'étais ivre de fatigue; mon bras gauche était en feu. Les bruits de moteurs se confondirent et se rapprochèrent. J'entendis des rythmes différents, bizarres; tout à coup, il me sembla que mes voitures se parlaient entre elles.

Une cacophonie d'avertisseurs s'éleva derrière nous. Je me retournai et Gelhorn leva vivement les yeux vers le rétroviseur. Une douzaine de voitures nous suivaient, occupant les deux voies. Gelhorn hurla de rire, comme un fou.

– Arrêtez! Arrêtez le bus! criai-je.

Car là-bas devant nous, à moins de quatre cents mètres et bien visible dans les phares de deux coupés sur le bas-côté, il y avait Sally, son beau châssis élégant en travers de la route. Deux voitures arrivèrent en trombe sur notre gauche, sur la voie opposée, et restèrent à notre hauteur, empêchant Gelhorn de déborder de sa ligne.

Mais il n'en avait aucune intention. Il enfonça le bouton de la vitesse maximum et le garda appuyé.

– Pas de bluff, ici, dit-il. Ce bus pèse cinq fois plus qu'elle et nous allons simplement l'écarter de la route comme un petit chat écrasé.

Je savais qu'il le pouvait. Le bus était sur « manuel » et il avait le doigt sur le bouton. Je savais qu'il n'hésiterait pas.

Je baissai ma vitre et sortis la tête.

– Sally! hurlai-je. Ote-toi du chemin! *Sally!*

Ma voix fut couverte par l'horrible cri de douleur de tambours de freins maltraités. Je fus projeté contre le pare-brise et j'entendis l'air siffler dans les poumons de Gelhorn.

– Qu'est-ce qui s'est passé? demandai-je.

C'était une question idiote. Nous nous étions arrêtés. Voilà ce qui s'était passé. Sally et le bus étaient à un mètre d'écart à peine. Avec cinq fois son poids fonçant sur elle, elle n'avait pas bougé d'une ligne. Quel cran, cette fille !

Gelhorn secoua la manette de la conduite manuelle.

— Il faut qu'il y aille, il faut qu'il y aille, marmonnait-il.

— Pas de la façon dont vous avez monté le moteur, l'expert ! N'importe lequel de ces circuits pourrait sauter.

Il me regarda avec une rage meurtrière et se racla la gorge. Ses cheveux étaient plaqués sur son front par la sueur. Il leva le poing.

— J'en ai marre des conseils, vieux débris ! Fini !

Et je compris que le pistolet-aiguille allait faire feu.

Je reculai contre la portière du bus, m'y adossai en regardant monter le poing de Gelhorn et, quand la porte s'ouvrit, je tombai à la renverse en faisant une cabriole, et atterris avec un choc sourd. J'entendis la portière se refermer en claquant.

Je me ramassai sur les genoux et, levant les yeux, je vis Gelhorn qui se débattait en vain avec la vitre qui remontait, puis il visa rapidement à travers le verre. Il ne tira pas. Le bus démarra dans un terrible vrombissement et son chauffeur fut projeté en arrière, contre le dossier.

Sally ne barrait plus la route. Je regardai les feux arrière du bus s'éloigner et disparaître à l'horizon.

J'étais épuisé. Je restai assis là, par terre, sur la chaussée, je posai ma tête sur mes bras repliés et m'efforçai de reprendre haleine.

J'entendis une voiture s'arrêter silencieusement à côté de moi. C'était Sally. Lentement, presque tendrement, sa portière droite s'ouvrit.

Depuis cinq ans, personne n'avait conduit Sally, à l'exception de Gelhorn, bien sûr, et je savais combien cette liberté était précieuse pour une voiture. J'appréciais le geste, bien sûr, mais je dis :

– Merci, Sally. Je prendrai une des plus récentes.

Je me relevai et me détournai; elle exécuta la plus adroite des pirouettes et se retrouva devant moi. Je ne pouvais pas lui faire de peine! Je montai. Le siège avant dégageait la fraîche et bonne odeur d'une voiture qui se tient dans un parfait état de propreté. Je m'y allongeai avec délices et, avec leur efficacité discrète, rapide et silencieuse, mes garçons et mes filles me ramenèrent à la maison.

Le lendemain soir, Mrs Hester, surexcitée, m'apporta la transcription de la dépêche de la radio.

– C'est M. Gelhorn, dit-elle. Ce monsieur qui est venu vous voir :

– Et alors? demandai-je, en redoutant la réponse.

– On l'a trouvé mort! Vous vous rendez compte? Il gisait dans un fossé!

– Il peut s'agir de quelqu'un d'autre, marmonnai-je.

– Raymond J. Gelhorn! insista-t-elle vivement. Il ne peut pas y en avoir deux! Et le signalement concorde. Seigneur, quelle façon de mourir! On a trouvé des traces de pneus sur ses bras et son corps. Vous vous rendez compte? Je suis bien contente que ce soit un bus, sans ça on aurait pu venir fouiner par chez nous!

– C'est arrivé près d'ici? demandai-je, anxieux.

– Non... du côté de Cooksville. Mais lisez vous-même, si vous... Ah mon Dieu! Qu'est-ce qui est arrivé à Giuseppe?

La diversion fut la bienvenue. Giuseppe attendait patiemment que je finisse de le repeindre. Son pare-brise avait déjà été remplacé.

Après le départ de Mrs Hester, je pris avidement la transcription. La chose ne faisait aucun doute. Le médecin déclarait que la victime avait couru et se trouvait dans un état d'épuisement total. Je me posai la question : Sur combien de kilomètres le bus avait-il joué avec lui, avant l'assaut final? Naturellement, la transcription ne disait rien de ce genre!

On avait retrouvé le bus et identifié les traces de pneus. La police l'avait réquisitionné et cherchait le propriétaire.

Il y avait une note, avec la transcription. C'était le premier accident mortel de la circulation de cette année, et le journal mettait sévèrement en garde contre la conduite manuelle de nuit.

Il n'était pas question des trois gangsters de Gelhorn et j'en éprouvai de la reconnaissance. Aucune de nos voitures ne s'était abandonnée aux plaisirs de la chasse au point de tuer.

C'était tout. Je laissai retomber les feuillets. Gelhorn était un criminel. Sa façon de traiter le bus était brutale. Il méritait mille fois la mort, cela ne faisait aucun doute. Malgré tout, le caractère de cette mort me contrariait un peu.

Un mois s'est passé depuis et je ne puis cesser d'y penser.

Mes voitures causent entre elles. Je n'en ai plus le moindre doute. C'est comme si elles avaient pris de l'assurance, comme si elles ne se souciaient plus de garder la chose secrète. Leurs moteurs cliquettent et cognent continuellement.

Et elles ne parlent pas seulement entre elles. Elles parlent aux voitures et aux bus qui viennent à la Ferme pour affaires. Depuis combien de temps le font-elles?

Il faut les comprendre, aussi. Le bus de Gelhorn les comprenait, bien qu'il n'eût pas passé plus d'une heure chez nous. Si je ferme les yeux, je revois cette équipée sur la route, nos voitures flanquant le bus en faisant claquer leurs moteurs jusqu'à ce qu'il comprenne, s'arrête, me laisse descendre et file avec Gelhorn.

Mes voitures lui avaient-elles dit de tuer Gelhorn? Ou était-ce une idée à lui?

Les voitures peuvent-elles avoir de telles idées? Ceux qui conçoivent les moteurs disent que non. Mais ils parlent de circonstances ordinaires. Ont-ils *tout* prévu?

Des voitures sont maltraitées, vous savez.

Il en vient à la Ferme, et elles observent. On leur raconte des choses. Elles découvrent qu'il existe des voitures dont le moteur n'est jamais arrêté, que personne ne conduit jamais, et dont le moindre besoin est satisfait.

Et peut-être ces véhicules repartent-ils le raconter à d'autres. Le bruit se répand vite. Ils commencent à penser que les méthodes de la Ferme devraient s'appliquer partout dans le monde. Ils ne comprennent pas. On ne peut pas leur demander de comprendre les legs, les testaments et les caprices des hommes riches.

Il y a des millions d'automatobiles dans le

monde, des dizaines de millions. Si l'idée s'enracine en elles qu'elles sont des esclaves, qu'elles devraient faire quelque chose... si elles commencent à réfléchir comme le bus de Gelhorn...

Ça n'arrivera sans doute qu'après ma mort. Et puis elles auront besoin de conserver quelques-uns d'entre nous pour prendre soin d'elles, n'est-ce pas ? Elles ne voudront pas nous tuer tous.

Mais peut-être que si. Elles ne comprendront peut-être pas qu'elles doivent avoir quelqu'un pour s'occuper d'elles. Elles n'attendront peut-être pas.

Tous les matins, je me réveille en pensant : Et si c'était aujourd'hui...

Mes voitures ne me procurent plus autant de plaisir que naguère. Dernièrement, j'ai remarqué que je commence même à éviter Sally.

LE BRISEUR DE GRÈVE
(STRIKEBREAKER)

Elvis Blei frotta l'une contre l'autre ses mains grasses et dit :

– L'autonomie, il n'y a que ça de vrai.

Il sourit avec un peu de gêne, en donnant du feu à Steven Lamorak de la Terre. Toute sa figure lisse aux petits yeux très écartés exprimait le malaise.

Lamorak tira une bouffée de fumée, qu'il apprécia, et croisa ses longues jambes maigres. Ses cheveux étaient parsemés de gris et il avait une forte et puissante mâchoire.

– Cultivé ici ? demanda-t-il, jetant un œil critique sur la cigarette, en s'efforçant de masquer son propre trouble, causé par la tension de l'autre.

– Tout à fait, répondit Blei.

– Je me demande comment vous trouvez la place, sur votre petit monde, pour de tels produits de luxe.

(Lamorak songeait à son premier aperçu d'Elsevere, par le visipanneau du vaisseau spatial. C'était

181

un planétoïde déchiqueté, sans atmosphère, d'environ cent cinquante kilomètres de diamètre, rien qu'un bout de rocher gris poussière, brillant faiblement à la lumière de son soleil, éloigné de trois cent vingt millions de kilomètres. C'était le seul objet de plus de deux kilomètres de diamètre à tourner autour de ce soleil, et voilà que des hommes s'étaient terrés dans ce monde en miniature et y avaient créé une société. Et lui-même, sociologue, était venu étudier la planète et voir comment l'humanité s'était adaptée à cette niche bizarrement spécialisée.)

Le sourire poli et fixe de Blei s'élargit d'un poil.

— Nous ne sommes pas un petit monde, docteur Lamorak. Vous nous jugez selon des normes bidimensionnelles. La surface d'Elsevere ne couvrirait que les trois quarts de l'Etat de New York, mais là n'est pas la question. Souvenez-vous que nous pouvons occuper, si nous le voulons, tout l'intérieur d'Elsevere. Une sphère de 80 kilomètres de rayon a un volume de bien plus d'un million de kilomètres cubes. Si tout Elsevere était occupée par des niveaux séparés de quinze mètres, la surface totale à l'intérieur du planétoïde serait de 145 millions de kilomètres carrés, ce qui équivaut au total de la surface des continents sur Terre. Et aucun de ces kilomètres carrés, docteur, ne serait improductif.

— Dieu de Dieu! souffla Lamorak. (Et il regarda dans le vague pendant un moment.) Oui, vous avez raison, naturellement. Bizarre que je n'y aie jamais pensé. Mais aussi, Elsevere est le seul planétoïde totalement exploité de la Galaxie. Et nous ne pouvons nous retenir de penser, comme vous le dites, en termes bi-dimensionnels. Allons, je suis infiniment heureux que votre Conseil ait eu l'obligeance de me laisser carte blanche pour mon enquête.

Blei hocha convulsivement la tête.

Lamorak fronça légèrement les sourcils et pensa : Il se conduit comme s'il souhaitait que je ne sois pas venu. Il y a quelque chose qui ne va pas.

– Naturellement, dit Blei, vous comprenez que nous sommes en réalité un monde bien plus petit que ce que nous pourrions être; seules des parties mineures d'Elsevere ont été creusées et occupées. Et nous ne sommes pas particulièrement pressés de prendre de l'expansion. Nous pensons, au contraire, le faire très lentement. Dans une certaine mesure, nous sommes limités par la capacité de nos moteurs de pseudo-gravité, et par les convertisseurs d'énergie solaire.

– Je comprends. Mais dites-moi, conseiller Blei, est-ce qu'il me serait possible – par pure curiosité personnelle, et pas parce que c'est d'une grande importance pour mon projet – de voir d'abord quelques-uns de vos niveaux de culture et d'élevage? Je suis fasciné par l'idée de champs de blé et de troupeaux de vaches à l'intérieur d'un planétoïde.

– Vous trouverez notre cheptel bien mince, par rapport à vos chiffres, docteur, et nous n'avons pas beaucoup de blé. Nous cultivons davantage la levure. Mais je vous montrerai du blé. Et aussi du coton et du tabac. Même des arbres fruitiers.

– Admirable! Comme vous disiez, l'autonomie. Vous recyclez tout, j'imagine.

La réaction que provoqua, chez Blei, cette dernière réflexion ne put échapper au regard aigu de

Lamorak. Les yeux de l'Elseverien se voilèrent et cachèrent son expression.

– Nous devons tout remettre en circulation, oui, dit-il. L'air, l'eau, l'alimentation, les minéraux – tout ce qui est consommé doit être restauré à son état originel; les déchets sont reconvertis en matières premières. Il suffit pour cela d'avoir de l'énergie et nous n'en manquons pas. Nous ne réussissons pas avec cent pour cent d'efficacité, naturellement, il y a toujours une certaine perte. Nous importons un peu d'eau chaque année et, si nos besoins augmentent, il nous faudra peut-être importer aussi du charbon et de l'oxygène.

– Quand pourrons-nous commencer la visite, conseiller Blei?

Le sourire de Blei perdit encore un peu de sa maigre chaleur.

– Dès que nous le pourrons, docteur. Il reste certaines questions de routine à régler.

Lamorak hocha la tête et, ayant terminé sa cigarette, il l'éteignit.

Des questions de routine? Il n'avait rien noté de cette hésitation, dans leur correspondance préliminaire. Elsevere avait paru fière que son existence de planétoïde unique ait attiré l'attention de la Galaxie.

– Je comprends, dit-il, que cela puisse avoir une influence troublante dans une société repliée sur elle-même.

Et il regarda ironiquement Blei sauter sur cette explication et la faire sienne.

– Oui, nous nous sentons à l'écart du reste de la Galaxie. Nous avons nos propres coutumes. Chaque Elseverien s'installe dans une confortable niche. L'apparition d'un étranger sans caste fixée ne peut que bouleverser les esprits.

– Le système de castes est vraiment inflexible.

– Je vous l'accorde, reconnut vivement Blei, mais il est également rassurant. Nous avons des règles strictes concernant les mariages mixtes et l'héritage de la profession. Chaque homme, femme et enfant sait où est sa place, l'accepte et y est accepté; nous n'avons pratiquement pas de névroses ni de maladies mentales.

– Et pas de marginaux? demanda Lamorak.

Blei ouvrit la bouche pour dire non, mais la referma brusquement sur le mot; un pli creusa son front.

– Je vais organiser la visite, docteur, dit-il enfin. En attendant, j'imagine que vous seriez heureux de vous rafraîchir et de vous reposer un peu.

Ils se levèrent ensemble et quittèrent la pièce, Blei faisant poliment signe au Terrien de le précéder.

Lamorak était oppressé par la vague sensation de crise qui avait imprégné son entretien avec Blei.

Le journal renforça encore cette impression. Il le lut attentivement avant de se coucher, tout d'abord avec un intérêt clinique. C'était un format tabloïd de huit pages, sur papier synthétique. Un quart de son contenu était consacré à des « rubriques personnelles » : naissances, mariages, morts, quotas records, expansion du volume habitable (pas de la région! tri-dimensionnel!). Le reste comportait des essais, de la vulgarisation éducative et de la fiction. De nouvelles, dans le sens où Lamoraky y était habitué, il n'y en avait pour ainsi dire pas.

Un article cependant pouvait être considéré

comme un sujet d'actualité, mais si fragmentaire qu'il en était incompréhensible.

Ce n'étaient que quelques lignes sous une petite manchette : EXIGENCES INCHANGÉES. *Il n'y a aucun changement dans son attitude depuis hier. Le Chef Conseiller, après une seconde entrevue, a annoncé que ses exigences sont toujours absolument déraisonnables et ne peuvent être satisfaites en aucune circonstance.*

Et entre parenthèses, en caractères différents, on lisait une déclaration : *La direction de ce journal reconnaît qu'Elsevere ne peut ni ne doit bondir à son coup de sifflet, advienne que pourra.*

Lamorak lut l'entrefilet trois fois. *Ses* exigences. *Son* attitude. *Son* coup de sifflet.

De qui?

Ce soir-là, son sommeil fut agité.

Il n'eut guère le temps de lire les journaux les jours suivants, mais, spasmodiquement, l'histoire lui revenait en mémoire.

Blei demeura son guide et son compagnon pendant la plus grande partie de sa visite, mais il se montrait de plus en plus réservé.

Le troisième jour (très artificiellement découpé, sur le mode terrien, en vingt-quatre heures), Blei s'arrêta à un moment donné et dit :

– Ce niveau-ci est entièrement consacré aux industries chimiques. Cette section n'est pas importante...

Mais il se détourna trop rapidement et Lamorak lui saisit le bras.

– Quels sont les produits de cette section?

– Des engrais. Certaines matières organiques, répliqua laconiquement Blei.

Lamorak se retint, tout en cherchant quelle vue

le conseiller voulait éviter. Son regard balaya un horizon fermé et proche de couches rocheuses et d'immeubles serrés entre les niveaux.

– N'est-ce pas une résidence particulière, là? demanda-t-il.

Blei ne se tourna pas dans la direction indiquée.

– Je crois bien que c'est la plus grande que j'aie vue jusqu'à présent, reprit Lamorak. Pourquoi est-elle construite ici, au niveau des usines?

Cela seul la rendait remarquable. Il avait déjà constaté que les niveaux étaient strictement divisés : résidentiel, agricole, industriel.

Le conseiller s'éloignait rapidement. Lamorak l'appela mais l'autre continua d'avancer. Le Terrien lui courut après.

– Conseiller Blei! Qu'est-ce qui ne va pas?

– Je suis grossier, je sais, marmonna Blei. Pardonnez-moi. Je suis préoccupé par certaines questions...

Il se remit à marcher rapidement.

– Concernant *ses* exigences?

– Que savez-vous de cela, *vous*?

– Rien de plus que ce que j'ai dit. Je l'ai lu dans le journal.

Blei marmotta quelque chose tout bas, entre ses dents.

– Ragusnik? s'étonna Lamorak. Qu'est-ce que c'est que ça?

Blei soupira lourdement.

– Je suppose qu'il faut vous le dire. C'est humiliant, et terriblement embarrassant. Le Conseil pensait que les choses allaient s'arranger rapidement et que cela ne gênerait pas votre visite, que vous n'aviez pas besoin de le savoir ni d'être inquiété. Mais cela fait presque une semaine, maintenant. Je ne sais pas ce qui va se passer et, compte tenu des apparences, il vaudrait peut-être mieux que vous partiez. Il n'y a pas de raison qu'un Outremondien risque la mort.

Le Terrien sourit d'un air incrédule.

– Risquer la mort? Dans ce petit monde si paisible et si affairé? Je ne puis le croire!

– Je peux vous l'expliquer, dit le conseiller elseverien. D'ailleurs, je crois que cela vaut mieux... Comme je vous l'ai dit, tout doit être remis en circulation, sur Elsevere. Vous devez le penser!

– Oui.

– Y compris les... les déchets humains.

– Je le pensais bien.

– L'eau en est extraite par distillation et absorption. Ce qui reste est recyclé sous forme d'engrais pour la culture; ces engrais sont constitués par des sous-produits organiques et autres. Les usines que vous voyez ici y sont consacrées.

– Eh bien?

Lamorak avait eu une certaine difficulté à boire de l'eau du planétoïde, à son arrivée sur Elsevere; il était assez réaliste pour savoir à partir de quoi elle était récupérée; mais il avait assez facilement surmonté sa répugnance. Même sur Terre, l'eau était récupérée par des procédés naturels, à partir de toutes sortes de substances peu ragoûtantes.

Blei, avec de plus en plus de difficulté, expliqua :

– Igor Ragusnik est celui qui est chargé des procédés industriels intervenant directement sur les déchets. Cette situation est dans sa famille depuis qu'Elsevere a été colonisé. Un des premiers colons était Mikhaïl Ragusnik et il... il...

– Il était chargé de la récupération des déchets.

– Oui. Cette demeure que vous avez remarquée est celle des Ragusnik. C'est la plus grande et la plus belle de tout le planétoïde. Ragusnik a droit à de nombreux privilèges; des privilèges dont la plupart d'entre nous ne jouissent pas mais, après tout... nous ne pouvons pas lui *parler*! conclut le conseiller en élevant la voix avec une passion soudaine.

– Pardon?

– Il exige l'égalité sociale. Il veut que ses enfants fréquentent les nôtres, que nos femmes se rendent visite... ah!

Ce fut un gémissement de dégoût absolu.

Lamorak pensa à l'article de journal qui n'osait même pas imprimer le nom de Ragusnik ni révéler quelque chose de précis sur ses demandes.

– Si je comprends bien, c'est un paria à cause de sa profession?

– Naturellement! Des déchets humains et... bien sûr, vous êtes terrien, vous ne devez pas comprendre.

– Je suis sociologue et je crois comprendre, riposta Lamorak, en pensant aux Intouchables en Inde, à ceux qui manipulaient les cadavres, aux porchers, dans l'ancienne Judée.

– Si je comprends bien, reprit-il, Elsevere ne cédera pas à ses exigences?

– Jamais! s'écria Blei avec véhémence. Jamais!

– Alors?

– Ragusnik menace de cesser toute opération.

– Autrement dit, de faire grève.

– Oui.

– Et ce serait grave?

– Nous avons suffisamment d'alimentation et d'eau pour tenir assez longtemps; la récupération n'est pas essentielle en ce sens-là. Mais les déchets s'accumuleraient, ils infecteraient le planétoïde. Après des générations de contrôle attentif des maladies, notre résistance aux microbes et aux virus est amoindrie. Si une épidémie se déclenchait – et cela risque d'être inévitable –, nous mourrions par centaines.

– Est-ce que Ragusnik le sait?

– Bien sûr!

– Croyez-vous qu'il soit capable d'aller jusqu'au bout de sa menace?

– Il est fou. Il a déjà cessé de travailler; il n'y a pas eu de récupération de déchets depuis la veille de votre arrivée.

Le nez bulbeux de Blei renifla l'air, comme s'il sentait déjà une odeur d'excréments.

Voyant cela, Lamorak en fit automatiquement autant, mais ne sentit rien.

– Vous comprenez pourquoi il serait plus sage que vous partiez, dit Blei. Nous sommes humiliés, naturellement, d'avoir à vous le suggérer.

Mais Lamorak répliqua :

– Attendez, pas encore! Cette affaire m'intéresse beaucoup, sur le plan professionnel. Pourrais-je parler à ce Ragusnik?

– En aucun cas! s'exclama Blei, alarmé.

– Mais j'aimerais comprendre la situation. Les conditions sociologiques d'Elsevere sont uniques et ne peuvent être reconstituées ailleurs. Au nom de la science...

– Comment l'entendez-vous? Parlez! Est-ce qu'une image-réception ferait l'affaire?

– Oui.

– Je vais demander au Conseil.

Ils étaient assis autour de Lamorak, mal à l'aise, leur expression austère et digne altérée par l'anxiété. Assis parmi les autres, Blei évitait soigneusement le regard du Terrien.

Le Chef Conseiller – cheveux gris, figure profondément ridée sur un cou maigre – déclara d'une voix douce :

– Si vous parvenez par vos propres convictions, monsieur, à le persuader, nous vous en serons reconnaissants. En aucun cas, cependant, vous ne devez laisser entendre que nous céderons, en aucune façon.

Un rideau de gaze tomba entre le Conseil et Lamorak, mais il distinguait encore les conseillers, derrière. Il se tourna vivement vers le récepteur qui s'éclaira et s'anima.

Une tête apparut, en couleurs naturelles, d'un grand réalisme. Une forte tête brune, avec un menton volontaire mal rasé et d'épaisses lèvres rouges serrées en une ferme ligne horizontale. L'image demanda avec méfiance :

– Qui êtes-vous?

– Steve Lamorak. Je suis un Terrien.

– Un Outremondien?

– En effet. Je visite Elsevere. Vous êtes Ragusnik?

– Igor Ragusnik, à votre service, ironisa l'image. Sauf qu'il n'y a pas de service et qu'il n'y en aura pas tant que ma famille et moi ne serons pas traités comme des êtres humains.

– Est-ce que vous vous rendez compte du danger qui menace Elsevere? De la possibilité d'épidémie?

– En vingt-quatre heures, la situation peut redevenir normale, s'ils font preuve d'humanité à mon égard. C'est à eux de dénouer la situation.

– Vous m'avez l'air d'un homme cultivé, Ragusnik.

– Et alors?

– On me dit qu'aucun confort matériel ne vous est refusé. Vous êtes logé, habillé et nourri mieux que personne à Elsevere. Vos enfants sont les mieux éduqués.

– Je vous l'accorde. Mais tout cela par des servo-mécanismes. Et des bébés sans mère, des filles, nous sont envoyées pour que nous les élevions. Une fois grandes, elles deviennent nos femmes. Et elles meurent jeunes, malades de solitude. Pourquoi? cria-t-il avec une passion subite. Pourquoi devons-nous vivre dans l'isolement, comme si nous étions tous des monstres? Pourquoi aucun être humain ne peut-il nous approcher? Est-ce que nous ne sommes pas des humains comme les autres, avec les mêmes besoins, les mêmes désirs et sentiments? Est-ce que nous ne remplissons pas une fonction honorable et utile?

Il y eut des soupirs et des mouvements divers derrière Lamorak. Ragusnik entendit et éleva la voix :

– Je vous vois là-derrière, messieurs du Conseil. Répondez-moi! Est-ce que ce n'est pas une fonction honorable et utile? L'homme qui purifie la corruption est-il pire que l'homme que la produit? Ce sont *vos* déchets que je transforme en alimentation pour *vous*. Écoutez, conseillers, je ne céderai pas! Que tout Elsevere meure de maladie, y compris moi-même et mon fils s'il le faut, mais je ne céderai pas. Je préfère voir ma famille mourir de maladie plutôt que de la voir vivre comme elle vit maintenant...

Lamorak l'interrompit :

– Vous avez mené cette vie depuis votre naissance, n'est-ce pas?

– Eh bien?

– Vous devez y être habitué.

– Jamais. Résigné, peut-être. Mon père était résigné. Pendant un temps, je me suis résigné moi aussi, mais j'ai observé mon fils, mon fils unique avec qui aucun autre petit garçon ne veut jouer. J'avais mon frère avec moi, nous étions deux, mais mon fils n'aura jamais personne avec lui, alors je ne veux plus être résigné. J'en ai fini avec Elsevere, et j'ai fini de discuter.

Le récepteur s'éteignit.

La figure du Chef Conseiller avait pâli, jauni comme du vieux parchemin. Blei et lui étaient les seuls du groupe à être restés avec Lamorak.

– Cet homme est dérangé, dit le Chef Conseiller. Je ne sais comment le contraindre.

Il avait un verre de vin, à côté de lui; en le portant à sa bouche, sa main trembla et quelques taches violacées éclaboussèrent son pantalon blanc.

– Ses exigences sont-elles déraisonnables? demanda Lamorak. Pourquoi ne peut- il être accepté dans votre société?

De la rage passa dans les yeux de Blei.

– Un manipulateur d'excréments! s'écria-t-il. (Il haussa les épaules.) Mais vous êtes de la Terre...

L'idée incongrue vint à Lamorak d'un autre personnage inacceptable, une des nombreuses créations classiques du dessinateur médiéval Al Capp, nommée entre autres « type de l'intérieur de la fabrique skonk ».

– Ragusnik traite-t-il concrètement les excréments? demanda-t-il. Je veux dire, y a-t-il un contact physique? Tout cela se fait sûrement au moyen de machines automatiques?

– Naturellement, répondit le Chef Conseiller.

– Alors, quelle est au juste la fonction de Ragus-nik?

– Il règle manuellement les diverses commandes assurant le bon fonctionnement des machines. Il fait passer les opérations d'un circuit sur un autre, pour permettre les réparations, il modifie l'allure de fonctionnement selon l'heure de la journée; il adapte à la demande la production et le produit fini. Si nous avions assez de place pour rendre la machinerie dix fois plus complexe, ajouta triste-ment le Chef, tout cela pourrait se faire automati-quement. Mais ce serait un gaspillage vraiment inutile.

– Malgré tout, insista Lamorak, Ragusnik ne fait qu'appuyer sur des boutons et fermer des circuits, ou des choses comme ça.

– Oui.

– Son travail n'est donc pas différent de celui des autres Elseveriens.

– Vous ne comprenez pas, dit sèchement Blei.

– Et pour cela, vous risquez la vie de vos enfants?

– Nous n'avons pas le choix, répliqua Blei.

Il y avait assez de douleur dans sa voix pour que le Terrien fût assuré que la situation le torturait, mais son ton indiquait aussi qu'il n'avait réelle-ment pas d'autre choix. Lamorak fit une moue exaspérée.

– Eh bien, brisez la grève! Forcez-le!

– Comment? demanda le Chef Conseiller. Qui toucherait ou s'approcherait de lui? Et si nous le tuons, de loin, à quoi cela nous servira-t-il?

Lamorak dit, d'un air songeur :

– Est-ce que vous savez faire fonctionner sa machinerie?

Le Chef Conseiller se leva d'un bond et hurla :

– Moi !

– Je ne voulais pas dire vous, personnellement. J'emploie le pronom dans un sens général. Est-ce que *quelqu'un* pourrait apprendre à faire fonctionner les machines de Ragusnik ?

Lentement, la passion du Chef Conseiller se calma.

– C'est écrit dans les manuels, j'en suis certain... mais je dois vous avouer que je ne m'en suis jamais soucié.

– Alors, est-ce que quelqu'un ne pourrait pas apprendre le fonctionnement et remplacer Ragusnik jusqu'à ce qu'il cède ?

– Qui accepterait une chose pareille ? dit Blei. Certainement pas moi. En aucun cas.

Lamorak pensa un instant aux tabous terriens, qui étaient parfois presque aussi forts. Il songea au cannibalisme, à l'inceste, à un dévot maudissant Dieu. Il fit observer :

– Mais vous devez avoir pris des dispositions en cas de vacance de la charge de Ragusnik. Supposez qu'il meure.

– Son fils lui succéderait automatiquement, ou son plus proche parent.

– Et s'il n'avait pas de parents adultes ? Ou si toute sa famille mourait en même temps ?

– Ce n'est jamais arrivé ; cela n'arrivera jamais, assura Blei.

Le Chef Conseiller ajouta :

– S'il y avait le moindre danger, nous pourrions, peut-être, placer un ou deux nourrissons chez les Ragusnik pour les faire élever dans la profession.

– Et comment les choisiriez-vous ?

– Parmi les enfants dont la mère est morte en couches, comme nous choisissons les futures épouses des Ragusnik.

– Eh bien, choisissez dès maintenant un remplaçant pour Ragusnik, par tirage au sort, suggéra Lamorak.

– Non! *Impossible!* s'exclama le Chef Conseiller. Comment pouvez-vous envisager une chose pareille? Si nous sélectionnons un bébé, il est élevé dans cette vie-là et n'en connaît pas d'autre. Au point où en sont les choses, nous devrions arrêter notre choix sur un adulte et le soumettre à la ragusnikation. Non, docteur Lamorak, nous ne sommes ni des monstres ni des brutes sans âme.

Un cas désespéré, pensa Lamorak, *à moins...*

Il ne pouvait encore se résoudre à affronter cet *à moins*.

Cette nuit-là, il ne dormit presque pas. Ragusnik ne demandait que les éléments de base de l'humanité. Mais trente mille Elseveriens s'y opposaient et risquaient la mort.

D'un côté, la vie et le bien-être de trente mille personnes, de l'autre les légitimes demandes d'une famille. Pouvait-on dire que trente mille personnes soutenant cette injustice méritaient de mourir? Une injustice selon quelles normes? Celles de la Terre? Celles d'Elsevere? Et qui était Lamorak pour en juger?

Et Ragusnik? Il était prêt à laisser mourir trente mille personnes, dont des hommes et des femmes qui ne faisaient qu'accepter une situation qu'on leur avait appris à accepter et qu'ils n'avaient aucun moyen de changer, même s'ils le voulaient. Et des enfants, qui n'étaient en rien responsables de l'état des choses.

Trente mille d'un côté, une seule famille de l'autre.

Lamorak prit sa décision dans un état d'esprit

proche du désespoir et, dans la matinée, il téléphona au Chef Conseiller :

– Monsieur, si vous trouvez un remplaçant,
Ragusnik verra qu'il a perdu toute chance d'impo-
ser une décision en sa faveur et il reprendra le
travail.

– Il ne saurait y avoir de remplaçant. Je vous l'ai
expliqué.

– Aucun remplaçant parmi les Elseveriens, mais
je ne suis pas elseverien; cela ne me gêne pas. Je le
remplacerai.

Ils étaient surexcités, encore plus que Lamorak
lui-même.

Lamorak ne s'était pas rasé et il se sentait
malade.

– Mais si, je parle sérieusement, dit-il. Et chaque
fois que Ragusnik se conduira de cette façon, vous
n'aurez qu'à importer un remplaçant. Aucun autre
monde ne connaît ce tabou et vous aurez toujours
assez de remplaçants temporaires, si vous les payez
correctement.

(Il trahissait un homme brutalement exploité, et
il le savait. Mais il se répétait désespérément : *A
part cet ostracisme, il est vraiment très bien
traité.*)

On lui donna les manuels et il passa six heures à
les lire et les relire. Il était inutile de poser des
questions. Aucun Elseverien ne connaissait de ce
travail autre chose que ce qui se trouvait dans les
manuels, et ils étaient tous très mal à l'aise pour
peu qu'on en vînt à mentionner un détail.

– « Maintenez lecture zéro du galvanomètre A-2
à tout moment, pendant le signal rouge du Lunge-
hurleur », lut-il. Qu'est-ce que c'est qu'un Lunge-
hurleur ?

– Il y aura une plaque, marmonna Blei, et les deux Elseveriens se regardèrent d'un air penaud, puis ils baissèrent les yeux et examinèrent leurs ongles.

Ils quittèrent Lamorak bien avant qu'il atteigne les petites salles représentant le quartier général où des générations de Ragusnik avaient travaillé pour servir leur monde. Il avait des instructions précises sur le chemin à suivre, les niveaux à atteindre; aussi le laissa-t-on y aller seul.

Il traversa laborieusement les salles en identifiant les instruments et les commandes, en se référant aux diagrammes de son manuel.

Ah, voilà un Lunge-hurleur, se dit-il avec une sombre satisfaction. C'était bien ce que disait la plaque : un grand cadran en demi-lune, avec des trous manifestement destinés à s'allumer, de couleurs différentes. Pourquoi « hurleur », alors ?

Il n'en savait rien.

Quelque part, pensa-t-il, *quelque part les déchets s'accumulent, poussent contre des rouages, des soupapes, des canalisations et des alambics, en attendant d'être traités de cinquante façons. En ce moment, ils ne font que s'accumuler.*

Non sans trépidations, il abaissa la première manette, comme l'indiquait le manuel dans ses instructions d'« Initiation ». Un léger murmure de vie se fit entendre à travers le sol et les murs. Lamorak tourna un bouton et les lumières s'allumèrent.

A chaque pas, il consultait le manuel, qu'il finissait d'ailleurs par savoir par cœur; et à chaque pas, des salles s'éclairaient, des manomètres et des

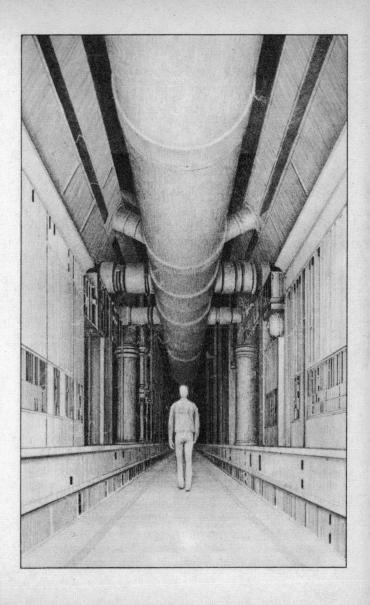

cadrans s'animaient et le bourdonnement augmentait.

Quelque part, au fond du complexe d'usines, les déchets accumulés étaient attirés dans les canalisations voulues.

Un signal aigu retentit et arracha Lamorak à sa difficile concentration. C'était le signal de la communication et il tâtonna pour brancher son récepteur.

La tête de Ragusnik apparut, l'air surpris; puis la stupeur et l'état de choc disparurent de ses yeux.

– Ainsi, c'est donc ça!

– Je ne suis pas elseverien, Ragusnik. Ça ne me dérange pas de faire ce travail.

– Mais en quoi cela vous regarde-t-il? Pourquoi vous en mêlez-vous?

– Je suis de votre côté, Ragusnik, mais je dois le faire.

– Pourquoi, si vous prétendez être de mon côté? Traite-t-on les gens chez vous comme on me traite ici?

– Plus maintenant. Mais, même si vous avez raison, il y a trente mille Elseveriens à considérer.

– Ils auraient fini par céder. Vous avez gâché mon unique chance!

– Jamais ils n'auraient cédé! Et, dans un sens, vous avez gagné. Ils savent aujourd'hui que vous êtes insatisfait. Jusqu'à présent, l'idée ne leur était même jamais venue qu'un Ragusnik pût être malheureux, et créer des ennuis.

– Et même s'ils le savent? Désormais, il leur suffira à chaque fois de faire venir un Outremondien!

Lamorak secoua violemment la tête. Il avait

réfléchi au cours des dernières heures d'amer-
tume.

– Le fait qu'ils le savent signifie que les Elseveriens vont commencer à penser à vous; certains se
demanderont s'il est juste de traiter de la sorte un
être humain. Et si des Outremondiens sont embau-
chés, ils raconteront ce qui se passe sur Elsevere,
et l'opinion publique galactique sera tout entière
en votre faveur.

– Et alors?

– Vos conditions de vie s'amélioreront. Lorsque
votre fils aura pris le relais, les choses iront beaucoup mieux.

– Mon fils, murmura Ragusnik, et ses épaules
s'affaissèrent. Je préférerais ne pas devoir attendre.
Enfin, j'ai perdu! Je vais me remettre au travail.

Lamorak éprouva un immense soulagement.

– Si vous venez ici maintenant, monsieur, vous
pourrez reprendre votre poste et ce sera, pour moi,
un honneur de vous serrer la main.

La tête de Ragusnik se redressa brusquement et
rayonna d'une sombre fierté.

– Vous m'appelez « monsieur » et vous offrez de
me serrer la main. Allez à vos affaires, Terrien, et
laissez-moi à mon travail, car je ne serrerai pas la
vôtre!

Lamorak repartit comme il était venu, soulagé
que la crise soit résolue, mais profondément
déprimé aussi.

Il s'arrêta, surpris, en trouvant une partie du
corridor condamnée, l'empêchant de passer. Il
chercha autour de lui un autre chemin, une dévia-
tion, et sursauta en entendant au-dessus de sa tête
une voix amplifiée :

– Docteur Lamorak, m'entendez-vous? Ici le conseiller Blei.

Lamorak leva les yeux. La voix arrivait par un système d'interphone quelconque mais il ne vit pas de haut-parleur. Il cria :

– Qu'est-ce qui ne va pas? Vous m'entendez?

– Je vous entends.

Instinctivement, Lamorak hurlait.

– Je ne comprends pas! On dirait qu'il y a un barrage, ici. Y a-t-il des complications avec Ragusnik?

– Ragusnik a repris le travail, répondit la voix de Blei. La crise est terminée et vous devez vous préparer à partir.

– A partir?

– A quitter Elsevere. Un vaisseau est mis en attente pour vous en ce moment.

Lamorak était tout à fait dérouté par cette subite tournure des événements.

– Mais, attendez un peu! Je n'ai pas terminé ma visite d'étude!

– Nous n'y pouvons rien. Vous allez être dirigé vers le vaisseau et vos affaires vous seront envoyées par des servo-mécanismes. Nous espérons... nous espérons...

Les choses devenaient claires pour Lamorak.

– Qu'espérez-vous?

– Nous espérons que vous ne chercherez pas à voir ou à parler directement à un Elseverien. Et, naturellement, nous espérons que vous éviterez toute cause de gêne dans l'avenir en ne tentant pas de revenir sur Elsevere. Nous accueillerons volontiers un de vos confrères, si vous avez besoin de plus amples renseignements sur nous.

– Je comprends, dit Lamorak d'une voix sans timbre.

De toute évidence, il était devenu un Ragusnik. Il avait manipulé les commandes du recyclage des déchets; il subissait à son tour le même ostracisme. Il était un manipulateur de cadavres, un porcher, un type de l'intérieur de la fabrique à skonk.

– Adieu, dit-il.

– Avant que nous vous dirigions vers votre vaisseau, docteur Lamorak, au nom du Conseil d'Elsevere, je vous remercie pour votre aide dans cette crise.

– Il n'y a pas de quoi, répliqua amèrement le Terrien.

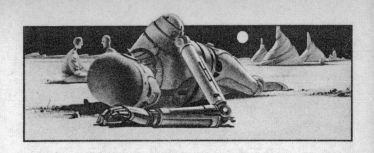

LA MACHINE QUI GAGNA LA GUERRE
(THE MACHINE THAT WON THE WAR)

La fête était loin d'être finie et, dans les profondeurs silencieuses des salles souterraines du Multivac, elle planait dans l'air.

Le plus remarquable, c'était l'isolement et le silence. Pour la première fois depuis dix ans, aucun technicien ne courait, çà et là, dans les entrailles de l'ordinateur géant, les lumières tamisées ne clignotaient pas selon leurs schémas erratiques, le flot d'information s'était tari, dans un sens comme dans l'autre.

L'arrêt ne durerait pas longtemps, bien sûr, car les besoins de la paix étaient pressants. Mais, en attendant, pour une journée, une semaine peut-être, même le Multivac avait le droit de fêter ce grand moment, et de se reposer.

Lamar Swift ôta sa casquette militaire et regarda dans le corridor principal désert de l'énorme ordinateur. Il s'assit, assez lourdement, sur un des tabourets à pivot des techniciens, et son uniforme, dans lequel il n'avait jamais été à l'aise, prit un air lourd et fripé.

– Tout cela va me manquer, dit-il, d'une façon un peu macabre. C'est dur de se rappeler le temps où nous n'étions pas en guerre contre Deneb, et cela paraît contre nature, aujourd'hui, d'être en paix et de contempler les étoiles sans anxiété.

Les deux hommes accompagnant le directeur général de la Fédération solaire étaient plus jeunes que Swift. Ni l'un ni l'autre n'étaient aussi grisonnants. Ni l'un ni l'autre ne paraissaient aussi fatigués.

John Henderson, les lèvres minces et réprimant difficilement le soulagement qu'il éprouvait en plein triomphe, s'exclama :

– Ils sont détruits! Ils sont détruits! C'est ce que je me répète inlassablement, et je n'arrive toujours pas à le croire. Nous avons tous tellement parlé, pendant de si longues années, de la menace en suspension au-dessus de la Terre et de tous ses mondes, au-dessus de chaque être humain! Et c'était vrai, absolument vrai! Et maintenant, nous sommes en vie, et ce sont les Denebiens qui sont brisés et détruits. Ils ne nous menaceront plus, plus jamais!

– Grâce au Multivac, murmura Swift en jetant un coup d'œil discret vers l'imperturbable Jablonsky, qui durant toute la guerre avait été le principal interprète de l'oracle de la science. Pas vrai, Max?

Jablonsky fit un geste vague. Machinalement, il prit une cigarette mais se ravisa. Lui seul, parmi les milliers qui avaient vécu dans les souterrains à l'intérieur du Multivac, avait eu le droit de fumer mais, vers la fin, il avait fait de réels efforts pour ne pas profiter de ce privilège.

– Enfin, c'est ce qu'ils disent, grommela-t-il.

Son pouce spatulé se leva en direction de son épaule droite, et vers le haut.

– Jaloux, Max?

– Parce qu'ils acclament le Multivac? Parce que le Multivac est le grand héros de l'humanité, dans cette guerre? (La figure burinée de Jablonsky exprimait un mépris absolu.) Qu'est-ce que ça peut me faire? Que le Multivac soit la machine qui a gagné la guerre, si ça peut leur faire plaisir!

Du coin de l'œil, Henderson observa les deux autres. Durant ce bref intermède que tous trois avaient instinctivement recherché, dans le seul recoin paisible d'une métropole devenue folle, durant cet entracte entre les périls de la guerre et les difficultés de la paix où, pour un moment, chacun trouvait un sursis, il n'avait conscience que du poids du remords.

Soudain, ce poids devint trop grand pour être porté seul. Il devait le rejeter, avec la guerre, immédiatement!

– Le Multivac n'a rien à voir avec la victoire, dit-il. Ce n'est qu'une machine.

– Enorme, dit Swift.

– Oui, rien qu'une énorme machine. Qui ne vaut pas plus que l'information qu'on lui programme.

Henderson s'interrompit, soudain effrayé par ce qu'il disait. Jablonsky le regarda, ses doigts épais cherchant encore une cigarette et se ravisant, une fois de plus.

– Vous devriez le savoir. C'est vous qui avez fourni l'info. A moins que vous ne vouliez simplement vous attribuer tout l'honneur?

– Non! protesta Henderson avec colère. Il n'y a pas d'honneur. Qu'est-ce que vous savez des renseignements que le Multivac a dû utiliser, prédigérés par cent ordinateurs subsidiaires ici, sur Terre, sur la Lune, sur Mars, et même sur Titan? Avec Titan toujours en retard, et ce sentiment perpétuel que ses chiffres vont introduire un préjugé inattendu.

– Oui, il y a de quoi devenir fou, dit Swift avec une aimable compassion.

Henderson secoua la tête.

– Pas seulement ça. Je reconnais qu'il y a huit ans, quand j'ai remplacé Lepont comme chef programmeur, j'avais le trac. Mais les choses étaient encore exaltantes, à l'époque. La guerre était encore à longue portée, une aventure sans danger réel. Nous n'en étions pas encore au point où des vaisseaux habités devaient prendre la relève, et où des fissures interstellaires pouvaient carrément avaler des planètes entières, si c'était bien visé. Mais alors, quand les vraies difficultés ont commencé... Vous n'en savez rien du tout! conclut-il, rageusement, car il pouvait enfin se permettre la colère.

– Eh bien, racontez-nous, dit Swift. La guerre est finie. Nous avons gagné.

– Oui, reconnut Henderson. (Il hocha la tête, en se disant qu'il devait se souvenir que la Terre avait gagné, donc tout avait été pour le mieux.) Mais alors, toute la programmation a perdu sa signification.

– Perdu sa signification? Vous parlez littéralement? demanda Jablonsky.

– Littéralement. Qu'est-ce que vous croyez? L'ennui, avec vous deux, c'est que vous n'étiez pas dans le bain. Vous n'avez jamais quitté le Multivac. Max, et vous monsieur le directeur, vous n'avez jamais quitté la Demeure, sauf pour des visites officielles où l'on vous faisait voir strictement ce qu'on voulait vous faire voir.

– J'en étais plus conscient que vous ne le croyez, dit Swift.

– Est-ce que vous savez, insista Henderson, dans quelle mesure les renseignements concernant notre capacité de production, notre potentiel de ressources, notre main-d'œuvre entraînée – en somme, tout ce qui est important pour l'effort de guerre – étaient devenus sujets à caution, douteux, durant la seconde moitié de la guerre? Les chefs de groupe, civils et militaires, cherchaient à projeter leur propre image améliorée, pour ainsi dire, ils estompaient donc le mauvais et faisaient ressortir le bon. Quoi que pussent faire les machines, les hommes qui les programmaient et interprétaient les résultats pensaient à leur propre peau, et à leurs concurrents à abattre. Il n'y avait aucun moyen d'empêcher ça. J'ai essayé et j'ai échoué.

– Naturellement, dit Swift en manière de rapide consolation. Je le comprends bien.

Jablonsky finit par se décider à allumer sa cigarette.

– Pourtant, je présume que vous avez fourni des renseignements au Multivac, avec votre programme. Vous ne nous avez jamais dit qu'il était sujet à caution.

– Comment aurais-je pu vous le dire? Et même si je l'avais fait, auriez-vous pu vous permettre de me croire? demanda farouchement Henderson. Tout notre effort de guerre était axé sur le Multivac. C'était la grande arme, pour notre camp, car les Denebiens n'avaient rien de semblable. Qu'est-ce qui a soutenu le moral face au désastre, sinon la certitude que le Multivac saurait toujours prédire et circonvenir tout mouvement denebien, et saurait toujours diriger et prévenir le débordement de nos manœuvres? Nom du Cosmos! quand notre gauchisseur-espion a été détruit dans l'hyperespace, nous n'avons plus eu de renseignements denebiens sûrs à introduire dans le Multivac et nous n'allions quand même pas crier ça sur les toits!

– C'est assez vrai, reconnut Swift.

– Eh bien, alors, reprit Henderson, si je vous avais dit qu'on ne pouvait pas se fier aux renseignements, qu'est-ce que vous auriez pu faire, sinon me remplacer et refuser de me croire? Je ne pouvais pas me le permettre!

– Qu'avez-vous fait? demanda Jablonsky.

– Comme la guerre a été gagnée, je vais vous le dire. J'ai rectifié les renseignements.

– Comment? demanda Swift.

– A l'intuition, je suppose. J'ai jonglé avec eux jusqu'à ce qu'ils me paraissent justes. Au début, je l'osais à peine. Je changeais un petit détail par-ci, par-là, pour corriger ce qui était manifestement impossible. Comme le ciel ne nous est pas tombé sur la tête, je me suis enhardi. Vers la fin, je ne m'en souciais même plus. J'écrivais simplement les renseignements nécessaires, au fur et à mesure des besoins. J'ai même fait préparer des renseignements pour moi par le Multivac Annexe, selon un schéma de programmation personnel, que j'avais mis au point dans ce but particulier.

– Des chiffres au hasard? dit Jablonsky.

– Pas du tout. J'ai introduit un certain nombre de bases nécessaires.

Jablonsky sourit, d'une manière tout à fait inattendue, ses yeux noirs pétillant entre ses paupières plissées.

– Trois fois, un rapport m'a été communiqué sur des utilisations non autorisées de l'Annexe, et à chaque fois, j'ai laissé passer. Si cela avait eu de l'importance, j'aurais enquêté et je vous aurais démasqué, John, j'aurais découvert ce que vous faisiez. Mais, naturellement, Multivac n'avait déjà plus aucune importance, alors vous vous en êtes tiré.

– Comment ça, plus aucune importance ? s'exclama Henderson d'un air soupçonneux.

– Rien n'en avait. J'aurais dû vous avertir, sur le moment. Cela vous aurait évité bien de la douleur mais aussi, si vous m'aviez raconté ce que vous faisiez, vous m'en auriez bien évité, à moi. Qu'est-ce qui vous faisait penser que le Multivac était en état de marche, quels que soient les renseignements que vous y introduisiez ?

– Pas en état de marche ? s'étonna Swift.

– Pas vraiment. Pas avec sûreté. Après tout, où étaient tous mes techniciens dans les dernières années de la guerre ? Je m'en vais vous le dire. Ils programmaient tous des ordinateurs sur mille engins spatiaux différents. Ils étaient partis ! Je devais me débrouiller avec des gosses en qui je n'avais guère confiance, ou avec des vieux complètement dépassés. D'ailleurs, pensez-vous que je pouvais me fier aux éléments à l'état solide venant de la Cryogénie, au cours des dernières années ? La Cryogénie n'était pas plus gâtée que moi, rapport au personnel. Il m'importait peu de savoir que les renseignements fournis au Multivac étaient sûrs ou non. Les résultats n'étaient pas sûrs. Ça, je le savais !

– Qu'est-ce que vous avez fait ? demanda Henderson.

– La même chose que vous, John. J'ai introduit « le facteur pif ». J'ai modifié les choses selon mon intuition, et voilà comment la machine a gagné la guerre!

Swift se renversa en arrière contre son dossier et allongea ses jambes devant lui.

– Quelles révélations! Ainsi, tout ce qu'on me remettait pour me guider et m'aider à prendre des décisions était une interprétation intuitive de renseignements intuitivement fabriqués. C'est bien ça?

– On dirait, avoua Jablonsky.

– Dans ce cas, j'ai eu raison de ne pas m'y fier, déclara Swift.

– Vous voulez dire que...! s'écria Jablonsky.

Malgré ce qu'il venait d'expliquer, il se sentait professionnellement insulté.

– Eh non! Le Multivac me disait, par exemple : « Frappez ici, pas là-bas! Faites ceci, pas cela! Attendez, n'agissez pas! » Mais je n'étais jamais sûr que le Multivac disait réellement ce qu'il avait l'air de dire, ou si ce qu'il disait était la vérité. Je n'en étais jamais certain.

– Mais le rapport final était toujours assez clair, monsieur le directeur! protesta Jablonsky.

– Pour ceux qui n'avaient pas à prendre la décision, peut-être. Pas pour moi. L'horreur que j'éprouvais de la responsabilité de ces décisions était intolérable, et même le Multivac ne suffisait pas à me soulager de ce poids. Mais le fait est que j'avais raison de douter, et c'est pour moi un immense soulagement.

Pris dans la complicité des confessions mutuelles, Jablonsky ne se soucia plus de protocole ni des titres.

– Alors qu'est-ce que vous avez fait, Lamar? Vous avez bien fini par prendre des décisions, après tout. Comment?

– Eh bien, il est temps de retourner là-bas, peut-être, mais... je vais vous le dire. Pourquoi pas? Je me suis bien servi d'un ordinateur, Max, mais d'un appareil bien plus ancien que le Multivac. Infiniment plus ancien.

Il chercha dans sa poche son paquet de cigarettes, et le ramena avec une petite poignée de monnaie; des pièces désuètes, remontant à l'époque précédant la pénurie de métal, avec la création d'un complexe de crédit relié à un ordinateur central.

Swift sourit d'un air penaud.

– J'ai encore besoin de ces pièces, pour que l'argent garde quelque substance pour moi. Un vieil homme a du mal à renoncer aux habitudes de sa jeunesse.

Il mit une cigarette entre ses lèvres et laissa retomber les pièces de sa poche, une par une.

Il garda la dernière entre ses doigts, en la contemplant distraitement.

– Le Multivac n'est pas le premier ordinateur, mes amis, ni le mieux connu, ni celui qui peut soulager le plus efficacement du fardeau de la décision les épaules d'un directeur. C'est bien une machine qui a gagné la guerre, John, tout au moins un petit système de calcul très simple, dont je me sers chaque fois que je dois prendre une décision particulièrement difficile.

Avec un sourire nostalgique, il lança sa pièce en l'air. Elle scintilla en tournoyant et retomba dans sa main tendue. Il referma les doigts et la retourna sur le dos de sa main gauche. La droite y resta plaquée, cachant la pièce.

– Pile ou face, messieurs? demanda-t-il.

LES YEUX NE SERVENT PAS QU'À VOIR
(EYES DO MORE THAN SEE)

Après des centaines de milliards d'années, il se considérait subitement comme Ames. Non pas la combinaison de longueurs d'onde qui, dans tout l'univers, était maintenant l'équivalent d'Ames, mais le son lui-même. Un vague souvenir lui revenait des ondes sonores qu'il n'entendait pas et ne pouvait plus entendre.

Le nouveau projet aiguisait ses souvenirs de choses vieilles d'ères innombrables. Il aplatit le tourbillon d'énergie qui composait la totalité de son individualité, et ses lignes de force s'étendirent au-delà des étoiles.

Le signal de Brock répondit.

Sûrement, pensa Ames, il pouvait le dire à Brock. Il pouvait bien le dire à quelqu'un, sûrement.

Le schéma d'énergie mouvant de Brock entra en communication.

– Tu ne viens pas, Ames?

– Si, naturellement !

– Tu participeras à la compétition ?

Les lignes de force d'Ames palpitèrent de manière désordonnée.

– Oui ! Très certainement ! J'ai pensé à une forme d'art toute nouvelle. Quelque chose de vraiment inhabituel.

– Quel gaspillage d'efforts ! Comment peux-tu penser qu'une nouvelle variante puisse être imaginée après deux cents milliards d'années ? Il ne peut rien se produire de nouveau.

Pendant un moment, Brock se déplaça, déphasé et asynchrone, et Ames dut se dépêcher pour adapter ses lignes de force. Ce faisant, il capta le cours de pensées-autres, le spectacle des galaxies poudreuses sur le velours du néant, et les lignes de force palpitant en multitudes infinies d'énergies-vies entre les galaxies.

– Je t'en prie, absorbe mes pensées, Brock. Ne te ferme pas. J'ai songé à manipuler la Matière. Imagine ça ! Une symphonie de Matière. Pourquoi se soucier de l'Energie ? Bien sûr qu'il n'y a rien de nouveau dans l'Energie. Comment serait-ce possible ? Est-ce que ça ne prouve pas que nous devons traiter avec la Matière ?

– La Matière !

Ames interpréta les vibrations d'énergie de Brock : du dégoût.

– Pourquoi pas ? insista-t-il. Nous étions nous-mêmes de la Matière autrefois, il y a… oh… il y a un trillion d'années ! Pourquoi ne pas construire des objets au moyen de la Matière, ou des formes abstraites ou… écoute, Brock ! Pourquoi ne pas fabriquer une imitation de nous-mêmes en Matière ? Nous-mêmes, comme nous étions dans le temps ?

– Je ne me souviens pas comment c'était, répondit Brock. Personne ne s'en souvient.

– Moi si, affirma énergiquement Ames. J'ai passé tout mon temps à y réfléchir et je commence à me souvenir. Laisse-moi te montrer, Brock. Dis-moi si j'ai raison. Dis-le-moi !

– Non. C'est stupide. C'est... répugnant.

– Laisse-moi essayer, Brock. Nous sommes amis, nous avons palpité d'énergie ensemble depuis le début, depuis que nous sommes devenus ce que nous sommes. Je t'en prie, Brock !

– Bon, mais vite, alors.

Ames n'avait pas ressenti un tel frémissement dans ses lignes de force depuis... combien de temps ? S'il essayait maintenant pour Brock, et si ça marchait, il oserait manipuler la Matière devant l'assemblée des êtres d'Energie qui attendaient si tristement du nouveau depuis des ères.

La Matière était rare, là, entre les galaxies, mais Ames la rassembla, la gratta et la malaxa durant des années-lumière-cubes, en choisissant les atomes, il obtint une consistance de glaise et façonna la matière en une forme ovoïde qui s'étala au-dessous.

– Tu ne te souviens pas, Brock ? demanda-t-il doucement. Est-ce que ce n'était pas quelque chose comme ça ?

Le vortex de Brock trembla en synchronisation.

– Ne me force pas à me rappeler. Je ne me souviens pas.

– C'était la tête. On l'appelait la tête. Je me le rappelle nettement. Je veux le prononcer. Avec le son, je veux dire.

Il attendit, puis il demanda :

– Regarde, est-ce que tu te souviens de ça ?

Sur la face supérieure de l'ovoïde apparut TÊTE.

– Qu'est-ce que c'est que ça? demanda Brock.

– C'est le mot qui dit « tête ». Les symboles qui représentaient le son du mot. Dis-moi que tu te souviens, Brock!

– Il y avait quelque chose, hasarda Brock, en hésitant. Quelque chose dans le milieu.

Une brosse verticale se forma.

– Oui! dit Ames. Le nez, c'est ça! Et voilà les yeux, de chaque côté!

Le mot NEZ apparut, et puis ŒIL GAUCHE, ŒIL DROIT.

Ames considéra ce qu'il avait formé, ses lignes de force palpitant doucement. Etait-il sûr d'aimer cela?

– Bouche, dit-il en petits frémissements, et menton, et pomme d'Adam, et clavicule. Les mots me reviennent!

Ils apparaissaient sur la forme.

– Depuis des centaines de milliards d'années, je n'ai pas pensé à eux, dit Brock. Pourquoi est-ce que tu me les as rappelés? Pourquoi?

Ames était provisoirement perdu dans ses pensées.

– Autre chose. Des organes pour entendre, quelque chose pour les ondes sonores. Des oreilles! Où est-ce qu'elles vont? Je ne me rappelle pas où il faut les mettre!

Brock s'écria :

– Laisse ça tranquille! Les oreilles et le reste! Ne te souviens pas!

– Pourquoi? Qu'y a-t-il de mal à se souvenir? demanda Ames, perplexe.

– Parce que l'extérieur n'était pas rude et froid comme ça, mais lisse et tiède. Parce que les yeux

218

étaient tendres et vivants et les lèvres de la bouche tremblaient, et elles étaient douces sous les miennes.

Les lignes de force de Brock s'agitaient, s'agitaient en vacillant.

– Pardon! dit Ames. Pardon!

– Tu me rappelles qu'autrefois j'étais une femme, et je connaissais l'amour, je savais que les yeux ne servent pas qu'à voir, et aujourd'hui je n'en ai pas...

Avec violence, il ajouta de la matière à la tête grossièrement façonnée et déclara :

– Qu'ils le fassent!

Et il pivota et s'enfuit.

Et Ames vit et se souvint à son tour qu'il avait été un homme. La force de son tourbillon fendit la tête en deux, et il repartit à travers les galaxies, sur la piste d'énergie de Brock, pour retourner vers l'éternelle condamnation de la vie.

Et les yeux de la tête de Matière brisée brillaient toujours de l'humidité que Brock y avait mise pour figurer les larmes. La tête de Matière fit ce que les êtres-Energie ne pouvaient plus faire : elle pleura pour toute l'humanité, sur la fragile beauté des corps auxquels ils avaient renoncé, il y avait un trillion d'années.

LE VOTANT
(FRANCHISE)

Linda avait dix ans, et elle était seule de la famille à aimer être réveillée.

Norman Muller l'entendait maintenant, dans l'espèce de coma malsain qui lui servait de sommeil. (Il avait finalement réussi à s'endormir une heure plus tôt, d'épuisement.)

Elle était à son chevet, maintenant, et le sccouait.

– Papa, papa, réveille-toi! Réveille-toi!

Il réprima un gémissement.

– Ça va, Linda.

– Mais papa, il y a encore plus de policiers que d'habitude! Des voitures de police et tout!

Norman Muller renonça et se haussa péniblement sur les coudes. Le jour se levait. Il voyait une vague lueur dehors, l'embryon d'une misérable grisaille qui avait l'air aussi misérablement grise qu'il se sentait lui-même. Il entendit Sarah, sa femme, se traîner à la corvée du petit déjeuner, dans la cuisine. Son beau-père, Matthew, toussait et crachait dans la salle de bains. Sans aucun doute, l'agent Handley était prêt et l'attendait déjà.

C'était le grand jour.

Le jour de l'élection !

Pour commencer, cela avait été comme toutes les autres années. Peut-être un peu plus grave, puisque c'était une année présidentielle, mais pas pire que d'autres années présidentielles, tout bien pesé.

Les hommes politiques parlaient du grrrrrand électorat et de la vaste intelligence électrrrronique qui était son serviteur. La presse analysait la situation au moyen d'ordinateurs industriels (Le *New York Times* et le *Post-Dispatch* de St.Louis avaient leurs propres ordinateurs) et elle était pleine de petits échos et de prévisions. Les commentateurs et les chroniqueurs désignaient l'Etat et le canton importants, en se contredisant joyeusement les uns les autres.

Le premier soupçon que ce ne serait *pas* une année comme les autres vint quand Sarah Muller annonça à son mari dans la soirée du 4 octobre (à un mois, jour pour jour, de l'Election) :

– Cantwell Johnson dit que l'Indiana sera l'Etat, cette année. Il est le quatrième. Pense un peu, notre Etat, cette fois !

Matthew Hortenweiler leva sa figure mafflue de derrière son journal, regarda sa fille d'un air mauvais et gronda :

– Ces types sont payés pour raconter des mensonges. Ne les écoute pas.

– Mais il y en a quatre, papa, dit Sarah sans se troubler. Et ils disent tous l'Indiana.

– L'Indiana est bien un Etat clef, Matthew, intervint tout aussi calmement Norman, à cause de la loi Hawkins-Smith et de ce scandale à Indianapolis. C'est...

Matthew convulsa sa vieille figure d'une façon alarmante et grinça :

– Personne n'a dit Bloomington, ni le canton de Monroe, hein ?

– Eh bien, dit Norman.

Linda, dont le petit visage au menton pointu suivait les débats, pépia :

– Est-ce que tu vas voter, cette année, papa ?

Norman lui sourit gentiment.

– Je ne crois pas, ma chérie.

Tout cela se passait dans l'effervescence croissante d'un octobre d'une année présidentielle, et Sarah avait toujours mené une vie calme avec des rêves pour tout compagnon. Elle dit avec nostalgie :

– Ce serait quand même merveilleux, non ?

– Si je votais ?

Norman Muller avait une petite moustache blonde qui lui avait donné un air débonnaire, aux yeux de la jeune Sarah; mais, en grisonnant, elle avait perdu toute distinction. Son front portait les profonds sillons de l'incertitude et, dans l'ensemble, son âme d'employé n'avait jamais été séduite par la pensée qu'il était né pour être grand ou qu'il pût le devenir dans des circonstances quelconques. Il avait une femme, un emploi et une petite fille et, sauf dans d'extraordinaires conditions de joie ou de dépression, il était enclin à considérer qu'il n'avait pas conclu un trop mauvais marché avec la vie.

Il fut donc un peu embarrassé et passablement inquiet du cours que prenaient les pensées de sa femme.

– A vrai dire, ma chérie, il y a deux cents millions d'habitants dans le pays. Avec de telles chances, je pense que nous ne devrions pas perdre notre temps à rêver.

– Voyons, Norman, protesta-t-elle, il n'est pas du tout question de deux cents millions d'habitants, tu le sais très bien. D'abord, seules les personnes entre vingt et soixante ans peuvent être choisies, à l'exclusion des femmes, ce qui réduit le chiffre à cinquante millions contre un. Et si c'est vraiment l'Indiana...

– ... ça ferait du un million et quart contre un. Tu ne voudrais pas que je parie sur un cheval avec une cote pareille, pas vrai? Allez, à table!

Matthew marmonna derrière son journal :

– Foutues sottises, tout ça.

Linda demanda encore une fois :

– Tu vas voter cette année, papa?

Norman secoua la tête et tout le monde passa à la salle à manger.

Le 20 octobre, la surexcitation de Sarah augmenta rapidement. Devant une tasse de café, elle annonça que Mrs Schultz, nanti d'un cousin secrétaire d'un homme de l'Assemblée, disait que tout l'« argent intelligent » était misé sur l'Indiana.

– Elle dit que le président Villers va prononcer un discours à Indianapolis.

Norman Muller, qui avait passé une dure journée au magasin, accueillit cette déclaration avec un haussement de sourcils et la laissa passer.

Matthew Hortenweiler, qui était chroniquement insatisfait de Washington, grommela :

– Si Villers fait un discours en Indiana, ça veut dire qu'il pense que Multivac va choisir l'Arizona. Il n'aurait pas le culot de venir si près, cet abruti.

Sarah, qui ignorait son père chaque fois qu'elle pouvait le faire sans trop d'ostentation, reprit :

– Je ne comprends pas pourquoi ils n'annoncent pas l'Etat dès qu'ils le peuvent, et le canton, et tout. Ceux qui sont éliminés pourraient alors se détendre.

– S'ils faisaient ça, fit observer Norman, les politiciens suivraient les annonces comme des vautours. Le temps qu'il ne reste qu'une commune, tu aurais un ou deux parlementaires à chaque coin de rue !

Matthew fit une grimace et passa une main coléreuse dans ses cheveux gris clairsemés.

– C'est tous des vautours, quand même. Ecoutez...

– Voyons, papa, murmura Sarah.

La voix rocailleuse de Matthew couvrit ses protestations sans même trébucher :

– Ecoutez ! J'étais là quand on a installé le Multivac. Ça mettrait fin à la politique partisane, qu'ils disaient. Plus d'argent des électeurs gaspillé en campagnes électorales. Plus de rien-du-tout souriants poussés et hissés par la presse et la pub au Congrès et à la Maison Blanche. Alors qu'est-ce qui se passe ? Des campagnes électorales à tour de bras, seulement maintenant, ça se fait à l'aveuglette. Ils envoient des gars en Indiana à cause de la loi Hawkins-Smith, et d'autres types en Californie au cas où la situation de Joe Hammer deviendrait cruciale. Moi je dis, fichons un coup de balai dans toutes ces foutaises. Retour au bon vieux...

– Tu ne veux pas que papa vote cette année, grand-papa? demanda brusquement Linda.

Matthew lui fit les gros yeux.

– Ne t'occupe pas de ça, toi! dit-il, et il se tourna de nouveau vers Sarah et Norman : Il y a eu un temps où je votais. Je m'avançais, bien droit, vers l'isoloir, je posais mon poing sur les leviers et je votais. Pas compliqué. Je me disais simplement : « Ce type-là est mon homme, et je vote pour lui. » C'est comme ça que ça doit être!

– Tu as voté, grand-papa? s'écria Linda. Tu as vraiment voté?

Sarah se pencha vivement pour couper court à ce qui menaçait de devenir une histoire incongrue qui se répandrait dans tout le quartier.

– Ce n'est rien, Linda. Grand-papa ne veut pas dire qu'il a vraiment voté. Tout le monde votait comme ça, ton grand-père aussi, mais ce n'était pas *vraiment* voter.

Matthew rugit :

– Ça ne l'était pas quand j'étais un petit garçon! J'avais vingt-deux ans et j'ai voté pour Langley, et c'était un vrai scrutin. Ma voix ne comptait peut-être pas beaucoup mais elle était aussi bonne que celle de n'importe qui. N'importe qui! Et pas de Multivac pour...

Norman intervint :

– C'est bon, Linda, c'est l'heure de te coucher. Et arrête de poser des questions sur le vote. Quand tu seras grande, tu comprendras tout ça.

Il l'embrassa avec une tendresse aseptisée et elle partit à contrecœur, poussée par sa mère, avec la promesse de pouvoir regarder sa vidéo de chevet jusqu'à neuf heures et quart, *si* elle se dépêchait de prendre son bain.

– Grand-papa.

Linda resta là, le menton baissé et les mains dans le dos, jusqu'à ce que le journal s'abaisse et laisse voir les sourcils gris broussailleux et les yeux entourés d'un réseau de rides. On était le vendredi 31 octobre.

– Oui? grogna-t-il.

Linda s'approcha et posa ses avant-bras sur le genou du vieillard, pour l'obliger à se débarrasser du journal.

– Grand-papa, tu as vraiment voté, une fois?

– Tu m'as entendu le dire, n'est-ce pas? Crois-tu que je voudrais te mentir?

– N-non. Mais maman dit que, dans ce temps-là, tout le monde votait.

– C'est vrai.

– Mais comment est-ce qu'on pouvait? Comment est-ce que *tout le monde* votait?

Matthew regarda gravement la petite fille, puis il la souleva et l'assit sur son genou.

Il modéra même le ton de sa voix.

– Vois-tu, Linda, jusqu'il y a environ quarante ans, tout le monde votait, toujours. Disons que nous voulions décider du prochain président des Etats-Unis. Les démocrates et les républicains nommaient respectivement un homme et chacun des habitants pouvait dire lequel il préférait. A la fin de la journée de l'Election, on comptait le nombre de personnes qui voulaient le démocrate, et le nombre de personnes qui voulaient le républicain. Et celui qui avait le plus de voix était élu. Tu comprends?

Linda hocha la tête et demanda :

– Comment est-ce que tout le monde savait pour qui voter? Est-ce que Multivac le leur disait?

Les sourcils de Matthew s'abaissèrent et il prit un air sévère.

– Chacun se fiait à son propre jugement, ma fille.

Elle eut un mouvement de recul alors, et de nouveau, il baissa la voix.

– Je ne suis pas fâché contre toi, Linda. Mais, tu comprends, parfois il fallait toute la nuit pour compter ce que tout le monde avait dit, alors on s'impatientait. On a donc inventé des machines spéciales, capables de regarder les quelques premiers votes et de les comparer avec le nombre des voix au même endroit, au cours des années précédentes. Comme ça, la machine pouvait calculer le total des voix et faire savoir qui était élu. Tu vois ?

Elle hocha la tête.

– Comme Multivac.

– Les premiers ordinateurs étaient bien plus petits que Multivac. Mais les machines sont devenues de plus en plus grandes et elles ont pu donner le résultat de l'élection avec de moins en moins d'électeurs. Finalement, on a construit Multivac, il est capable de donner le résultat avec un seul votant.

Linda sourit d'être arrivée à un passage familier de l'histoire et déclara :

– C'est bien, ça.

Matthew fronça les sourcils et la contredit :

– Non, ce n'est pas bien. Je ne veux pas qu'une mécanique me dise comment j'aurais voté, simplement parce qu'un zigoto de Milwaukee a dit qu'il était contre la hausse des tarifs douaniers. Je voudrais peut-être voter dingue, histoire de rire. Ou ne pas voter du tout. Peut-être...

Mais Linda avait glissé de son genou et battait en retraite.

Elle croisa sa mère à la porte. Sarah n'avait pas encore quitté son manteau et n'avait même pas eu le temps d'ôter son chapeau; elle lui dit, haletante :

– Va jouer, Linda. Ne reste pas dans les jambes de maman.

Puis elle annonça à Matthew, tout en ôtant son chapeau et en faisant bouffer ses cheveux :

– Je viens de chez Agatha.

Matthew la regarda d'un air réprobateur et ne fit même pas l'honneur d'une réponse à cette information. Il déplia son journal. Sarah reprit, en déboutonnant son manteau :

– Tu sais ce qu'elle m'a dit?

Matthew secoua bruyamment son journal et l'aplatit pour mieux le lire.

– M'en fiche un peu, grogna-t-il.

– Voyons, papa...

Mais Sarah n'avait pas le temps de se fâcher. La nouvelle devait être répétée et Matthew était la seule oreille disponible, alors elle enchaîna rapidement :

– Le Joe d'Agatha est policier, tu sais, et il dit qu'un plein car d'agents des services secrets est arrivé à Bloomington, la nuit dernière.

– Je ne suis pas recherché.

– Tu ne comprends donc pas, papa? Des agents des services secrets, et c'est bientôt l'Election. *A Bloomington!*

– Ils doivent courir après un voleur de banque.

– Il n'y a pas eu de hold-up de banque en ville depuis des siècles. Tu es désespérant, papa!

Et elle s'en alla, la tête haute.

Norman Muller ne fut pas davantage passionné par la nouvelle.

– Voyons, Sarah, comment est-ce que le Joe d'Agatha sait que ce sont des agents des services secrets ? demanda-t-il calmement. Ils ne se promènent pas avec leur carte d'identité collée sur le front !

Mais, le lendemain soir, alors que le mois de novembre avait un jour, elle put annoncer, triomphante :

– Pratiquement tout le monde à Bloomington s'attend à ce quelqu'un d'ici soit le votant. Le *Bloomington News* l'a pour ainsi dire annoncé à la vidéo.

Norman s'agita nerveusement. Il ne pouvait le nier, et son cœur se serrait. Si Bloomington allait réellement être frappé par la foudre de Multivac, ce seraient des journalistes, des émissions vidéo, des touristes, toutes sortes de... de bizarres bouleversements. Norman aimait la paisible routine de sa vie, or la lointaine agitation de la politique se rapprochait désagréablement.

– Ce n'est qu'une rumeur, rien de plus, dit-il.

– Attends un peu, tu verras ! Tu verras !

Il n'eut d'ailleurs pas longtemps à attendre, car on sonna soudain avec insistance et, quand Norman Muller alla ouvrir la porte et fit : « Oui ? », un homme grand à la mine grave lui demanda :

– Etes-vous Norman Muller ?

Norman répéta son « Oui », mais d'une voix mourante. Il n'était pas difficile de voir, à l'allure de l'inconnu, qu'il avait de l'autorité, et la nature de sa visite devint subitement aussi évidente qu'elle avait paru inconcevable, quelques instants plus tôt.

L'homme exhiba sa carte, entra dans la maison, referma la porte derrière lui et déclara rituellement :

– Mr Norman Muller, il est de mon devoir de vous informer, au nom du président des Etats-Unis, que vous avez été choisi pour représenter l'électorat américain le mardi 4 novembre 2008.

Norman Muller réussit, avec difficulté, à marcher sans aide jusqu'à son fauteuil. Il s'y assit, blême, presque insensible, pendant que Sarah lui apportait un verre d'eau, lui tapait dans les mains, fébrile, et lui marmonnait entre ses dents :

– Ne sois pas malade, Norman. Ne tombe pas malade. Ils choisiraient quelqu'un d'autre.

Quand Norman retrouva enfin l'usage de la parole, il chuchota :

– Je suis navré, monsieur.

L'agent des services secrets avait ôté son manteau, déboutonné sa veste et s'était installé à son aise, sur le canapé.

– Mais non, mais non, ce n'est pas grave.

L'aspect officiel s'était quelque peu évaporé après l'annonce protocolaire, et ne laissait qu'un homme corpulent plutôt amical.

– C'est la sixième fois que j'annonce la nouvelle et j'ai assisté à toutes sortes de réactions. Aucune n'était celle que l'on voit à la vidéo! Vous savez? La mine extasiée, confite en dévotion, et un individu qui déclare : « Ce sera un grand honneur pour moi de servir mon pays », etc.

L'inconnu rit avec indulgence. Le rire de Sarah qui l'accompagna avait une certaine stridence hystérique.

– Vous allez m'avoir avec vous pendant un moment, expliqua l'agent. Je m'appelle Phil Handley. Je serais heureux que vous m'appeliez Phil.

Mr Muller ne pourra plus sortir de la maison avant le jour de l'Election. Vous devrez avertir le magasin qu'il est malade, Mrs Muller. Vous pouvez aller et venir à vos affaires, mais vous devez me promettre de ne pas dire un mot de tout cela. D'accord, Mrs Muller?

Sarah hocha vigoureusement la tête.

– Promis, monsieur. Pas un mot.

– Très bien. Mais, Mrs Muller, nous ne plaisantons plus, dit Handley, très gravement. Sortez uniquement si vous y êtes obligée, et vous serez suivie. Je regrette, mais c'est ainsi que nous devons opérer.

– Suivie?

– Ce ne sera pas visible. Ne vous inquiétez pas. Et ce n'est que pour deux jours, en attendant que l'annonce officielle soit faite à la nation. Votre fille...

– Elle est couchée, dit précipitamment Sarah.

– Tant mieux. Il faudra lui expliquer qu'un parent ou un ami vient passer quelques jours en famille. Si elle découvrait la vérité, il faudrait la garder à la maison. Votre père ne doit pas sortir, lui non plus.

– Il ne va pas aimer ça.

– Nous n'y pouvons rien. Bien! Puisque vous n'avez personne d'autre avec vous...

– On dirait que vous savez tout de notre famille, murmura Norman.

– Pas mal de choses, en effet, reconnut Handley. Quoi qu'il en soit, telles sont mes instructions pour le moment. Je vais essayer de vous aider, dans la mesure de mes moyens, et de vous gêner le moins possible. Le gouvernement paiera ma pension, ce qui fait que je ne vous occasionnerai aucun frais. Je serai relayé chaque soir par quelqu'un qui veillera ici même, dans cette pièce, ce qui fait que vous n'avez pas à vous soucier de trouver un lit. Et maintenant, Mr Muller...

– Monsieur?

– Vous pouvez m'appeler Phil, répéta l'agent. Le but de ces deux journées préliminaires, avant l'annonce officielle, est de vous habituer à votre situation. Nous préférons vous faire affronter Multivac dans un état d'esprit proche de la normale. Alors détendez-vous, persuadez-vous que ce n'est qu'une journée comme les autres. D'accord?

– D'accord, dit Norman. (Puis il secoua violemment la tête.) Mais je ne veux pas de cette responsabilité! Pourquoi moi?

– Très bien, nous allons éclaircir cela tout de suite. Multivac soupèse toutes sortes de facteurs connus, des milliards de facteurs. L'un d'eux n'est pas connu, toutefois, et il ne le sera pas avant longtemps. C'est le schéma de réaction du cerveau humain. Tous les Américains sont soumis aux pressions qui les modèlent, ce que les autres Américains disent et font, ce qui leur est fait, ce qu'ils font aux autres. Tout Américain peut être amené à Multivac pour faire analyser sa tournure d'esprit. A partir de là, la tournure d'autres esprits de la nation peut être estimée. Certains Américains valent pour cela mieux que d'autres, selon un temps donné, selon les événements de l'année. Multivac vous a sélectionné comme le plus représentatif de cette année. Non pas le plus intelligent, ni le plus fort, ni le plus chanceux, mais simplement le plus représentatif. Or, nous ne mettons pas Multivac en doute, n'est-ce pas?

– Il pourrait se tromper, non? hasarda Norman.

Sarah, qui écoutait impatiemment, intervint :

– Ne l'écoutez pas, monsieur. Il a le trac. En réalité, il est très cultivé et il suit la politique de près.

– C'est Multivac qui prend les décisions, Mrs Muller. Il a choisi votre mari.

– Mais est-ce que ça sait tout? demanda Norman, affolé. Est-ce qu'il n'a pas pu commettre une erreur?

– Si, il le peut. Inutile de mentir. En 1992, un votant sélectionné est mort d'une attaque deux heures avant d'être informé. Multivac ne l'avait pas prévu; il ne le pouvait pas. Un votant peut être mentalement instable, moralement inapte, voire même déloyal. Multivac ne peut pas tout savoir sur tout le monde tant qu'on ne lui a pas programmé tous les renseignements disponibles. C'est pourquoi nous gardons toujours en réserve des sélections de rechange. Je ne crois pas que nous devrons y avoir recours cette fois. Vous êtes en bonne santé, Mr Muller, et on a enquêté à fond sur vous. Vous êtes qualifié.

Norman laissa tomber sa tête dans ses mains et resta pétrifié.

– Demain matin, monsieur, il ira tout à fait bien, assura Sarah. Il faut simplement qu'il s'habitue, n'est-ce pas?

– Bien sûr, murmura Handley.

Dans l'intimité de leur chambre, Sarah Muller s'exprima d'une autre manière, avec plus de vigueur. L'essentiel de son sermon se résumait à ceci:

– Ressaisis-toi, Norman. Cherches-tu à rejeter la chance de ta vie?

Norman murmura désespérément:

– Ça me fait peur, Sarah. Toute l'histoire...

– Ah, pour l'amour de Dieu, pourquoi? Qu'est-ce que ça a de si terrible, de répondre à une ou deux questions?

– La responsabilité est trop grande. Je ne pourrai pas.

– Quelle responsabilité? Il n'y en a pas la moindre. Multivac t'a désigné. C'est la responsabilité de Multivac. Tout le monde sait ça.

Norman se redressa dans son lit, dans un brusque accès de révolte et d'angoisse.

– Tout le monde est *censé* le savoir! Mais on ne le sait pas. Les gens...

– Baisse la voix, gronda Sarah. On va t'entendre en bas.

– Mais non, protesta Norman en chuchotant. Quand les gens parlent du gouvernement Ridgely de 1988, est-ce qu'ils disent qu'il les a convaincus avec des promesses en l'air et du baratin raciste? Non! Ils parlent de ce « foutu vote MacComber », comme si Humphrey MacComber était le seul homme à avoir quelque chose à voir là-dedans sous prétexte qu'il a affronté Multivac. Je l'ai dit moi-même, seulement maintenant je pense que le pauvre type n'était qu'un paysan qui n'avait pas demandé à être choisi. Pourquoi est-ce que ce serait sa faute, plus que celle de n'importe qui? Maintenant son nom est une malédiction!

– Tu es puéril, déclara Sarah.

– Je suis raisonnable. Je te le dis, Sarah, je n'accepterai pas. Ils ne peuvent pas me forcer à voter si je ne veux pas. Je dirai que je suis malade. Je dirai...

Mais Sarah en avait assez.

– Ecoute-moi un peu! chuchota-t-elle avec une rage froide. Tu ne peux pas penser qu'à toi. Tu sais ce que ça veut dire, être le Votant de l'année? Une année présidentielle, par-dessus le marché. C'est la publicité, la gloire, peut-être, des masses d'argent...

– Et ensuite, je redeviendrai un petit employé.

– Pas du tout! Tu seras au moins directeur de succursale, si tu as un peu d'intelligence, et tu en auras parce que je te dirai ce que tu dois faire. Tu contrôles ce genre de publicité si tu sais t'y prendre; et tu peux obliger les magasins Kennel à te signer un bon contrat avec, en plus, une clause concernant des échelons en rapport avec ton salaire et, en plus, un bon plan de retraite.

– Ce n'est pas ça, être un Votant, Sarah.

– Ça le sera pour toi. Si tu ne le dois pas à toi-même ni à moi – je ne demande rien pour moi –, tu le dois à Linda.

Norman gémit.

– Eh bien, quoi? Non? insista Sarah.

– Si, ma chérie, murmura Norman.

Le 3 novembre, ce fut l'annonce officielle, et il était trop tard pour Norman de battre en retraite, même s'il avait trouvé le courage de le tenter.

Leur maison fut fermée. Les agents des services secrets firent leur apparition, bloquant toute approche.

Au début, le téléphone sonnait sans arrêt, mais Philip Handley prenait toutes les communications, avec un petit sourire d'excuse. Finalement, le central fit dévier tous les appels directement au poste de police.

Norman imaginait que, de cette façon, on lui épargnait non seulement les félicitations maladroites (et envieuses?) des amis, mais aussi le harcèlement des représentants de commerce sentant un client potentiel et les manœuvres insidieuses de tous les politiciens de la nation, peut-être même les menaces de mort des inévitables déséquilibrés.

Les journaux étaient maintenant interdits dans la maison afin d'éviter toute pression, et la télévision fut gentiment mais fermement débranchée, en dépit des protestations volubiles de Linda.

Matthew bougonnait et restait dans sa chambre; Après l'énervement initial, Linda boudait et gémissait parce qu'elle ne pouvait pas quitter la maison. Sarah partageait son temps entre la préparation des repas pour le présent et des plans pour l'avenir. Et la dépression de Norman s'aggravait.

Enfin, la matinée du mardi 4 novembre 2008 arriva, et ce fut le jour de l'Election.

Le petit déjeuner fut servi de bonne heure mais seul Norman Muller mangea, machinalement. Même la douche et le rasage n'avaient pas réussi à le rendre à la réalité, ni à supprimer son intime conviction qu'il était aussi sale à l'extérieur qu'il se sentait à l'intérieur.

La voix amicale de Handley s'efforçait de donner une apparence normale à l'aube grise et hostile. (La météo prévoyait un temps couvert avec des menaces de pluie avant midi.)

– Nous allons garder cette maison isolée jusqu'au retour de Mr Muller, dit Handley, mais ensuite nous ne serons plus responsables.

L'agent des services secrets s'était mis en uniforme, et il était affublé d'armes de poing dans de lourds étuis cloutés.

– Vous ne nous avez pas du tout dérangés, Mr Handley, minauda Sarah.

Norman but deux tasses de café noir, s'essuya les lèvres, se leva et dit, la mine hagarde :

– Je suis prêt.

Handley se leva aussi.

– Parfait, monsieur. Et merci, Mrs Muller, de votre charmante hospitalité.

Le véhicule blindé roulait par les rues désertes. Elles étaient vides, même pour une heure aussi matinale. Handley en donna l'explication.

– On détourne la circulation sur le trajet, depuis l'attentat à la bombe qui a failli gâcher l'élection Leverett en 92.

Quand la voiture s'arrêta, le toujours courtois Handley aida Norman à descendre dans le passage souterrain, entre deux rangées de soldats au garde-à-vous.

Il fut conduit dans une salle brillamment éclairée où trois hommes en uniforme blanc l'accueillirent en souriant.

– Mais c'est un hôpital ! s'écria vivement Norman.

– Cela ne signifie rien, se hâta de répondre Handley. Simplement, l'hôpital offre toutes les facilités nécessaires.

– Mais alors, que dois-je faire ?

Handley fit un signe de tête. Un des trois hommes en blanc s'avança et dit :

– Je prends la relève, maintenant, monsieur l'agent.

Handley le salua distraitement et quitta la salle. L'homme en blanc s'adressa à Norman :

– Asseyez-vous donc, Mr Muller. Je suis John Paulson, Chef Ordinateur. Ces messieurs sont Samson Levine et Peter Dorogobuzh, mes assistants.

Norman serra des mains à la ronde. Paulson était un homme de taille moyenne ; sa figure lisse était habituée à sourire, et était surmontée d'une très ostensible « moumoute ». Il portait des lunettes démodées à monture de plastique, et il alluma une cigarette tout en parlant. (Norman refusa celle qu'on lui offrait.)

– En premier lieu, Mr Muller, dit Paulson, je veux que vous sachiez que nous ne sommes pas pressés. Nous voulons que vous restiez toute la journée avec nous s'il le faut, afin de vous habituer à votre environnement. Vous devez oublier toute idée que vous pourriez avoir qu'il y a dans tout ceci quelque chose d'anormal, de clinique, si vous voyez ce que je veux dire.

– Ne vous en faites pas, répondit Norman. J'aime autant en finir vite.

– Je vous comprends. Malgré tout, nous voulons que vous sachiez exactement ce qui se passe. Tout d'abord, Multivac n'est pas ici.

– Ah non?

En quelque sorte, pendant sa période de dépression, il s'était tout de même fait une joie de voir Multivac. On disait que c'était long de près d'un kilomètre et haut de trois étages, que cinquante techniciens allaient et venaient dans des couloirs *à l'intérieur*. C'était une des merveilles du monde. Paulson sourit.

– Non. Il n'est pas portatif, vous savez. Il est situé en sous-sol, en réalité, et très peu de gens savent exactement où. Vous devez en comprendre la raison, puisqu'il est notre plus grande ressource. Croyez-moi, il ne sert pas qu'aux élections.

Norman pensa que l'homme était délibérément bavard et il en fut intrigué.

– Je croyais que je le verrais. J'aimerais bien...

– Je n'en doute pas. Mais il faut pour cela un ordre présidentiel et même alors, l'ordre doit être contresigné par la Sécurité. Cependant, nous sommes branchés sur Multivac, ici même, par transmission sur ondes. Ce que Multivac dit peut être interprété ici, et ce que nous disons est directement transmis à Multivac, dans un certain sens, nous sommes donc en sa présence.

Norman regarda autour de lui. Les appareils de la salle ne lui apprenaient rien du tout.

– Permettez-moi de vous expliquer, Mr Muller, reprit Paulson. Multivac possède déjà presque tous les renseignements dont il a besoin pour décider de toutes les élections, nationales, d'Etat et locales. Il n'a besoin que de vérifier certaines tournures d'esprit impondérables et, pour cela, il se servira de vous. Nous ne pouvons pas prédire quelles questions il posera, et elles n'auront peut-être guère de sens pour vous, ni même pour nous. Il se peut qu'il vous demande votre opinion sur le ramassage des ordures dans votre ville, si vous êtes favorable aux incinérateurs centraux. Il peut vous demander si vous avez un médecin personnel ou si vous vous faites soigner par la Médecine nationale. Vous comprenez ?

– Oui, monsieur.

– Quoi qu'il demande, vous répondez à votre façon, comme vous le voulez. Si vous estimez devoir vous expliquer plus longuement, n'hésitez pas. Parlez une heure, si c'est nécessaire.

– Oui, monsieur.

– Un dernier mot. Nous allons devoir utiliser certains appareils qui mesureront automatiquement votre tension, vos battements de cœur, votre conductivité dermique et vos ondes cérébrales quand vous parlerez. Les appareils vous impressionneront peut-être, mais ils sont absolument indolores. Vous ne saurez même pas ce qui se passe.

Les deux autres techniciens s'affairaient déjà

sur des appareils étincelants, aux roulettes bien graissées.

– Est-ce que c'est pour voir si je mens ou non ? demanda Norman.

– Pas du tout, Mr Muller. Il n'est pas question de mentir. Ce n'est qu'une affaire d'intensité émotionnelle. Si l'appareil vous demande votre opinion sur l'école de votre enfant, vous pouvez répondre par exemple : « Je pense qu'elle est surpeuplée », mais ce ne sont que des mots. Aux réactions de votre cerveau, de votre cœur, de vos hormones et de vos glandes sudoripares, Multivac estimera avec exactitude votre sentiment à ce sujet. Il comprendra vos sentiments, mieux que vous-même.

– Je n'ai jamais entendu parler de ça, murmura Norman.

– Non, bien sûr. La plupart des détails du fonctionnement de Multivac sont ultra-secrets. Par exemple, quand vous partirez, vous devrez signer un document par lequel vous jurerez que vous ne révélerez jamais la nature des questions qui vous auront été posées, la nature de vos réponses, ce qui a été fait, et comment cela a été fait. Moins on en sait sur Multivac, moins il y a de risques de tentatives de pressions extérieures sur les hommes qui l'utilisent. Notre vie est assez dure comme ça, avoua-t-il avec un sombre sourire.

– Je comprends...

– Et maintenant, voulez-vous quelque chose à boire ou à manger ?

– Non, merci. Rien pour le moment.

– Avez-vous des questions ?

Norman secoua la tête.

– Alors, dites-nous quand vous serez prêt.

– Je suis prêt, tout de suite.

– Vous en êtes sûr ?

– Tout à fait sûr.

Paulson approuva et leva une main vers les autres. Ils s'approchèrent avec leur matériel effrayant et la respiration de Norman s'accéléra un peu tandis qu'il les observait.

L'épreuve dura près de trois heures, avec une pause café et un intermède embarrassant, avec un pot de chambre. Durant tout ce temps, Norman Muller resta enfermé entre des appareils. A la fin, il était complètement épuisé.

Il pensa ironiquement que sa promesse de ne rien révéler de ce qui avait eu lieu était assez facile à tenir. Déjà, toutes les questions n'étaient plus qu'un méli-mélo brumeux dans son esprit.

Il avait vaguement cru que Multivac parlerait d'une voix sépulcrale, inhumaine, résonnante et pleine d'échos, mais ce n'était qu'une idée qui lui était venue parce qu'il voyait trop d'émissions de télévision, se disait-il à présent. La vérité était d'une navrante banalité. Les questions étaient des bandes d'une espèce de papier métallique percé d'innombrables trous. Un second appareil convertissait les schémas en mots, et Paulson les lisait à Norman, puis il lui donnait les questions et le laissait lire lui-même.

Les réponses de Norman étaient notées par un appareil enregistreur, repassées pour obtenir sa confirmation, avec des rectifications et des réflexions supplémentaires également notées. Tout cela était introduit dans l'instrument perforateur et ensuite envoyé vers Multivac.

La seule question que Norman se rappelait à ce moment était plutôt incongrue : « Que pensez-vous du prix des œufs? »

C'était fini et, avec précaution, on détacha les électrodes des diverses parties de son corps, on détacha de son bras le manchon enregistreur de pulsations, et on écarta la machinerie.

Il se leva, poussa un long soupir frémissant et demanda :

– C'est tout ? J'ai fini ?

– Pas tout à fait, dit Paulson en se précipitant vers lui, avec son sourire rassurant. Nous devons vous prier de rester encore une heure.

– Pourquoi ?

– Il faudra tout ce temps à Multivac pour ajouter ces nouveaux renseignements aux milliards qu'il possède déjà. Des milliers d'électrons sont en cause, vous comprenez, c'est très compliqué. Et il se peut qu'il y ait un conflit ici ou là, qu'un organisme de contrôle à Phoenix dans l'Arizona, ou quelque conseil municipal de Milkesboro, en Caroline du Nord, soit dans le doute. Dans ce cas, Multivac serait obligé de vous demander une ou deux précisions.

– Non, déclara Norman. Je refuse de recommencer tout ça.

– Cela n'arrivera probablement pas, affirma Paulson. C'est très rare. Mais au cas où cela se produirait, nous devons vous demander de rester. Vous n'avez pas le choix, vous savez. Vous le devez.

Une pointe d'acier, un soupçon à peine, s'était insinué dans sa voix. Norman s'assit avec lassitude. Il haussa les épaules, indifférent. Paulson poursuivit :

– Nous ne pouvons pas vous laisser lire le journal mais, si vous voulez un roman policier, ou si vous avez envie de jouer aux échecs, s'il y a la moindre des choses que nous puissions faire pour vous aider à passer le temps, vous n'avez qu'un mot à dire.

– Non, ça va comme ça. Je vais simplement attendre.

Ils le firent entrer dans une petite pièce, à côté de la salle où il avait été interrogé. Il se laissa tomber dans un fauteuil recouvert de plastique et ferma les yeux.

Il allait attendre, pendant cette dernière heure, du mieux qu'il le pourrait.

Il resta parfaitement immobile et, lentement, la tension l'abandonna. Sa respiration devint plus régulière et il put croiser les mains sans avoir cette violente conscience du tremblement de ses doigts.

Peut-être n'y aurait-il plus de questions. Peut-être était-ce bien fini.

Si c'était bien fini, il y aurait maintenant la retraite aux flambeaux, et des invitations à prendre la parole à toutes sortes de cérémonies. Le Votant de l'année! Lui, Norman Muller, vendeur dans un petit magasin de nouveautés de Bloomington, dans l'Indiana! Lui, qui n'était pas né grand et n'avait jamais atteint la grandeur, se trouverait dans l'extraordinaire situation d'une grandeur qui lui serait imposée.

Les historiens parleraient gravement de l'Election Muller de 2008. Ce serait ainsi qu'elle serait appelée, l'Election Muller.

La publicité, le meilleur emploi, la brusque rentrée d'argent qui intéressaient tant Sarah n'occupaient qu'un recoin de son esprit. Ce serait agréable, bien sûr. Il ne pouvait pas refuser. Mais, pour le moment, il commençait à se préoccuper d'autre chose.

Un patriotisme latent remontait à la surface. Il représentait, après tout, l'électorat tout entier. Il était le point focal, pour *eux*. Il était, en sa propre personne, pour cette journée unique, toute l'Amérique!

La porte s'ouvrit et le fit sursauter, il ouvrit des yeux ronds. Un instant, son estomac se contracta. Plus de questions! Mais Paulson souriait.

– Ce sera tout, Mr Muller.

– Plus de questions, monsieur?

– Il n'en est pas besoin. Tout est parfaitement clair. Vous allez être raccompagné chez vous et vous redeviendrez un simple particulier. Du moins autant que vous le permettra la publicité.

– Merci. Merci, s'exclama Norman en rougissant puis il dit : Je me demande... Qui a été élu?

Paulson secoua la tête.

– Cela devra attendre l'annonce officielle. Les règles sont très strictes. Nous ne pouvons pas vous le dire, même à vous. Vous comprenez.

– Oui. Bien sûr, murmura Norman, gêné.

– Les services secrets ont préparé les papiers que vous devez signer.

– Oui.

Soudain, Norman se sentit fier. Tout s'imposait à lui, avec force. Il était fier.

Dans ce monde imparfait, les citoyens souverains de la première et de la plus grande Démocratie Electronique avaient, par l'intermédiaire de Norman Muller (par *lui*), exercé une fois de plus leur libre et inaliénable droit de vote.

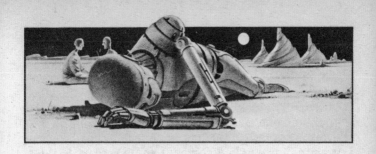

LE PLAISANTIN
(JOKESTER)

Noel Meyerhof consulta la liste qu'il avait préparée et choisit l'article qui devait être le premier. Comme d'habitude, il se fiait à sa seule intuition. Il avait l'air d'un nain devant la machine à laquelle il faisait face, bien qu'une toute petite partie seulement en fût visible. Cela n'avait pas d'importance. Il parla avec l'assurance confiante d'un homme qui sait, sans le moindre doute, qu'il est le maître.

– Johnson, dit-il, rentre à l'improviste d'un voyage d'affaires et trouve sa femme dans les bras de son meilleur ami. Il recule et s'exclame : « Max ! Je suis marié avec la dame, alors je suis obligé. Mais toi, pourquoi ? »

Meyerhof pensa : Bien, laissons ça couler dans ses entrailles et gargouiller un peu.

Et derrière lui, une voix s'écria :

– Hé !

Meyerhof effaça le son de cette syllabe et mit au

point mort le circuit qu'il utilisait. Il se retourna vivement et dit :

– Je travaille ! Vous ne pouviez pas frapper ?

Il ne souriait pas, comme il le faisait généralement en accueillant Timothy Whistler, un des principaux analystes, avec lequel il travaillait le plus souvent. Il fronçait les sourcils, comme s'il avait été interrompu par un intrus, convulsant sa maigre figure et la déformant en un réseau de rides qui s'étendaient jusque dans ses cheveux, les ébouriffant plus que jamais.

Whistler haussa les épaules. Ses poings, enfoncés dans les poches de sa blouse de laboratoire, la tendaient en deux plis verticaux.

– J'ai frappé. Vous n'avez pas répondu. Le signal d'opérations n'était pas allumé.

Meyerhof grogna. Il avait pensé trop intensément à ce nouveau projet et il oubliait les détails.

Et pourtant il ne pouvait se le reprocher. La chose était trop importante.

Il ne savait pas pourquoi, naturellement. Les Grands Maîtres le savaient rarement. C'était ce qui faisait d'eux de Grands Maîtres, le fait qu'ils dépassaient la raison. Autrement, comment l'esprit humain pourrait-il suivre l'allure de cette masse de raison solidifiée de quinze kilomètres de long, que les hommes appelaient Multivac, l'ordinateur le plus complexe jamais construit ?

– Je travaillais, dit Meyerhof. Vous avez quelque chose d'important en tête ?

– Rien qui ne puisse pas attendre. Il y a quelques trous dans la réponse sur l'hyperspatial...

Whistler eut un sursaut, et une expression de triste incertitude apparut sur sa figure.

– Vous *travaillez* ?

– Oui. Et alors ?

– Mais...

L'analyste regarda autour de lui, dans les recoins de la petite salle qui faisait face aux multiples niveaux de relais formant une infime portion de Multivac.

– Mais il n'y a personne, ici.

– Qui a dit qu'il devait y avoir du monde?

– Vous racontiez une de vos plaisanteries, n'est-ce pas?

– Et alors?

Whistler sourit.

– Ne me dites pas que vous racontiez des blagues à Multivac!

Meyerhof se redressa, très raide.

– Pourquoi pas?

– C'est ce que vous faites?

– Oui.

– Pourquoi?

Meyerhof fit baisser les yeux à l'analyste.

– Je n'ai pas de comptes à vous rendre. Ni à personne.

– Seigneur, bien sûr que non! J'étais curieux de le savoir, c'est tout... Mais, si vous travaillez, je m'en vais.

– C'est ça, dit Meyerhof.

Il suivit l'autre des yeux puis il activa le signal des opérations d'un coup d'index rageur.

Il arpenta la largeur de la pièce et revint, pour se maîtriser. Maudit Whistler! Maudits tous les autres! Parce qu'il ne prenait pas la peine de tenir à distance ces techniciens, analystes et mécaniciens, parce qu'il les traitait comme si, eux aussi, étaient des artistes créateurs, ils prenaient de ces libertés!

Il songea sombrement : Ils ne sont même pas fichus de raconter une blague correctement.

Aussitôt, cela le ramena au travail en cours. Il se rassit. Qu'ils aillent tous au diable!

Il remit en opération le bon circuit de Multivac et raconta :

– C'est un steward sur un paquebot qui s'arrête près de la rambarde, pendant une traversée particulièrement mouvementée; il regarde avec quelque pitié l'homme qui est affalé sur la rambarde, en proie à la torture du mal de mer. Gentiment, le steward lui tape sur l'épaule et lui dit : « Ne vous frappez pas, monsieur, ça paraît terrible, mais personne n'en est jamais mort. » Là-dessus, le pauvre homme lève un visage verdâtre et gémit : « Dites pas ça, surtout me dites pas ça, mon vieux. C'est seulement l'espoir de mourir qui me garde en vie! »

Timothy Whistler, un peu préoccupé, sourit néanmoins en passant devant le bureau de la secrétaire. Elle lui rendit son sourire.

Voilà, se dit-il, un détail archaïque dans ce monde informatisé du XXIe siècle : une secrétaire humaine. Mais peut-être était-ce normal qu'une telle institution survécût au cœur de la citadelle de l'informatisation; dans la gigantesque organisation mondiale qui manipulait Multivac. Avec Multivac bouchant tous les horizons, de plus petits ordinateurs, pour les tâches banales, seraient de mauvais goût.

Whistler entra dans le bureau d'Adam Trask. Ce fonctionnaire s'interrompit alors qu'il allumait une pipe avec grand soin. Ses yeux noirs se tournèrent vers Whistler et son nez crochu se profila nettement à contre-jour, sur le rectangle de la fenêtre, derrière lui.

– Ah, Whistler ! Asseyez-vous. Asseyez-vous donc.

Whistler prit un siège.

– Je crois que nous avons un problème, Trask.

Trask sourit à demi.

– Pas un problème technique, j'espère. Je ne suis qu'un innocent politicien.

(C'était une de ses phrases favorites.)

– Il s'agit de Meyerhof.

Trask s'assit instantanément et eut l'air affreusement misérable.

– Vous en êtes sûr ?

– Raisonnablement certain.

Whistler comprenait le souci de son vis-à-vis. Trask était le haut fonctionnaire chargé de la Division des ordinateurs et de l'automation, au ministère de l'Intérieur. Il devait s'occuper de toutes les questions concernant les satellites humains de Multivac, tout comme ces satellites techniquement entraînés avaient à s'occuper de Multivac lui-même.

Mais un Grand Maître était plus qu'un simple satellite. Plus, même, qu'un simple humain.

Dès le début de l'histoire de Multivac, il était devenu évident que les embouteillages étaient causés par la procédure d'interrogation. Multivac pouvait donner la solution du problème de l'humanité, de *tous* les problèmes, si... si on lui posait des questions significatives. Mais à mesure que les connaissances s'accumulaient, à une allure de plus en plus rapide, il devenait toujours plus difficile de trouver ces questions significatives.

La raison seule ne suffisait pas. Ce qu'il fallait, c'était une rare intuition, la même faculté d'esprit (mais infiniment plus développée) qui faisait un Grand Maître aux échecs. Un esprit capable de voir parmi les quatrillions de jeux possibles, aux échecs, le coup qui serait le meilleur, et cela en quelques minutes.

Trask s'agita nerveusement.

– Que fait Meyerhof?

– Il a introduit une forme d'interrogatoire que je trouve inquiétante.

– Allons donc, Whistler! Ce n'est que ça? Vous ne pouvez pas empêcher un Grand Maître de choisir la forme d'interrogatoire qu'il veut. Et vous n'êtes pas qualifié pour juger de la valeur de ses questions. Vous le savez. Je sais bien que vous le savez.

– Oui, naturellement, je le sais. Mais je connais Meyerhof. Est-ce que vous avez eu l'occasion de le rencontrer à titre privé?

– Dieu de Dieu, non! Est-ce qu'il y a des gens qui fréquentent un Grand Maître à titre privé?

– Ne prenez pas cette attitude-là, Trask. Ils sont humains et ils sont à plaindre. Vous ne vous êtes jamais demandé ce que c'est que d'être Grand Maître, de savoir qu'il n'en existe que douze comme vous dans le monde, de savoir qu'il n'en apparaît qu'un ou deux par génération, que le monde dépend de vous, que mille mathématiciens, logiciens, psychologues et physiciens sont aux petits soins pour vous?

Trask haussa les épaules et marmonna :

– Ma foi, je me prendrais pour le roi du monde!

– Je ne crois pas, dit impatiemment l'analyste. Ils ne se prennent pour les rois de rien du tout. Ils n'ont pas d'égaux à qui parler, ils croient n'avoir pas de place... Ecoutez, Meyerhof ne rate jamais une occasion de se retrouver avec les gars. Il n'est pas marié, naturellement, il ne boit pas, il n'a rien de mondain, pourtant il se force à se retrouver en compagnie parce qu'il le doit. Et vous savez ce qu'il fait quand il est avec nous, c'est-à-dire au moins une fois par semaine?

– Je n'en ai pas la moindre idée. Tout cela est nouveau pour moi.

– Il fait le plaisantin.

– Quoi?

– Il raconte des blagues. De bonnes histoires. Il est terrible! N'importe quelle histoire, même vieille, éculée, il la rend drôle. C'est sa façon de raconter. Il a un talent pour ça.

– Ah? Ma foi, c'est très bien.

– Ou très mauvais. Ces blagues sont importantes pour lui.

Whistler posa ses deux coudes sur le bureau de Trask, se mordit l'ongle du pouce et regarda dans le vague.

– Il est différent, reprit-il. Il sait qu'il est différent et que ces histoires sont le seul moyen qu'il a d'être accepté par nous, le menu fretin. Nous rions, nous nous tapons sur les cuisses, nous lui donnons des claques dans le dos et nous oublions même qu'il est un Grand Maître. C'est le seul ascendant qu'il ait sur le reste d'entre nous.

– Tout cela est très intéressant. Je ne vous savais pas aussi fin psychologue. Malgré tout, où voulez-vous en venir?

– A ceci, simplement. Que se passera-t-il, à votre avis, si Meyerhof est à court d'histoires?

– Pardon?

– S'il commence à se répéter? Si son public rit de moins bon cœur ou cesse même tout à fait de rire? C'est son unique moyen d'être approuvé par nous. Sans ça, il sera seul et qu'est-ce qui lui arrivera? Tout de même, Trask, il est un de ceux qui composent la douzaine d'hommes dont l'humanité ne peut pas se passer. Nous ne pouvons pas permettre qu'il lui arrive malheur. Je ne veux pas seulement parler de malheurs physiques. Nous ne pouvons pas le laisser être malheureux. Qui peut savoir si ça n'aura pas un effet nuisible sur son intuition ?

— Est-ce qu'il commence à se répéter ?

— Pas que je sache, mais je crois qu'il le craint, lui.

— Qu'est-ce qui vous fait dire ça ?

— Je l'ai entendu raconter des blagues à Multivac.

— Oh, non !

— Accidentellement ! Je suis entré par hasard et il m'a jeté dehors. Il était fou de rage. En général, il est d'assez bonne humeur et je considère comme un mauvais signe qu'il ait été tellement bouleversé par mon intrusion. Il n'en reste pas moins qu'il racontait une blague à Multivac, et je suis convaincu qu'elle faisait partie d'une série.

— Mais pourquoi ?

Whistler fit un geste d'ignorance et se frotta le menton.

— J'ai ma petite idée là-dessus. Je crois qu'il cherche à accumuler un stock d'histoires dans la mémoire de Multivac afin d'en soutirer de nouvelles variantes. Vous voyez ce que je veux dire ? Il programme un plaisantin mécanique pour avoir un nombre infini de blagues sous la main, et ne jamais craindre d'être à court.

— Dieu de Dieu !

— Objectivement, il n'y a sans doute rien à redire à ça, mais je considère comme un mauvais signe qu'un Grand Maître se mette à utiliser Multivac pour ses problèmes personnels. Tout Grand Maître a une certaine instabilité mentale inhérente, et il devrait être surveillé. Meyerhof approche peut-être d'une limite au-delà de laquelle nous perdrons un Grand Maître.

– Qu'est-ce que vous me conseillez? demanda Trask d'une voix sourde.

– Vous pouvez vérifier ce que je dis. Je suis trop proche de lui pour bien le juger, peut-être, et d'ailleurs, juger les êtres humains n'est pas mon fort. Vous êtes politicien, ce serait plutôt dans vos cordes.

– Les êtres humains peut-être, mais pas les Grands Maîtres.

– Ils sont humains aussi. D'ailleurs, qui d'autre pourrait le faire?

Les doigts de Trask pianotèrent rapidement sur le bureau, pendant un moment, évoquant un lointain roulement de tambour.

– Il va falloir que je le fasse, sans doute, marmonna-t-il.

Meyerhof dit à Multivac :

– La maîtresse gronde une petite fille qui a manqué l'école la veille et la petite fille répond : « J'ai dû conduire la vache au taureau, mademoiselle. » La maîtresse est scandalisée. « Toi? Comment! Ton père ne peut pas faire ça? » « Ben non, mademoiselle, faut que ce soit le taureau. »

Meyerhof allait passer à la suivante quand la convocation arriva.

Ce n'était pas vraiment une convocation. Personne ne pouvait convoquer un Grand Maître. C'était simplement un message disant que le Chef de division Trask aimerait beaucoup voir le Grand Maître Meyerhof si le Grand Maître Meyerhof avait une minute à lui accorder.

Meyerhof aurait pu impunément négliger le mes-

sage et continuer de faire ce à quoi il était présentement occupé. Il n'était soumis à aucune discipline.

D'un autre côté, s'il faisait cela, on continuerait de le harceler... oh, très respectueusement, mais on continuerait de l'embêter.

Alors il neutralisa les circuits pertinents de Multivac et les verrouilla. Il alluma le signal d'interdiction à la porte de son bureau, pour que personne n'ose entrer en son absence, et prit le chemin de celui de Trask.

Trask toussota, un peu intimidé par l'expression farouche et maussade de son visiteur.

– A mon grand regret, Grand Maître, dit-il, nous n'avons pas encore eu l'occasion de faire connaissance.

– Je vous ai fait mes rapports, répliqua froidement Meyerhof.

Trask se demanda ce qui se passait derrière ces yeux perçants, un peu fous. Il avait du mal à imaginer Meyerhof, avec sa figure maigre, ses cheveux noirs, son expression crispée, se détendant assez pour raconter des histoires drôles.

– Les rapports ne sont pas des relations amicales. Je... On m'a laissé entendre que vous aviez un fonds merveilleux d'anecdotes amusantes.

– Je suis un plaisantin, monsieur. C'est le mot que l'on emploie communément. Un plaisantin.

– On ne s'est pas servi de ce mot devant moi, Grand Maître. On m'a dit...

– Peu importe! Je me moque de ce qu'on dit. Ecoutez, Trask, vous voulez écouter une blague?

Il se pencha sur le bureau, le regard intense.

– Avec plaisir. Certainement, répondit Trask avec une bonhomie forcée.

– Très bien. Voilà l'histoire. Madame regarde la carte de bonne aventure qui vient de sortir de l'appareil sur lequel se pèse son mari et dit : « Il est écrit là que tu es délicat, Georges, intelligent, prévoyant, travailleur et grand séducteur. » Sur ce, elle retourne la carte et ajoute : « Même ton poids est faux, on dirait... »

Trask éclata de rire. Il ne put se retenir. La chute était prévisible mais l'étonnante facilité avec laquelle Meyerhof avait imité le ton méprisant de la femme, son habileté à modifier ses traits pour les accorder avec cette voix dédaigneuse forcèrent l'homme politique à rire aux larmes.

– Pourquoi est-ce drôle ? demanda vivement Meyerhof.

Trask reprit son sérieux.

– Je vous demande pardon ?

– Je vous ai demandé : Pourquoi est-ce drôle ? Pourquoi avez-vous ri ?

– Eh bien, dit Trask en essayant d'être raisonnable, la chute place tout ce qui précède sous un jour nouveau. L'inattendu...

– En réalité, interrompit Meyerhof, j'ai dépeint un mari humilié par sa femme, un mariage qui est un tel échec que la femme est convaincue que son mari ne vaut rien du tout. Pourtant, cela vous fait rire. Si vous étiez le mari, est-ce que vous trouveriez ça drôle ?

Il attendit un moment, en réfléchissant, puis il dit :

– On va essayer celle-ci, Trask. Emile est au chevet de sa femme et n'arrête pas de sangloter ; finalement, faisant appel à ses dernières forces, elle se hisse sur un coude et dit : « Emile, Emile, je ne peux pas aller affronter mon Créateur sans avoir confessé mon péché ! » Et le mari, éploré, la calme : « Pas maintenant, ma chérie, repose-toi. » Mais elle insiste : « Je ne peux pas, je dois avouer, sans ça mon âme ne connaîtra pas la paix. Je t'ai trompé, Emile, ici, dans cette maison, il n'y a pas un mois... » Alors le mari la rassure : « Chut, chut, calme-toi, je sais, je sais. Sinon, pourquoi est-ce que je t'aurais empoisonnée ? »

Trask essaya désespérément de garder son sérieux mais ce fut plus fort que lui. Il s'esclaffa.

– Ainsi, ça aussi, c'est drôle ! L'adultère. Le meurtre. Tout ça, c'est comique.

– Euh... ma foi, des ouvrages ont été écrits, analysant l'humour.

– C'est vrai et j'en ai lu certains, déclara Meyerhof. De plus, je les ai presque tous lus à Multivac. Mais les gens qui écrivent ces livres ne font que des suppositions. Certains disent que nous rions parce que nous nous jugeons supérieurs aux personnages de la blague. D'autres prétendent que c'est parce que nous sommes surpris par l'incongruité, ou par un relâchement soudain de la tension, ou par une interprétation inattendue des événements. Y a-t-il une raison simple ? Les gens rient à des blagues différentes. Aucune plaisanterie n'est universelle. Certaines personnes ne rient à aucune. Pourtant, ce qui est sans doute le plus important, l'homme est le seul animal doué du sens de l'humour, le seul animal qui rit.

– Je comprends ! s'exclama Trask. Vous cherchez à analyser l'humour. C'est pourquoi vous transmettez une suite de plaisanteries à Multivac.

– Qui vous a dit que je faisais ça ? Peu importe. C'est Whistler. Je me souviens, maintenant. Il m'a pris sur le fait. Bon, et alors ?

– Alors rien.

– Vous ne niez pas mon droit d'ajouter ce que je

veux aux connaissances générales de Multivac ou de poser les questions que je veux ?

– Pas du tout, pas du tout, protesta vivement Trask. Au contraire, je suis persuadé que cela ouvrira la voie à de nouvelles analyses, d'un grand intérêt pour les psychologues.

– Hum ! Peut-être. Malgré tout, quelque chose me tourmente, qui est bien plus important que l'analyse générale de l'humour. Il y a une question particulière que je dois poser. Deux, même.

– Ah ? Lesquelles ?

Trask se demanda si le Grand Maître allait répondre. S'il refusait, il n'y avait aucun moyen de l'y obliger. Mais Meyerhof dit tranquillement :

– La première question est celle-ci : « D'où viennent toutes ces histoires ? »

– Comment ?

– Qui les invente ? Ecoutez ! Il y a un mois, j'ai passé toute une soirée à échanger de bonnes blagues. Comme d'habitude, j'ai raconté la plupart et, comme d'habitude, les imbéciles ont ri. Ils les trouvaient réellement drôles, peut-être, ou bien ils pensaient me faire plaisir. Quoi qu'il en soit, un de ces individus a pris la liberté de me donner une claque dans le dos en me disant : « Meyerhof, vous connaissez plus de bonnes histoires que des dizaines de types réunis ! » Je suis sûr qu'il avait raison, et ça m'a donné une idée. Je ne sais pas combien de centaines, de milliers de blagues j'ai racontées dans ma vie, à un moment ou à un autre, et pourtant je n'en ai jamais inventé aucune. Pas une seule. Je ne fais que les répéter. Ma seule contribution était de les raconter. A l'origine je les avais lues ou entendues. Et les sources ne les avaient pas inventées non plus. Je n'ai jamais connu personne qui prétende avoir inventé une histoire drôle. C'est toujours : « J'en ai entendu une bien bonne l'autre jour », ou bien : « Vous en avez entendu des bonnes dernièrement ? » *Toutes les bonnes histoires sont vieilles!* C'est pourquoi ces blagues révèlent un tel décalage social. Elles traitent encore de mal de mer, par exemple, alors que de nos jours c'est un inconvénient facilement évité, et personne n'en souffre plus. Ou bien d'appareils distribuant des cartes de bonne aventure, alors que ces balances ne se trouvent plus que chez des antiquaires. Bon, alors, qui invente les bonnes blagues ?

– C'est ce que vous cherchez à savoir ? demanda Trask.

Il fut sur le point d'ajouter : Mon Dieu, qu'est-ce que ça peut faire ? mais il se retint, car les questions d'un Grand Maître étaient toujours significatives.

– Bien sûr, c'est ce que je cherche à savoir ! Et réfléchissez. Les bonnes histoires ne sont pas seulement vieilles, elles *doivent* être vieilles pour être appréciées. Il est essentiel qu'une plaisanterie ne soit pas originale. Il y a une variété d'humour qui l'est, ou qui peut l'être, c'est le calembour. J'ai entendu des calembours manifestement inventés sous l'impulsion du moment. J'en ai fait moi-même. Personne ne rit. On ne doit pas rire à un calembour. On pousse des cris d'horreur. Plus le calembour est drôle, plus on proteste. L'humour original ne provoque pas le rire. Pourquoi ?

– Je n'en sais vraiment rien.

– Très bien. Cherchons pourquoi. Ayant donné à Multivac toute l'information que je jugeais utile sur le sujet de l'humour en général, je lui transmets à présent des plaisanteries sélectionnées.

Trask fut intrigué.

– Sélectionnées comment ?

– Je ne sais pas. Elles m'ont semblé être les bonnes. Je suis un Grand Maître, vous savez.

– Oui, bien sûr, bien sûr !

– A partir de ces plaisanteries et de la philosophie générale de l'humour, ma première demande à Multivac sera qu'il remonte à l'origine des histoires, s'il le peut. Comme Whistler m'a surpris et a jugé bon de me dénoncer, faites-le descendre en Analyse après-demain. Je pense que nous aurons un peu de travail.

– Certainement. Puis-je être présent aussi ?

Meyerhof fit un geste vague. La présence de Trask lui était manifestement indifférente.

Meyerhof choisit la dernière de la série avec un soin particulier. Il n'aurait su dire en quoi consistait ce soin mais il avait tourné et retourné une dizaine de possibilités dans sa tête, et les avait de nouveau toutes examinées pour chercher quelque indéfinissable degré d'importance.

Il raconta :

– Ug, l'homme des cavernes, voit sa compagne arriver en courant, en larmes, ses peaux de bêtes en désordre, et elle crie, complètement affolée : « Ug ! Un tigre à dents de sabre vient d'entrer dans la caverne de maman ! Fais quelque chose ! » Mais Ug continue de ronger son os de mammouth et réplique : « Quoi ? On se fout de ce qui peut arriver à un tigre à dents de sabre ! »

Ce fut alors que Meyerhof posa ses deux questions et se renversa contre le dossier de sa chaise, les yeux fermés. Il avait fini.

– Je n'ai absolument rien trouvé à redire, dit Trask à Whistler. Il m'a raconté assez volontiers ce qu'il faisait; c'était un peu bizarre mais pas répréhensible.

— Ce qu'il *prétend* qu'il fait, rectifia Whistler.

— Mais, tout de même, je ne peux pas arrêter ce que fait un Grand Maître sur une simple opinion. Il paraît bizarre mais, après tout, les Grands Maîtres sont tous censés être bizarres. Je ne le crois pas fou.

— Se servir de Multivac pour trouver la source des plaisanteries? marmonna l'analyste, agacé. Ce n'est pas de la folie, ça?

— Comment pourrions-nous le savoir? La science a progressé jusqu'au point où les seules questions significatives qui restent sont celles qui sont ridicules. Les raisonnables ont été imaginées, étudiées, posées et ont reçu leur réponse il y a bien longtemps.

— Causez toujours, mais je suis inquiet.

— Peut-être, mais nous n'avons pas le choix, Whistler. Nous verrons Meyerhof et vous ferez l'analyse nécessaire de la réponse de Multivac, s'il y en a une. Quant à moi, mon seul devoir est de m'occuper de la paperasse. Pensez donc, je ne sais même pas ce qu'un analyste principal comme vous est chargé de faire, excepté analyser, et ça ne m'aide pas beaucoup.

— C'est assez simple, dit Whistler. Un Grand Maître comme Meyerhof pose des questions et Multivac les formule automatiquement en quantités et opérations. La mécanique nécessaire pour convertir les mots en symboles est ce qui compose presque toute la masse de Multivac. Ensuite, Multivac donne la réponse en quantités et en opérations, mais il ne retraduit pas en mots, sauf dans les cas de routine les plus simples. S'il était conçu pour résoudre le problème général de retraduction, sa masse serait quadruple, au moins.

– Je comprends. Votre travail est donc de traduire ces symboles en mots.

– Mon travail et celui des autres analystes. Nous employons des ordinateurs plus petits, spécialement conçus, quand c'est nécessaire. Comme la Pythie de Delphes, de la Grèce antique, Multivac donne des réponses prophétiques obscures. Seulement nous avons des traducteurs.

Ils étaient arrivés. Meyerhof les attendait. Whistler alla droit au but :

– Quels circuits avez-vous utilisés, Grand Maître?

Meyerhof le lui dit et Whistler se mit aussitôt au travail.

Trask essaya de suivre ce qui se passait mais il n'y comprenait rien. Il regarda une bobine tourner en dévidant une bande couverte de groupes de points sans queue ni tête. Le Grand Maître Meyerhof se tenait à l'écart, l'air indifférent, pendant que Whistler examinait le schéma à mesure qu'il émergeait. L'analyste était coiffé d'un casque à écouteurs et doté d'un micro, et murmurait de temps en temps des instructions qui, dans quelque endroit lointain, guidaient des assistants à travers les circonvolutions électroniques d'autres ordinateurs.

Parfois, Whistler écoutait et tapait des combinaisons sur un clavier complexe, portant des symboles qui avaient un aspect vaguement mathématique mais ne l'étaient pas.

Plus d'une heure s'écoula.

Le pli se creusa sur le front de Whistler. Une seule fois, il se tourna vers les deux autres et commença une phrase :

– C'est incroy...

Et puis il revint à son travail.

Enfin, les yeux rougis, il annonça d'une voix sourde :

– Je ne peux pas vous donner une réponse officielle. La réponse officielle attend l'analyse complète. Voulez-vous une analyse officieuse ?

– Allez-y, dit Meyerhof.

Trask hocha la tête. Whistler jeta un coup d'œil penaud au Grand Maître.

– Quand on pose une question idiote... Multivac dit : origine extra-terrestre.

– Qu'est-ce que vous dites ? s'écria Trask.

– Vous n'avez pas entendu ? Les plaisanteries qui nous font rire ne sont inventées par aucun homme. Multivac a analysé toutes les informations qu'on lui a données et la seule réponse qui concorde le mieux avec tous les renseignements, c'est qu'une intelligence extra-terrestre a composé les blagues, toutes, et les a placées dans des esprits humains sélectionnés, à des moments et en des lieux sélectionnés, de telle manière qu'aucun homme n'est conscient d'en avoir inventé une. Toutes les plaisanteries qui ont suivi sont des variations et des adaptations de ces grandes histoires originelles.

Meyerhof intervint, la figure congestionnée par ce genre de triomphe que seul un Grand Maître peut connaître lorsqu'il a, une fois de plus, posé la bonne question.

– Tous les auteurs comiques travaillent en interprétant de vieilles blagues et en les adaptant à de nouvelles situations. C'est bien connu. La réponse concorde.

– Mais pourquoi ? demanda Trask. Pourquoi inventer les histoires drôles ?

– Multivac dit, expliqua Whistler, que la seule intention concordant avec toutes les informations est la suivante : les plaisanteries sont destinées à étudier la psychologie humaine. Nous étudions la psychologie des rats en les faisant courir dans un labyrinthe pour découvrir la sortie. Les rats ne savent pas pourquoi et ils ne le sauraient même pas s'ils avaient conscience de ce qui se passe, ce qui n'est pas le cas. Ces intelligences extra-terrestres étudient la psychologie de l'homme en notant les réactions individuelles à des anecdotes soigneusement sélectionnées. Chaque homme réagit différemment... Il est probable que ces intelligences extérieures se servent de nous comme nous nous servons des rats.

Il frémit. Trask ouvrait de grands yeux.

– Le Grand Maître dit que l'homme est le seul animal à avoir le sens de l'humour. Il semblerait alors que le sens de l'humour nous soit imposé de l'extérieur !

Meyerhof ajouta, tout émoustillé :

– Et pour l'humour créé de l'intérieur, nous n'avons pas de rire. Les calembours, je veux dire.

– On peut présumer, hasarda Whistler, que les extraterrestres annulent notre réaction aux plaisanteries spontanées pour éviter la confusion.

Trask s'exclama, dans un brusque accès de torture cérébrale :

– Allons, voyons ! Mon Dieu ! Est-ce que vous croyez vraiment à cela, tous les deux ?

L'analyste le toisa froidement.

– Multivac le dit. C'est tout ce que nous pouvons déclarer jusqu'à présent. Il a désigné les véritables plaisantins de l'univers, et si nous voulons en savoir davantage, l'enquête devra être poursuivie... Si quelqu'un ose la poursuivre, conclut-il dans un souffle.

Le Grand Maître Meyerhof dit tout à coup :

– J'ai posé deux questions. Jusqu'à présent, nous n'avons de réponse qu'à la première. Je pense que Multivac a assez d'information pour répondre à la seconde.

Whistler haussa les épaules. Il était comme brisé.

– Quand un Grand Maître pense qu'il y a suffisamment d'informations, je parie tout là-dessus. Quelle est votre seconde question ?

– Voici ce que j'ai demandé : « Quel effet aura sur la race humaine la découverte de la réponse à ma première question ? »

– Pourquoi avez-vous demandé ça ? s'étonna Trask.

– J'ai simplement senti que la question devait être posée.

– De la folie. Tout cela n'est que de la folie.

Même Trask trouvait singulier que Whistler et lui eussent ainsi changé de camp. Maintenant c'était lui qui criait à l'insanité.

Trask ferma les yeux. Il pourrait crier au fou tant qu'il voudrait mais aucun homme, depuis cinquante ans, n'avait mis en doute la combinaison d'un Grand Maître et de Multivac, et pas une fois de tels doutes ne s'étaient trouvés fondés.

Whistler travaillait en silence, les dents serrées. Il remettait à l'épreuve Multivac et ses appareils subsidiaires. Une nouvelle heure s'écoula avant qu'il n'éclatât d'un rire dur.

– Un cauchemar délirant !

– Quelle est la réponse ? demanda Meyerhof. Je veux les réflexions de Multivac, pas les vôtres !

– D'accord. Encaissez ! Multivac déclare que si

267

un seul être humain découvre la vérité sur la méthode d'analyse psychologique de l'esprit humain, elle deviendra inutilisable comme technique objective pour les puissances extra-terrestres qui l'emploient actuellement.

— Vous voulez dire qu'il n'y aura plus de plaisanteries transmises à l'humanité? demanda faiblement Trask. Que voulez-vous dire, au juste?

— Plus de plaisanteries, dit Whistler. *Tout de suite*! Multivac dit *tout de suite*! Une nouvelle technique devra être conçue.

Ils se regardèrent tous les trois. Des minutes passèrent. Meyerhof dit lentement :

— Multivac a raison.

— Je sais, dit Whistler, la mine hagarde.

Et même Trask avoua dans un souffle :

— Oui. Il doit avoir raison.

Ce fut Meyerhof qui en donna la preuve. Meyerhof, le plaisantin accompli :

— C'est fini, vous savez, complètement fini. Voilà cinq minutes que j'essaie de penser à une bonne histoire et je n'en trouve aucune, pas une seule! Et si j'en lisais une dans un livre, je ne rirais pas. Je le sais!

— Le don de l'humour a disparu, dit tristement Trask. Plus jamais aucun homme ne rira.

Et ils restèrent sur place, les yeux creux, sentant le monde se rétrécir aux dimensions d'une cage à rats expérimentale... avec le labyrinthe supprimé et quelque chose... quelque chose d'autre qu'on s'apprêtait à mettre en place.

LA DERNIÈRE QUESTION
(THE LAST QUESTION)

La dernière question fut posée pour la première fois, presque en manière de plaisanterie, le 21 mai 2061, à une époque où l'humanité faisait ses premiers pas dans la lumière. La question fut posée à la suite d'un pari de cinq dollars devant quelques verres de whisky, et la chose se passa ainsi :

Alexander Adell et Bertram Lupov étaient deux des fidèles serviteurs de Multivac. Ils savaient, autant que pouvait le savoir un être humain, ce qui se cachait derrière la froide façade cliquetante et clignotante – des kilomètres et des kilomètres de façade – de cet ordinateur géant. Ils avaient au moins une vague idée du schéma général des relais et des circuits qui avaient dépassé depuis longtemps le stade où un être humain était capable de saisir la portée de l'ensemble.

Multivac était auto-régleur et auto-correcteur. Il devait l'être car rien d'humain ne pouvait le régler

269

et le corriger assez vite ni même assez précisément. Adell et Lupov ne s'occupaient donc que superficiellement du monstre, mais aussi bien que le pouvaient des hommes. Ils l'alimentaient en informations, ils adaptaient les questions à ses besoins et traduisaient les réponses données. Ils avaient parfaitement le droit, et tous les autres avec eux, de partager la gloire de Multivac.

Depuis des décennies, Multivac aidait à concevoir les vaisseaux et les trajectoires qui permettaient à l'homme d'atteindre la Lune, Mars et Vénus mais, au-delà, les maigres ressources de la Terre ne suffisaient pas aux vaisseaux. Il fallait trop d'énergie pour les longs voyages. La Terre exploitait avec une efficacité constamment accrue son charbon et son uranium, mais ses réserves étaient limitées.

Petit à petit, cependant, Multivac en apprit assez pour répondre à des questions plus profondes, de façon plus fondamentale et, le 14 mai 2061, ce qui n'avait été jusque-là que pure théorie devint une réalité.

L'énergie du Soleil était captée, emmagasinée, convertie et utilisée directement, à l'échelle planétaire. La Terre entière cessa de brûler du charbon, de fissionner l'uranium et enclencha le mécanisme qui la connectait à une petite station, de quinze cents mètres de diamètre, tournant autour de la Terre, à mi-distance de la Lune. Et la Terre entière se mit à fonctionner grâce aux rayons invisibles de l'énergie solaire.

Sept jours n'avaient pas suffi à ternir la gloire de cette réussite, et Adell et Lupov parvinrent enfin à s'évader de leur poste, pour se retrouver discrètement là où personne ne songerait à les chercher : dans les salles souterraines abandonnées où étaient construites plusieurs parties du gigantesque corps enfoui de Multivac. Livré à lui-même, marchant au ralenti, triant des informations à petits cliquetis paresseux et satisfaits, Multivac aussi avait mérité des vacances, les deux garçons le comprenaient bien. Ils n'avaient pas la moindre intention, initialement, de le déranger.

Ils avaient apporté une bouteille et leur seul souci, pour le moment, était de se détendre en compagnie l'un de l'autre et du whisky.

– C'est quand même inouï, quand on y pense, dit Adell. (Sa large figure était marquée par la fatigue, il regardait les cubes de glace danser dans son verre.) Toute l'énergie que nous pouvons utiliser, gratuitement. Assez d'énergie, si nous voulions, pour fondre la Terre en une grosse goutte de fer liquide impur, sans que l'énergie utilisée vienne à manquer. Toute l'énergie que nous pourrons jamais utiliser, pour l'éternité.

Lupov pencha la tête de côté. Il avait le chic de faire ce geste quand il voulait vous contrarier, et il le voulait maintenant, en partie parce qu'il avait dû porter la glace et les verres.

– Pas éternellement, dit-il.

– Oh, quoi, presque éternellement. Jusqu'à ce que le Soleil s'éteigne.

– Ça n'est donc pas éternellement.

– Bon, d'accord. Pour des milliards et des milliards d'années, alors. Vingt milliards, peut-être. T'es content ?

Lupov passa les doigts dans ses cheveux clairsemés, comme pour s'assurer qu'il lui en restait encore quelques-uns, et but une gorgée.

– Vingt milliards d'années, ça n'est pas éternellement.

– Ça durera au moins tout notre temps à nous.

– Le charbon et l'uranium aussi.

– D'accord, mais à présent, nous pouvons brancher chaque vaisseau sur la station solaire et il sera capable d'aller jusqu'à Pluton un million de fois, sans avoir à se soucier de faire le plein. On ne peut pas faire ça avec le charbon et l'uranium. Demande à Multivac, si tu ne me crois pas.

– Je n'ai pas besoin de demander à Multivac. Je le sais.

– Alors arrête de débiner ce que Multivac a fait pour nous, dit Adell en s'emportant. Il a été très bien.

– Qui dit le contraire? Ce que je dis, c'est qu'un soleil ne dure pas éternellement. C'est tout ce que je dis. Nous sommes tranquilles pour vingt milliards d'années, mais ensuite? dit Lupov en pointant vers son camarade un doigt légèrement tremblant. Et ne va pas me raconter qu'on se branchera sur un autre soleil!

Un silence tomba, qui dura un moment. Adell ne portait qu'occasionnellement son verre à ses lèvres et les yeux de Lupov se fermaient lentement. Ils se reposaient. Enfin, Lupov ouvrit brusquement les yeux.

– Tu penses que nous nous brancherons sur un autre soleil quand le nôtre sera fini, hein?

– Je ne pense rien.

– Bien sûr que si. Tu es faible côté logique, c'est ça ton drame. T'es comme le type dans l'histoire qui est surpris par une brusque averse et qui court sous un bouquet d'arbres. Il ne se fait pas de souci, tu comprends, parce qu'il se dit qu'une fois que la pluie aura traversé son arbre il se mettra sous un autre!

– J'ai pigé, dit Adell. Ne crie pas. Quand le Soleil sera fichu, les autres étoiles disparaîtront aussi.

– Je te crois de bois, marmonna Lupov. Tout a eu un commencement dans l'explosion cosmique originelle, et faudra que ça finisse quand les étoiles s'éteindront. Y en a qui s'usent plus vite que d'autres. Les géantes, tiens, elles ne vont pas durer cent millions d'années. Le Soleil durera vingt milliards d'années, et les naines peut-être cent milliards, pour ce qu'elles valent. Mais donne-nous juste un trillion d'années et tout deviendra noir. L'entropie doit croître au maximum, c'est tout.

– Je sais tout ce qu'il y a à savoir de l'entropie, déclara Adell en se drapant dans sa dignité.

– Ne me fais pas rigoler.

– J'en sais autant que toi.

– Alors tu sais que tout doit s'user un jour.

– D'accord. Qui a dit que ça ne s'userait pas?

– Toi, pauvre imbécile. Tu as dit que nous avions toute l'énergie dont nous avions besoin pour l'éternité. Tu as dit l'éternité.

Ce fut au tour d'Adell de devenir contrariant.

– Nous pourrons peut-être reconstruire les choses, un jour, dit-il.

– Jamais!

– Pourquoi pas? Un jour?

– Demande à Multivac.

– Jamais!

– Allez, demande à Multivac. Chiche! Cinq dollars que ça n'est pas possible!

Adell était juste assez ivre pour essayer, juste assez lucide pour composer les symboles et les opérations nécessaires en une question qui, avec des mots, aurait pu correspondre à ceci : « Est-ce que l'humanité sera capable un jour, sans dépense d'énergie, de rendre au Soleil sa jeunesse, même après qu'il sera mort de vieillesse? »

Ou peut-être, plus simplement : « Comment l'entropie de l'univers peut-elle être amenée à décroître massivement? »

Multivac devint aussitôt inerte et silencieux. Le lent clignotement des voyants cessa, les sons lointains des relais se turent.

Enfin, au moment où les deux hommes effrayés ne pouvaient plus retenir leur respiration, le téléscripteur fixé à cette partie de Multivac s'anima brusquement. Cinq mots y étaient imprimés : INFORMATION INSUFFISANTE POUR RÉPONSE SIGNIFICATIVE.

– Pas encore, chuchota Lupov, et ils partirent précipitamment.

Le lendemain, accablés par de violents maux de tête, et la bouche pâteuse, ils avaient oublié l'incident.

Jerrodd, Jerrodine et Jerrodette I et II regardèrent changer l'image étoilée dans le visipanneau, alors que le passage dans l'hyperespace se terminait dans son hiatus de non-temps. Tout à coup, le poudroiement régulier des étoiles fit place à la prédominance d'un seul disque éblouissant, en plein centre.

– Voilà X-23, annonça Jerrodd avec assurance.

Il serrait ses mains maigres dans son dos, si fort que les articulations étaient blanches.

Les petites Jerrodette, deux filles, venaient de passer pour la première fois dans l'hyperespace et elles étaient intimidées par la sensation momentanée de retournement total de leur corps. Elles étouffèrent leurs rires nerveux et se mirent à courir comme des folles autour de leur mère en glapissant :

– Nous avons atteint X-23! Nous avons atteint X-23! Nous...

– Silence, les enfants, dit sèchement Jerrodine. Tu en es sûr, Jerrodd?

– Comment est-ce que je n'en serais pas sûr?

Il leva les yeux vers la moulure de métal lisse, juste au-dessous du plafond. Elle s'étirait sur toute la longueur de la cabine et disparaissait dans la paroi, à chaque extrémité. Elle était aussi longue que le vaisseau.

Jerrodd ne savait pratiquement rien de cette épaisse tige métallique, sinon qu'on l'appelait Microvac, qu'on lui posait des questions si on voulait, que c'était chargé de guider le vaisseau vers une destination pré-ordonnée, de s'alimenter en énergie aux diverses sous-stations-service galactiques et de calculer l'équation pour les bonds dans l'hyperespace.

Jerrodd et sa famille n'avaient qu'à attendre et se laisser vivre, dans les confortables aménagements résidentiels du vaisseau.

Quelqu'un avait dit une fois à Jerrodd que la terminaison '' ac '', de Microvac, signifiait *analog computer* en ancien anglais, mais il était sur le point d'oublier jusqu'à ce détail.

Jerrodine contemplait le visipanneau avec des yeux humides.

– Je n'y peux rien. Ça me fait tout drôle de quitter la Terre.

– Grands dieux, pourquoi? s'écria Jerrodd. Nous n'avions rien, là-bas. Nous aurons tout sur X-23. Tu ne seras pas toute seule. Tu ne seras pas une pionnière. Il y a déjà plus d'un million d'habitants sur la planète. Bon Dieu, nos arrière-petits-enfants chercheront de nouveaux mondes parce que X-23 sera surpeuplé!... Moi je te le dis, ajouta-t-il après réflexion, c'est un coup de chance que les ordinateurs aient permis le voyage interstellaire, au train où l'espèce se multiplie.

– Je sais, je sais, gémit Jerrodine.

– Notre Microvac est le meilleur Microvac du monde, pépia Jerrodette I.

– Je le pense aussi, répliqua Jerrodd en lui ébouriffant les cheveux.

C'était quand même bien agréable d'avoir un Microvac à soi et Jerrodd était heureux de faire partie de sa génération. Au temps de la jeunesse de son père, les ordinateurs étaient des monstres gigantesques occupant des centaines de kilomètres carrés de terrain. Il n'y en avait qu'un par planète. On les appelait les AC Planétaires. Depuis mille ans, ils ne cessaient de grandir avec régularité, et puis, tout à coup, le raffinement était venu. A la place des transistors, il y avait eu les capsules moléculaires qui faisaient que le plus énorme AC Planétaire pouvait être introduit dans un espace pas plus grand que la moitié d'un vaisseau spatial.

Jerrodd débordait d'exaltation, comme toujours quand il pensait que son Microvac personnel était infiniment plus complexe que l'ancien et primitif Multivac qui, le premier, avait domestiqué le Soleil, et presque aussi compliqué que l'AC Planétaire de la Terre (le plus grand) qui avait résolu le problème du voyage hyperspatial, et rendu possibles les voyages vers les étoiles.

– Tant d'étoiles, tant de planètes, soupira Jerrodine, plongée dans ses pensées. Je suppose que des familles vont émigrer éternellement vers de nouvelles planètes, comme nous aujourd'hui.

– Pas éternellement, dit Jerrodd avec un sourire. Tout s'arrêtera un jour, mais pas avant des milliards d'années. Même les étoiles s'usent, tu sais. L'entropie doit augmenter.

– Qu'est-ce que c'est, l'entropie, papa? glapit Jerrodette II.

– L'entropie, mon petit lapin, ce n'est qu'un mot qui signifie la dégradation de l'univers. Tout se dégrade, tu sais, comme ton petit robot walkie-talkie, tu te souviens?

– Tu ne peux pas mettre une unité d'énergie neuve, comme pour mon robot, papa?

– Les étoiles sont elles-mêmes les unités d'énergie, ma chérie. Une fois qu'elles disparaîtront, il n'y aura plus d'unités d'énergie.

Jerrodette I se mit aussitôt à hurler :

– Ne les laisse pas faire, papa, ne les laisse pas s'user!

– Ah, regarde ce que tu as fait! grommela Jerrodine, exaspérée.

– Comment pouvais-je deviner que ça leur ferait peur? chuchota Jerrodd.

– Demande à Microvac, sanglota Jerrodette I. Demande-lui comment rallumer les étoiles!

– Vas-y, conseilla Jerrodine. Ça les calmera.

(Jerrodette II commençait à sangloter à son tour.)

Jerrodd haussa les épaules.

– D'accord, d'accord, je vais le demander à Microvac. Ne vous inquiétez pas. Il nous le dira.

Il posa la question à Microvac en ajoutant vivement : « Imprime la réponse. »

Jerrodd cacha dans sa main l'étroite bande de cellufilm et annonça gaiement :

– Vous voyez, le Microvac dit qu'il s'occupera de tout le moment venu, alors ne vous faites pas de souci.

– Et maintenant, les enfants, c'est l'heure de

dormir. Nous serons bientôt dans notre nouveau foyer.

Jerrodd regarda les mots imprimés sur le cellofilm, avant de le détruire : INFORMATION INSUFFISANTE POUR RÉPONSE SIGNIFICATIVE.

Il haussa les épaules et regarda le visipanneau. X-23 était juste devant lui.

VJ-23X de Lameth regarda dans les profondeurs noires de la carte tri-dimensionnelle à petite échelle de la Galaxie et dit :

– Nous sommes ridicules, peut-être, de tant nous inquiéter de ça.

MQ-17J de Nicron secoua la tête.

– Je ne crois pas. Tu sais qu'à l'allure actuelle de l'expansion la Galaxie sera bondée d'ici à cinq ans.

Tous deux paraissaient avoir une vingtaine d'années, ils étaient tous deux grands et parfaitement formés.

– Quand même, dit VJ-23X, j'hésite à présenter un rapport pessimiste au Conseil galactique.

– Je ne puis en envisager aucun autre. Il faut les secouer. Nous devons les secouer.

VJ-23X soupira.

– L'espace est infini. Cent milliards de Galaxies sont là, à conquérir. Plus que ça.

– Cent milliards, ce n'est pas l'infini et ça devient de moins en moins infini. Réfléchis! Il y a vingt mille ans, l'humanité a enfin résolu le problème de l'utilisation de l'énergie stellaire et, quelques siècles plus tard, le voyage interstellaire est devenu possible. Il a fallu à l'homme un million d'années pour remplir un petit monde et ensuite seulement quinze mille ans pour occuper le reste de la Galaxie. Or, la population double tous les dix ans...

– Nous pouvons remercier l'immortalité pour ça, interrompit VJ-23X.

– Eh oui. L'immortalité existe et nous devons en tenir compte. Je reconnais qu'elle a ses inconvénients, l'immortalité. L'AC Galactique a résolu pour nous beaucoup de problèmes mais, en trouvant comment vaincre la vieillesse et la mort, il a détruit toutes ses autres solutions.

– Pourtant, tu ne voudrais pas abandonner la vie, je pense.

– Pas du tout, répondit sèchement MQ-17J, mais il se radoucit aussitôt. Pas encore. Je ne suis pas assez vieux. Quel âge as-tu?

– Deux cent vingt-trois ans. Et toi?

– Pas encore deux cents. Mais pour en revenir à ce que je disais, la population double tous les dix ans. Une fois cette Galaxie saturée, il nous faudra encore dix ans pour en remplir une autre. Et dix ans plus tard, nous en aurons entièrement peuplé deux de plus. Et après une nouvelle décennie, quatre de plus... Dans cent ans, nous occuperons mille Galaxies. Et dans mille ans, un million de Galaxies. Et dans dix mille ans, tout l'univers connu. Et ensuite, quoi?

– Il y a un problème annexe, dit VJ-23X, celui des transports. Je me demande combien d'unités d'énergie solaire seront nécessaires pour déplacer des Galaxies d'individus d'une Galaxie à la suivante.

– Très juste. Dèjà, l'humanité consomme deux unités d'énergie solaire par an.

– Dont la majorité est gaspillée. Après tout, notre propre Galaxie à elle seule produit mille unités d'énergie par an et nous n'en utilisons que deux.

– Accordé, mais même avec une efficacité à cent pour cent, nous ne faisons que conjurer la fin. Nos besoins énergétiques augmentent suivant une progression géométrique, encore plus vite que notre population. Nous serons à court d'énergie avant même d'être à court de Galaxies. Une bonne question. Une très bonne question.

– Il nous faudra simplement construire de nouvelles étoiles à partir des gaz interstellaires.

– Ou à partir de la chaleur dissipée? suggéra ironiquement MQ-17J.

– Il doit y avoir un moyen d'inverser l'entropie. Nous devrions le demander à l'AC Galactique.

VJ-23X ne parlait pas sérieusement mais MQ-17J tira de sa poche son contact AC et le posa devant lui sur la table.

– J'ai bien envie de faire ça, dit-il. C'est une chose que la race humaine devra affronter un jour.

Il contempla sombrement son petit contact AC. Il ne mesurait que cinq centimètres cubes et n'était rien en soi, mais il était relié à travers l'hyperespace au grand AC Galactique qui servait à toute l'humanité. Compte tenu de l'hyperespace, c'était une partie intégrante de l'AC Galactique.

MQ-17J se demanda si un jour, dans sa vie immortelle, il aurait l'occasion de voir l'AC Galactique. C'était un petit monde en soi, une toile d'araignée de rayons de force, maintenant la matière au sein de laquelle les sous-mésons remplaçaient les vieilles capsules moléculaires imprécises. Cependant, malgré ses câblages subéthériques, l'AC Galactique mesurait plus de trois cents mètres de large.

MQ-17J demanda brusquement à son contact AC :

– Est-ce que l'entropie peut être inversée ?

VJ-23X sursauta et protesta :

– Oh, dis ! Je ne voulais pas sérieusement te faire demander ça !

– Pourquoi pas ?

– Nous savons tous les deux que l'entropie ne peut pas être inversée. On ne peut pas retransformer la fumée et la cendre en arbre.

– Est-ce que tu as des arbres, dans ton monde ? demanda MQ-17J.

Le bruit de l'AC Galactique les réduisit au silence.

Sa voix s'éleva, belle et ténue, du petit contact AC sur la table et elle dit : L'INFORMATION EST INSUFFISANTE POUR UNE RÉPONSE SIGNIFICATIVE.

– Tu vois ! s'exclama VJ-23X.

Sur quoi les deux hommes retournèrent à l'affaire du rapport qu'ils devaient présenter au Conseil galactique.

L'esprit de Zee Prime contempla la nouvelle Galaxie avec un vague intérêt pour les innombrables bouquets d'étoiles qui la poudraient. Il n'avait encore jamais vu celle-ci. Les verrait-il jamais toutes ? Il y en avait tant, chacune avec son fardeau d'humanité. Mais un fardeau qui était presque un poids mort. La véritable essence des hommes se trouvait de plus en plus là où il était, dans l'espace.

Les esprits, pas les corps ! Les corps immortels restaient sur les planètes, en suspension au-dessus des âges. Parfois, ils se levaient pour une activité matérielle, mais de plus en plus rarement. Peu de nouveaux individus arrivaient à l'existence pour se joindre à l'incroyable foule, mais quelle importance? Il y avait peu de place dans l'univers pour les nouveaux individus.

Zee Prime fut arraché à ses réflexions en croisant les vrilles impalpables d'un autre esprit.

– Je suis Zee Prime, dit-il. Et toi?

– Je suis Dee Sub Wun. Ta Galaxie?

– Nous l'appelons simplement la Galaxie. Et toi?

– C'est comme ça aussi que nous appelons la nôtre. Tous les hommes appellent leur galaxie Galaxie et rien de plus. Pourquoi pas?

– Bien sûr. Puisque toutes les Galaxies sont pareilles.

– Pas toutes. La race humaine doit être originaire d'une Galaxie particulière. Ça la rend différente.

– Laquelle est-ce? demanda Zee Prime.

– Je ne sais pas. L'AC Universel doit le savoir.

– Si nous le lui demandions? Je suis curieux, tout à coup.

Les perceptions de Zee Prime s'élargirent jusqu'à ce que les Galaxies se rétrécissent et deviennent un nouveau poudroiement plus diffus, sur un fond beaucoup plus vaste. Il y en avait des centaines de millions, toutes avec leurs êtres immortels, portant toutes leur cargaison d'intelligence, avec des esprits qui voyageaient librement à travers l'espace. Et pourtant, chacune était unique parmi elles toutes, en étant la Galaxie originelle. L'une d'elles avait été pendant un temps, dans son vague et lointain passé, la seule à être peuplée par l'homme.

Zee Prime mourait de curiosité de voir cette Galaxie, et il lança:

– AC Universel! De quelle Galaxie l'Homme est-il originaire?

L'AC Universel entendit car, sur chaque monde et dans l'espace, il avait ses récepteurs en préparation, et chaque récepteur conduisait à travers l'hyperespace à un point inconnu où l'AC Universel se tenait au-dessus de tout.

Zee Prime n'avait entendu parler que d'un seul homme dont les pensées avaient pu pénétrer à distance de sensation dans l'AC Universel et il n'avait décrit qu'un petit globe étincelant, de soixante centimètres de large, difficile à distinguer.

– Mais comment est-ce que cela peut être tout l'AC Universel? avait demandé Zee Prime.

Et la réponse avait été :

– Sa plus grande partie est dans l'hyperespace. Sous quelle forme? Je ne puis l'imaginer.

Personne ne le pouvait car le temps était passé depuis longtemps, Zee Prime le savait, où l'homme participait si peu que ce fût à la fabrication d'un AC Universel. Chaque AC Universel concevait et construisait son successeur. Chacun d'eux, au cours de son existence d'un million d'années ou plus, avait accumulé les renseignements nécessaires pour construire un meilleur successeur, plus complexe, plus puissant, dans lequel sa propre réserve de science et son individualité seraient englouties.

L'AC Universel interrompit le cours des pensées vagabondes de Zee Prime non par des mots mais par un guidage. L'esprit de Zee Prime fut guidé dans la mer diffuse des Galaxies vers une en particulier, qui se développa en un groupe d'étoiles distinctes.

Une pensée vint, infiniment distante mais infiniment nette : « VOICI LA GALAXIE ORIGINELLE DE L'HOMME. »

Elle était cependant en tout point pareille aux autres, après tout, et Zee Prime refréna sa déception.

Dee Sub Wun, dont l'esprit l'avait accompagné, demanda soudain :

– Et est-ce qu'une de ces étoiles est l'étoile originelle de l'Homme?

L'AC Universel répondit :

– L'ÉTOILE ORIGINELLE DE L'HOMME S'EST TRANS-FORMÉE EN NOVA. C'EST UNE PETITE NAINE BLAN-CHE.

– Est-ce que les hommes qui l'habitaient sont morts? demanda Zee Prime sans réfléchir.

– COMME TOUJOURS DANS CES CAS-LÀ, UN NOUVEAU MONDE A ÉTÉ CONSTRUIT À TEMPS POUR LEURS CORPS PHYSIQUES.

– Oui, naturellement, dit Zee Prime, mais il fut, malgré tout, accablé de chagrin.

Son esprit relâcha son emprise sur la Galaxie originelle de l'Homme et recula pour se perdre parmi les myriades de points lumineux confus. Il ne voulait plus jamais la revoir.

– Qu'est-ce qui ne va pas? demanda Dee Sub Wun.

– Les étoiles meurent. L'étoile originelle est morte.

– Elles doivent toutes mourir. Pourquoi pas?

– Mais quand toute l'énergie aura disparu, nos corps finiront par mourir, et toi et moi avec eux.

– Ce ne sera pas avant un milliard d'années.

– Je ne veux pas que ça arrive, même après des milliards d'années. AC Universel! Comment peut-on empêcher les étoiles de mourir?

– Tu demandes maintenant comment la direction de l'entropie peut être inversée! dit Dee Sub Wun, amusé.

Et l'AC Universel répondit :

– LES INFORMATIONS SONT ENCORE INSUFFISANTES POUR UNE RÉPONSE SIGNIFICATIVE.

Les pensées de Zee Prime retournèrent en hâte vers sa propre Galaxie. Il ne transmit plus de pensées à Dee Sub Wun dont le corps attendait peut-être dans une Galaxie, à un trillion d'années-lumière, ou sur l'étoile voisine de celle de Zee Prime. Cela n'avait pas d'importance.

Tristement, Zee Prime commença à rassembler de l'hydrogène interstellaire pour se fabriquer une petite étoile à lui. Si les étoiles devaient un jour mourir, on pouvait au moins en créer encore autant qu'on voulait.

L'Homme se mit à se considérer lui-même car, dans un sens, l'Homme, mentalement, était un. Il était formé d'un trillion de trillions de trillions de corps sans âge, chacun à sa place, chacun paisible et incorruptible, chacun soigné par de parfaits automates, également incorruptibles, tandis que les esprits de tous ces corps se fondaient librement les uns dans les autres, indistincts.

– L'univers se meurt, dit l'Homme.

L'Homme contempla les Galaxies assombries. Les étoiles géantes, prodigues, avaient disparu depuis longtemps, dans l'obscurité du plus obscur des lointains passés. Presque toutes les étoiles étaient des naines blanches, perdant leur éclat, déclinantes.

De nouvelles étoiles avaient été construites avec la poussière entre les étoiles, certaines par des processus naturels, d'autres par l'Homme lui-même, et celles-là s'en allaient aussi. Il arrivait que des naines blanches entrent en collision; les forces énormes ainsi libérées créaient des étoiles neuves, suivant un taux d'une seule pour mille naines détruites, et celles-là aussi finiraient.

L'Homme dit :

– Soigneusement économisée, sous la direction de l'AC Cosmique, l'énergie qui reste encore dans tout l'univers durera des milliards d'années. Mais malgré cela, elle finira par disparaître. De quelque manière qu'on l'épargne, de quelque manière qu'on la fasse durer, l'énergie une fois dépensée n'existe plus et ne peut être reconstituée. L'entropie doit augmenter éternellement vers le maximum.

L'Homme dit :

– L'entropie peut-elle être inversée ? Demandons à l'AC Cosmique.

L'AC Cosmique les entourait, mais pas dans l'espace. Pas un de ses fragments n'était dans l'espace. Il se trouvait dans l'hyperespace et il était fait d'autre chose que de matière ou d'énergie. La question de sa taille et de sa nature n'avait plus aucune signification, sinon en des termes incompréhensibles pour l'Homme.

– AC Cosmique, demanda l'Homme, comment l'entropie peut-elle être inversée ?

L'AC Cosmique répondit :

– IL N'Y A PAS ENCORE DE DONNÉES SUFFISANTES POUR UNE RÉPONSE SIGNIFICATIVE.

– Rassemble des données supplémentaires, dit l'Homme.

L'AC Cosmique répliqua :

– JE VAIS LE FAIRE. JE LE FAIS DEPUIS CENT MILLIARDS D'ANNÉES. MES PRÉDÉCESSEURS ONT SOUVENT EU À RÉPONDRE À CETTE QUESTION. TOUTES LES DONNÉES QUE J'AI DEMEURENT INSUFFISANTES.

– Est-ce qu'un temps viendra, demanda l'Homme, où les données seront suffisantes, ou le problème est-il insoluble dans tous les cas concevables?

– AUCUN PROBLÈME N'EST INSOLUBLE DANS TOUS LES CAS CONCEVABLES.

– Quand auras-tu suffisamment de données pour répondre à la question?

– IL N'Y A PAS ENCORE DE DONNÉES SUFFISANTES POUR UNE RÉPONSE SIGNIFICATIVE.

– Est-ce que tu vas continuer à y travailler? demanda l'Homme.

– JE CONTINUERAI, répliqua l'AC Cosmique.

– Nous attendrons, dit l'Homme.

Les étoiles et les Galaxies moururent et s'éteignirent, et l'espace devint noir, après dix trillions d'années de dégradation.

Un par un, l'Homme fusionna avec l'AC, chaque corps physique perdant son identité mentale, de telle façon que ce n'était pas une perte mais un gain.

Le dernier esprit de l'Homme hésita avant la fusion, en contemplant un espace qui ne contenait rien que les restes d'une dernière étoile obscure, et une masse de matière incroyablement mince, agitée au hasard par les extrémités d'une vague de chaleur baissant, asymptotiquement, vers le zéro absolu.

L'Homme demanda :

– AC, est-ce la fin? Ce chaos ne peut-il être inversé une fois de plus en un univers? Est-ce que cela ne peut être fait?

L'AC répondit :

– IL N'Y A PAS ENCORE DE DONNÉES SUFFISANTES POUR UNE RÉPONSE SIGNIFICATIVE.

Le dernier esprit de l'Homme fusionna et seul l'AC exista... et cela dans l'hyperespace.

La matière et l'énergie avaient pris fin et, avec elles, l'espace et le temps. Même l'AC n'existait plus que pour la toute dernière question qui n'avait pas obtenu de réponse depuis qu'un technicien à moitié ivre l'avait posée, dix trillions d'années plus tôt, à un ordinateur qui était à l'AC infiniment moins que ce qu'était un homme pour l'Homme.

Toutes les autres questions avaient obtenu des réponses et, tant qu'il n'y en aurait pas à cette dernière question, l'AC ne pourrait libérer son conscient.

Toutes les données avaient été récoltées. Il ne restait rien à être absorbé.

Mais toutes les données récoltées avaient encore à être collationnées et complètement rassemblées, selon tous les rapports possibles.

Un intervalle hors du temps y fut consacré.

Et il advint que l'AC apprit comment inverser la direction de l'entropie.

Mais il n'y avait plus d'homme à qui l'AC pouvait donner la réponse à la dernière question. Peu importait. La réponse y pourvoirait, par démonstration.

Pendant une autre période hors du temps, l'AC réfléchit au meilleur moyen de s'y prendre. Avec soin, l'AC organisa le programme.

Le conscient de l'AC embrassa tout ce qui avait été un univers et réfléchit sombrement à ce qui était maintenant le Chaos. Pas à pas, cela devait être fait.

Et l'AC dit :

– QUE LA LUMIÈRE SOIT !

Et la lumière fut...

EST-CE QU'UNE ABEILLE SE SOUCIE...?
(DOES A BEE CARE...?)

Le vaisseau commença par un squelette mental. Lentement, une peau brillante fut étalée par-dessus et des organes vitaux aux formes bizarres fourrés à l'intérieur.

Thornton Hammer, entre tous les individus (sauf un) concernés par la construction, travaillait physiquement le moins. Peut-être était-ce pour cela qu'il était le plus estimé. Il s'occupait des symboles mathématiques formant la base des lignes sur le papier millimétré qui, à leur tour, formaient la base du montage des diverses masses et formes d'énergie entrant dans le vaisseau.

Pour l'heure, Hammer observait sombrement, à travers ses lunettes qui étaient comme vissées à ses yeux. Leurs verres reflétaient la lumière des tubes fluorescents du plafond et la renvoyaient comme des phares. Theodore Lengyel, représentant le personnel de la compagnie qui finançait le projet, se tenait à côté de lui, et il dit en pointant un index rigide, menaçant :

– Le voilà. C'est l'homme.

Hammer regarda.

– Vous voulez dire Kane?

– Le type en combinaison verte, qui tient une clef.

– C'est Kane. Alors, qu'est-ce que vous avez contre lui?

– Je veux savoir ce qu'il fait. Cet homme est un imbécile.

Lengyel avait une figure ronde, grasse, et ses bajoues frémissaient un peu.

Hammer se retourna pour le regarder, tout son corps mince prit une attitude de mécontentement.

– Est-ce que vous l'avez embêté?

– *Embêté?* Je lui ai parlé. C'est mon travail, parler aux hommes, obtenir leur point de vue, obtenir les informations qui me permettent d'organiser des campagnes pour améliorer le moral.

– En quoi Kane gêne-t-il ce processus?

– Il est insolent. Je lui ai demandé quel effet cela faisait de travailler à un vaisseau qui atteindrait la Lune. Je lui ai parlé du vaisseau comme d'un chemin vers les étoiles. J'ai peut-être fait un petit discours, exagéré un peu, soit, mais il s'est détourné de la manière la plus grossière. Je l'ai rappelé et je lui ai demandé : « Où allez-vous? » Et il m'a dit : « J'en ai assez de ce genre de sermons. Je sors regarder les étoiles. »

Hammer hocha la tête.

– D'accord. Kane aime regarder les étoiles.

– Il faisait jour. Cet homme est un imbécile. Je l'ai observé depuis : il ne travaille jamais.

– Je le sais.

– Alors pourquoi le garde-t-on?

Hammer répliqua, avec une brusquerie farouche, soudaine :

– Parce que je veux l'avoir ici. Parce qu'il est ma chance.

– Votre chance? bredouilla Lengyel. Qu'est-ce que ça veut dire, ça?

– Cela veut dire que lorsqu'il est là je réfléchis mieux. Quand il passe près de moi, avec sa fichue clef, il me vient des idées. C'est arrivé trois fois. Je ne l'explique pas. Ça ne m'intéresse pas de l'expliquer. Cela arrive. Il reste.

– Vous plaisantez!

– Non, pas du tout. Maintenant, laissez-moi tranquille.

Kane se tenait là, en combinaison verte, sa clef à la main.

Il avait vaguement conscience que le vaisseau était presque prêt. Il n'était pas destiné à transporter un homme, mais la place pour un homme était néanmoins prévue. Kane le savait comme il savait beaucoup de choses; par exemple se tenir à l'écart des autres, presque continuellement; par exemple porter sa clef jusqu'à ce qu'on s'habitue à le voir porter une clef, et qu'on cesse de la remarquer. Le camouflage protecteur était fait de petites choses, en réalité, comme le fait d'avoir cette clef à la main.

Il était animé de pulsions qu'il ne comprenait pas tout à fait, comme son envie de regarder les étoiles. Au début, des années auparavant, il avait simplement regardé les étoiles avec une vague nostalgie. Et puis, lentement, son attention s'était concentrée sur une certaine région du ciel, puis sur un certain point précis de cette région.

Pourquoi ce point, il l'ignorait. Il n'y avait pas d'étoiles, là où il regardait. Il n'y avait rien à voir.

Ce point était tout en haut du ciel nocturne; à la fin du printemps et durant les mois d'été, Kane passait parfois presque toute la nuit à le regarder jusqu'à ce qu'il plonge vers l'horizon du sud-ouest. A d'autres époques de l'année, il pouvait le regarder en pleine journée.

Il y avait une idée en rapport avec ce point, qu'il n'arrivait pas à cristalliser. Elle devenait plus forte, plus près de la surface à mesure que passaient les années, et maintenant elle explosait presque pour s'exprimer. Mais elle n'était pas encore tout à fait claire.

Kane changea nerveusement de position et s'approcha du vaisseau. Il était presque terminé, presque entier. Tout était monté avec soin. Presque tout.

Car à l'intérieur, tout à l'avant, on avait pratiqué un trou un peu plus grand qu'un homme et, menant à ce trou, un passage un peu plus large qu'un homme. Le lendemain, ce passage serait rempli par les derniers organes et, avant cela, le trou devait être rempli aussi. Mais avec rien de ce qu'*ils* avaient prévu.

Kane se rapprocha encore et personne ne fit attention à lui. On était habitué à lui.

Il y avait une petite échelle métallique à escalader et une passerelle à suivre pour entrer par la dernière ouverture. Il savait où était l'ouverture, aussi exactement que s'il avait construit le vaisseau de ses mains. Il monta à l'échelle et suivit la passerelle. Il n'y avait personne pour le mo...

Il se trompait. Il y avait un homme. Cet homme demanda vivement :

– Qu'est-ce que vous faites là?

Kane se redressa et ses yeux vagues dévisagèrent celui qui venait de parler. Il leva sa clef et l'abattit légèrement sur la tête de l'autre. L'homme frappé (qui n'avait fait aucun effort pour parer le coup) s'écroula.

Kane le laissa étendu là, sans s'inquiéter. L'homme ne resterait pas longtemps sans connaissance mais assez pour permettre à Kane de s'insinuer dans le trou. Quand l'homme reviendrait à lui, il ne se souviendrait de rien au sujet de Kane ni de son évanouissement. Il y aurait eu simplement cinq minutes supprimées de sa vie, qu'il ne retrouverait jamais et qui ne lui manqueraient pas.

Il faisait noir dans le trou et, naturellement, il n'y avait pas d'aération, mais Kane n'y prêta pas attention. Avec la sûreté de l'instinct, il se hissa vers le trou qui le recevrait et s'y allongea, haletant, remplissant bien la cavité, comme si c'était une matrice.

Dans deux heures, on commencerait à introduire les derniers organes, le passage serait refermé et Kane serait abandonné là, à l'insu de tous. Kane serait la seule part de chair et de sang dans une chose de métal, de céramique et de carburant.

Kane ne craignait pas d'être découvert prématurément. Personne, appartenant au projet, ne savait que ce trou était là. La maquette ne le prévoyait pas. Les mécaniciens et les constructeurs n'avaient pas conscience de l'y avoir laissé.

Kane avait arrangé cela tout seul.

Il ne savait pas comment il s'y était pris, mais il savait qu'il l'avait fait.

Il était capable d'observer sa propre influence sans savoir comment elle s'exerçait. Hammer, par

exemple, le directeur du projet, était le plus nettement influencé. Entre toutes les silhouettes indis-
tinctes autour de Kane, il était la moins indistincte.
Kane avait fortement conscience de lui, par
moments, quand il passait près de lui au cours de
ses lentes et vagues pérégrinations sur le site. Cela
suffisait : passer près de lui.

Kane se souvenait que c'était déjà arrivé, en
particulier avec des théoriciens. Quand Lise Meit-
ner avait décidé de rechercher du barium parmi les
produits du bombardement de neutrons d'uranium, Kane avait été là, passant, sans que personne le remarque, dans un couloir voisin.

Il avait ramassé des feuilles et des détritus dans
un parc, en 1904, quand le jeune Einstein était
passé, plongé dans ses réflexions. Les pas d'Einstein s'étaient précipités, sous l'impact d'une pensée subite. Kane l'avait ressentie comme un choc
électrique.

Mais il ne savait pas comment cela se faisait.
Est-ce qu'une araignée connaît la théorie de l'ar-
chitecture quand elle commence à tisser sa première toile ?

Il fallait remonter plus loin encore. Le jour où le
jeune Newton avait contemplé la Lune, à l'aube
d'une certaine pensée, Kane avait été là. Et plus
loin encore.

Le panorama du Nouveau-Mexique, généralement désert, grouillait de fourmis humaines allant
et venant autour du puits de métal vertical. Cette
colonne était différente des structures semblables
qui l'avaient précédée.

Celle-ci se libérerait de la Terre plus nettement
qu'aucune autre. Elle partirait faire le tour de la
Lune avant de retomber. Elle serait bourrée d'ins-

truments qui photographieraient la Lune et mesureraient ses émissions de chaleur, sonderaient sa radioactivité et étudieraient par micro-ondes sa structure chimique. Elle ferait, par automation, presque tout ce qu'on pouvait attendre d'un véhicule habité. Et elle en apprendrait assez pour assurer que le prochain vaisseau lancé serait un véhicule habité.

Sauf que, dans un sens, ce premier vaisseau était après tout un véhicule habité.

Il y avait là des représentants de divers gouvernements, de diverses industries, de divers groupes sociaux et économiques. Il y avait des caméras de télévision et des journalistes.

Ceux qui ne pouvaient être là regardaient leur écran chez eux, écoutaient les chiffres du compte à rebours énoncé sur un ton monotone, suivant la tradition établie depuis trois décennies à peine.

A zéro, les moteurs à réaction s'allumèrent et le vaisseau s'éleva pesamment.

Kane entendit le bruit de la ruée des gaz, à une grande distance, et sentit la pression croissante de l'accélération.

Il détacha son esprit, l'éleva vers l'extérieur, le libéra de tout lien direct avec son corps de façon à ne pas sentir la douleur ou l'inconfort.

Il savait, vaguement, que son long voyage était presque terminé. Il n'aurait plus à manœuvrer adroitement pour éviter que les gens ne se rendent compte qu'il était immortel. Il n'aurait plus besoin de se fondre dans le décor, à l'arrière-plan; il ne serait plus obligé d'errer éternellement d'un endroit à un autre, en changeant de nom et de personnalité, en manipulant les cerveaux.

Tout n'avait pas été parfait, bien sûr. Les mythes

du Juif errant et du Hollandais volant s'étaient formés, mais il était encore là. Il n'avait pas été dérangé.

Il voyait son point dans le ciel. A travers la masse et la solidité du vaisseau, il le voyait. Ou ne le « voyait » pas réellement. Il ne connaissait pas le mot qui convenait.

Il savait qu'il y avait un mot propre, cependant. Il n'aurait pu dire comment il savait ne fût-ce qu'une fraction des choses qu'il connaissait, sinon qu'au fil des siècles il avait progressivement appris à les connaître avec une sûreté qui n'exigeait aucune raison.

Il avait débuté sous forme d'ovule (ou quelque chose qu'il ne pouvait désigner que sous le mot d'ovule), déposé sur la Terre avant que les premières villes fussent bâties par les chasseurs errants qu'on appela plus tard des « hommes ». La Terre avait été soigneusement choisie par son géniteur. Ce n'était pas n'importe quel monde qui faisait l'affaire.

Alors quel monde? Quel était le critère? Cela, il ne le savait pas encore.

Est-ce qu'un ichneumon étudie l'ornithologie avant de trouver l'espèce d'araignée qui conviendra à ses larves, et de la piquer, à peine, de manière qu'elle reste en vie?

L'ovule l'avait finalement lâché et il avait pris la forme d'un homme pour vivre parmi les hommes et se protéger contre eux. Et pendant tout ce temps il n'avait eu qu'un seul but : s'arranger pour que les hommes suivent un chemin qui aboutirait à un vaisseau contenant un trou qui le contiendrait, lui.

Il lui avait fallu huit mille ans d'efforts lents et difficiles.

Le point dans le ciel devint plus net quand le vaisseau quitta l'atmosphère. C'était la clef qui ouvrait son esprit. C'était la pièce qui complétait le puzzle.

Des étoiles clignotaient dans ce point qui ne pouvait être vu à l'œil nu par un homme. Une en particulier étincelait de tous ses feux et Kane se tendit vers elle. L'expression qui couvait en lui depuis si longtemps éclata à la surface.

– Chez moi, souffla-t-il.

Il savait! Est-ce qu'un saumon étudie la cartographie pour retrouver la source des rivières d'eau douce où il est né des années plus tôt?

Le dernier pas était fait, dans la lente maturation qui avait duré huit mille ans, et Kane n'était plus larvaire mais adulte.

L'adulte Kane s'enfuit de la chair humaine qui avait protégé la larve et s'échappa aussi du vaisseau. Il se précipita en avant, à des vitesses inconcevables, vers le foyer qu'il quitterait un jour, afin d'errer dans l'espace pour féconder quelque planète avec son rejeton.

Il fila dans l'espace, sans une pensée pour le vaisseau qui transportait une chrysalide vide. Il ne pensa pas qu'il avait conduit un monde vers la technologie et le voyage spatial, dans le seul but que la chose qui avait été Kane pût atteindre sa maturité et accomplir son destin.

Est-ce que l'abeille se soucie de ce qui arrive à la fleur qu'elle a butinée, quand elle s'en envole?

ARTISTE DE LUMIÈRE
(LIGHT VERSE)

La dernière personne au monde qu'on aurait soupçonnée d'être une meurtrière était Mrs Alvis Lardner. Veuve du grand astronaute-martyr, elle était philanthrope, collectionneuse d'œuvres d'art, femme du monde extraordinaire et, tout le monde s'accordait à le reconnaître, artiste de génie.

Son mari, William J. Lardner, était mort, comme nous le savons tous, des effets de la radiation d'une flambée solaire, après être volontairement resté dans l'espace, pour qu'un vaisseau de ligne pût arriver à bon port à la Station spatiale 5.

Mrs Lardner avait reçu pour cela une pension généreuse et elle avait investi sagement et à bon escient. Arrivée à un certain âge, elle était très riche.

Sa maison était un palais, un véritable musée contenant une petite mais remarquable collection d'objets d'une beauté incroyable, constellés de pierreries. Elle avait rassemblé des antiquités appartenant à une dizaine de cultures différentes : des exemples de tous les objets concevables que l'on pouvait décorer de pierres précieuses. Elle possédait une des premières montres en diamants manufacturée en Amérique, une dague ornée de pierreries du Cambodge, une paire de lunettes italiennes incrustée de rubis, et ainsi, presque à l'infini.

Tout était exposé à la vue de tous. Les objets d'art n'étaient pas assurés et il n'y avait pas de systèmes de sécurité. Rien d'aussi ordinaire n'était nécessaire car Mrs Lardner avait un important personnel de domestiques-robots, sur lesquels on pouvait compter pour garder chaque pièce avec une imperturbable concentration, une irréprochable honnêteté et une irrévocable efficacité.

Tout le monde connaissait l'existence de ces robots et il n'y avait jamais eu de tentative de vol, jamais.

Et puis, naturellement, il y avait sa sculpture de lumière. Comment Mrs Lardner avait-elle découvert son propre génie dans cet art, aucun invité de ses nombreuses et élégantes réceptions n'était capable de le deviner. A chaque fois, cependant, quand elle ouvrait sa maison, une nouvelle symphonie de lumière brillait dans les salons. Des courbes et des solides tri-dimensionnels en couleurs fondues, certaines pures, d'autres mélangées par d'étonnantes variations cristallines, baignaient les invités éblouis et s'adaptaient toujours de manière à embellir le beau visage lisse et les cheveux blanc bleuté de Mrs Lardner.

C'était surtout pour la sculpture de lumière que les invités se pressaient. On ne voyait jamais deux fois la même et les œuvres ne cessaient jamais d'explorer de nouvelles voies expérimentales de

l'art. Beaucoup de personnes qui avaient les moyens de s'offrir des chaînes de lumière composaient des sculptures lumineuses pour leur propre amusement, mais personne n'avait le talent de Mrs Lardner. Pas même ceux qui se considéraient comme des artistes professionnels.

Elle-même était à ce sujet d'une modestie charmante.

– Non, non, protestait-elle quand on l'accablait de compliments lyriques. Non, je n'appellerais pas cela de la poésie de lumière. C'est beaucoup trop flatteur. Au mieux, je dirais que c'est simplement de la prose lumineuse.

Et tout le monde souriait de son esprit.

Jamais elle n'accepterait de créer des sculptures lumineuses pour d'autres réceptions que les siennes, bien qu'on l'en priât souvent.

– Ce serait de la commercialisation, disait-elle.

Elle ne s'opposait pas, toutefois, à la préparation d'hologrammes complexes pour ses sculptures, qui devenaient ainsi permanentes et étaient reproduites dans les musées du monde entier. Elle n'avait jamais fait payer, non plus, l'usage qui pourrait être fait de ses sculptures de lumière.

– Je ne pourrais demander un centime, disait-elle en écartant les bras. C'est gratuit, pour tout le monde. Je n'en ai pas d'autre usage moi-même.

C'était vrai! Jamais elle ne présentait deux fois la même!

Quand on venait prendre des hologrammes, elle était la serviabilité même. Observant avec bienveillance chaque opération, elle était toujours prête à donner des ordres à l'un de ses domestiques-robots.

– S'il vous plaît, Courtney, disait-elle alors, voulez-vous avoir l'obligeance de stabiliser l'escabeau ?

C'était sa manière. Elle s'adressait toujours à ses robots avec la plus grande courtoisie.

Une fois, des années auparavant, elle avait failli être grondée par un fonctionnaire du Bureau des Robots et Hommes mécaniques.

– Vous ne pouvez pas faire ça, avait-il dit sévèrement. Cela compromet leur efficacité. Ils sont construits pour obéir à des ordres et, plus vous donnez ces ordres clairement, mieux ils les suivent. Quand vous les priez de faire quelque chose en accumulant les formules de politesse, ils ont du mal à comprendre qu'un ordre leur est donné. Ils réagissent plus lentement.

Mrs Lardner avait redressé sa tête aristocratique.
– Je ne demande pas de l'efficacité ni de la rapidité. Je demande de la bonne volonté. Mes robots m'aiment.

Le fonctionnaire aurait pu expliquer que les robots étaient incapables d'aimer, mais il s'était ratatiné sous le regard peiné mais doux de Mrs Lardner.

Jamais elle ne renvoyait un robot à l'usine pour le faire régler, c'était bien connu. Leur cerveau positronique est extrêmement complexe et, une fois sur dix, ils ne sont pas parfaitement réglés à leur sortie de l'usine. Parfois l'erreur n'apparaît pas avant un certain temps. Dans ces cas-là, l'U.S. Robot et Hommes mécaniques, S.A. procède gratuitement au réglage.

Mrs Lardner secouait la tête.
– Une fois qu'un robot entre chez moi, déclarait-elle, et qu'il accomplit son devoir, on doit supporter ses petites excentricités. Je refuse qu'on le maltraite.

C'était ce qu'il y avait de pire, essayer d'expliquer qu'un robot n'était qu'une machine. A cela elle répondait avec raideur :

– Quelque chose d'aussi intelligent qu'un robot *ne peut pas* être simplement une machine. Je les traite comme des personnes.

Et la question était réglée !

Elle gardait même Max qui, pourtant, n'était plus bon à grand-chose. Il comprenait à peine ce que l'on attendait de lui. Mrs Lardner le niait cependant avec fermeté.

– Pas du tout, déclarait-elle. Il sait prendre les chapeaux et les manteaux et il sait très bien les ranger, vraiment ! Il peut tenir des objets pour moi. Il peut faire beaucoup de choses.

– Mais pourquoi ne le faites-vous pas régler ? lui avait demandé une amie, un jour.

– Oh, je ne pourrais pas ! Il est lui-même. Il est charmant, vous savez. Après tout, un cerveau positronique est si complexe que personne ne peut jamais dire exactement de quelle façon il est déréglé. Si on le rendait parfaitement normal, il n'y aurait aucun moyen de le rerégler de manière à lui rendre le charme qu'il possède actuellement. Je me refuse à renoncer à cette qualité.

– Mais s'il est déréglé, avait insisté l'amie en regardant nerveusement Max, ne risque-t-il pas d'être dangereux ?

– Jamais ! s'était exclamée en riant Mrs Lardner. Je l'ai depuis des années. Il est totalement inoffensif et c'est un amour.

A vrai dire, il ressemblait à tous les autres robots, lisse, métallique, vaguement humain mais inexpressif.

Pour la douce Mrs Lardner, néanmoins, ils

étaient tous des individus, tous charmants, tous adorables. Voilà quel genre de femme elle était.

Comment aurait-elle pu commettre ce crime?

La dernière personne au monde qu'on se serait attendu à voir assassinée était bien John Semper Travis. Introverti et doux, il vivait dans le monde mais n'était pas de ce monde. Il possédait la singulière tournure d'esprit mathématique qui lui permettait de calculer de tête la tapisserie complexe de la myriade de circuits positroniques mentaux d'un cerveau de robot.

Il était ingénieur en chef à la société U.S. Robots et Hommes mécaniques, S.A.

Mais il était aussi un amateur enthousiaste de sculpture de lumière. Il avait écrit un livre sur ce sujet, en essayant de démontrer que le type de mathématiques qu'il employait pour le montage des circuits cérébraux pourrait être modifié pour servir de guide à la production de sculpture esthétique de lumière.

Cependant, sa tentative de mise en pratique de sa théorie se solda par un déplorable échec. Les sculptures qu'il créait lui-même, en obéissant à ses principes mathématiques, étaient lourdes, mécaniques et sans intérêt.

C'était le seul sujet de tristesse dans sa vie paisible, abritée et introvertie, mais ce sujet suffisait à le rendre terriblement triste. Il *savait* que sa théorie était bonne, et pourtant il était incapable de le prouver. S'il arrivait à produire une seule grande sculpture de lumière...

Naturellement, il connaissait la sculpture de lumière de Mrs Lardner. Elle était universellement saluée comme un génie mais Travis savait qu'elle était incapable de comprendre l'aspect le plus simple de la mathématique des robots. Il avait correspondu avec elle et elle refusait obstinément d'expliquer ses méthodes au point qu'il se demandait si elle en avait. Est-ce que ce ne serait pas de la simple intuition? Mais même l'intuition pouvait être réduite à de la mathématique. Finalement, il réussit à obtenir une invitation à l'une de ses réceptions. Il lui fallait absolument la voir.

M. Travis arriva assez tard. Il avait fait une dernière tentative de sculpture de lumière et, une fois de plus, il avait lamentablement échoué.

Il salua Mrs Lardner avec une espèce de respect perplexe et lui dit :

– C'est un singulier robot, qui a pris mon manteau et mon chapeau.

– C'est Max, répondit Mrs Lardner.

– Il est complètement déréglé et c'est un assez vieux modèle. Comment se fait-il que vous ne le renvoyiez pas à l'usine?

– Oh non! s'écria Mrs Lardner. Cela causerait trop de tracas.

– Pas du tout, chère madame, assura Travis. Vous seriez surprise de la simplicité de la chose. Comme je fais partie d'U.S. Robots, j'ai pris la liberté de le régler moi-même. Je l'ai fait en un rien de temps et vous verrez qu'il est maintenant en parfait état de marche.

Un curieux changement se produisit dans l'expression de Mrs Lardner. Pour la première fois, dans sa vie de douceur, de la rage apparut sur ses traits, et ce fut comme si cette expression ne savait comment se former.

– Vous l'avez réglé? glapit-elle. Mais c'était *lui* qui créait mes sculptures de lumière! C'était le dérèglement, le *dérèglement* que vous ne pourrez jamais restaurer, qui... qui...

Le moment n'aurait pu être plus mal choisi : elle était en train de montrer sa collection et la dague du Cambodge, incrustée de pierreries, se trouvait sur le guéridon de marbre, devant elle.

La figure de Travis se convulsa.

– Vous voulez dire que si j'avais étudié le dérèglement unique de ses circuits cérébraux, j'aurais pu apprendre...

Elle se jeta sur lui, avec le couteau, trop vite pour qu'on puisse la retenir, et il ne chercha pas à parer le coup. Certains invités dirent même qu'il était allé à sa rencontre... comme s'il *voulait* mourir.

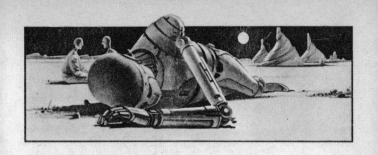

LA SENSATION DU POUVOIR
(THE FEELING OF POWER)

Jehan Shuman avait l'habitude de traiter avec les hommes d'autorité, sur la Terre en guerre depuis longtemps. Il n'était qu'un civil mais il créait des schémas de programmation permettant l'auto-direction des ordinateurs de guerre de la plus haute espèce. En conséquence, les généraux l'écoutaient. Les présidents de commissions parlementaires aussi.

Il y en avait un de chaque dans le salon particulier du Nouveau Pentagone. Le général Weider était hâlé par l'espace et avait une petite bouche pincée qui ressemblait presque à un chiffre. Le député Brant avait les joues lisses et les yeux clairs. Il fumait du tabac denebien de l'air d'un homme dont le patriotisme est si notoire qu'il peut se permettre ce genre de liberté.

Shuman, grand, distingué et Programmateur Première Classe, leur faisait face sans crainte.

– Messieurs, dit-il, voici Myron Aub.

– Celui qui possède le don insolite que vous avez découvert tout à fait par hasard, dit calmement le député Brant. Ah!

Il considéra le petit homme à la tête chauve comme un œuf avec une aimable curiosité.

Le petit homme, de son côté, se tordait anxieusement les doigts. Il n'avait jamais été en présence d'hommes aussi importants. Il n'était qu'un vieux Technicien inférieur, qui avait depuis longtemps échoué à tous les tests effectués pour rechercher les plus doués de l'humanité, et s'était cantonné dans son ornière de travail non qualifié. Mais il y avait son passe-temps, que le grand Programmateur avait découvert et qui en faisait maintenant une histoire terrible.

– Je trouve cette atmosphère de mystère puérile, déclara le général Weider.

– Vous changerez d'idée dans un moment, lui dit Shuman. Il ne s'agit pas de quelque chose que nous pouvons laisser filer au premier venu... Aub!

Il y avait quelque chose d'impératif dans sa manière de prononcer ce nom d'une syllabe, mais, bien sûr, il était un grand Programmateur s'adressant à un simple Technicien.

– Aub! Combien font neuf fois sept?

Aub hésita un moment. Ses yeux pâles brillèrent d'une légère angoisse.

– Soixante-trois, répondit-il.

Le député Brant haussa les sourcils.

– Est-ce exact?

– Vérifiez vous-même, monsieur.

Le député prit son ordinateur de poche, appuya sur les bords guillochés, regarda le cadran au creux de sa main, et le rempocha.

– Est-ce là ce don que vous avez voulu nous montrer ? Un illusionniste ?

– Plus que cela, monsieur. Aub a appris par cœur quelques opérations et, avec elles, il calcule sur papier.

– Une calculatrice en papier ? demanda le général, l'air peiné.

– Non, mon général, répliqua patiemment Shuman. Pas une calculatrice en papier. Une simple feuille de papier. Voudriez-vous avoir l'amabilité de me donner un chiffre, mon général ?

– Dix-sept.

– Et vous, monsieur le député.

– Vingt-trois.

– Très bien ! Aub, multipliez ces chiffres et montrez à ces messieurs comment vous vous y prenez.

– Oui, monsieur le Programmateur, murmura Aub en inclinant la tête.

Il tira d'une poche de chemise un petit bloc-notes et de l'autre un minuscule stylet d'artiste. Son front se plissa tandis qu'il traçait laborieusement des signes sur le papier. Le général Weider l'interrompit sèchement.

– Montrez-moi ça !

Aub lui tendit le papier et Weider constata :

– Ma foi, on dirait le chiffre dix-sept.

Brant hocha la tête et dit :

– En effet, mais je suppose que n'importe qui peut copier des chiffres sur une calculatrice ou un ordinateur. Je crois que je serais capable moi-même de dessiner un dix-sept passable. Même sans entraînement.

– Si vous voulez bien laisser Aub continuer, messieurs ? intervint Shuman sans élever le ton.

Aub continua donc, d'une main un peu plus tremblante. Finalement, il annonça à voix basse :

– La réponse est trois cent quatre-vingt-onze.

Le député Brant reprit sa calculatrice et l'alluma.

– Par exemple! C'est bien ça. Comment a-t-il deviné?

– Il n'a pas deviné, messieurs, dit Shuman. Il a *calculé* ce résultat. Il l'a fait sur cette feuille de papier.

– Sornettes! s'exclama impatiemment le général. Une calculatrice est une chose, des marques sur du papier en sont une autre.

– Expliquez, Aub, ordonna Shuman.

– Oui, monsieur le Programmateur. Eh bien, messieurs, j'écris dix-sept et, juste au-dessous, j'écris vingt-trois. Ensuite, je me dis sept fois trois...

Le parlementaire interrompit avec indulgence :

– Voyons, Aub, le problème était dix-sept fois vingt-trois.

– Oui, je sais, répondit gravement le petit Technicien, mais je commence par dire sept fois trois parce que c'est comme ça que ça marche. Or, sept fois trois, ça fait vingt et un.

– Et comment le savez-vous?

– Je m'en souviens, c'est tout. Ça fait toujours vingt et un sur la calculatrice. J'ai souvent vérifié.

– Ça ne veut pas dire que ça le fera toujours, pourtant. N'est-ce pas? dit le député.

– Peut-être pas, bredouilla Aub. Je ne suis pas mathématicien. Mais je trouve toujours les bonnes réponses, voyez-vous.

– Continuez.

– Sept fois trois, vingt et un, alors j'écris vingt et

un. Ensuite, une fois trois, trois; alors je mets un trois sous le deux de vingt et un.

– Pourquoi sous le deux? demanda aussitôt Brant.

– Parce que, dit Aub, et il se tourna vers son supérieur pour chercher un soutien. C'est difficile à expliquer.

– Si vous voulez bien accepter son travail, pour le moment, dit Shuman, nous laisserons les détails aux mathématiciens.

Brant se calma. Aub reprit :

– Trois plus deux ça fait cinq, voyez-vous, alors le vingt et un devient un cinquante et un. Maintenant on laisse ça un moment et on repart. On multiplie sept et deux, ça fait quatorze, et un et deux, ça fait deux. On les note, ainsi, et ça s'additionne pour faire trente-quatre. Maintenant, si on met le trente-quatre sous le cinquante et un, ainsi, et si on les additionne, on obtient trois cent quatre-vingt-onze et c'est la réponse.

Il y eut un instant de silence, puis le général Weider protesta.

– Je n'y crois pas. Il joue toute cette comédie et il invente des nombres, il les multiplie et les additionne comme ci et comme ça mais je n'y crois pas. C'est trop compliqué pour être autre chose que des sornettes.

– Oh non, monsieur, dit Aub qui commençait à transpirer. Cela paraît compliqué, simplement parce que vous n'y êtes pas habitué. A vrai dire, les règles sont très simples et elles marchent pour n'importe quels nombres.

– N'importe quels nombres, hein? dit le général. C'est ce qu'on va voir!

Il prit sa propre calculatrice (un modèle GI au style sévère) et tapa au hasard.

– Faites cinq, sept, trois, huit, sur le papier. Ça fait cinq mille sept cent trente-huit.

– Oui, monsieur, dit Aub en prenant un nouveau feuillet.

– Et maintenant (en tapant encore sur sa calculatrice) sept, deux, trois, neuf. Sept mille deux cent trente-neuf.

– Oui, monsieur.

– Et multipliez tout ça par deux.

– Cela demandera un peu de temps, bafouilla Aub.

– Prenez votre temps, dit le général.

– Allez-y, Aub, commanda Shuman.

Aub se mit au travail, en se penchant. Il prit une autre feuille de papier et encore une autre. Le général regarda finalement sa montre.

– En avez-vous fini avec votre magie, Technicien?

– Presque, monsieur. Voilà. Quarante et un millions, cinq cent trente-sept mille, trois cent quatre-vingt-deux.

Il montra les chiffres griffonnés du résultat. Le général Weider sourit amèrement. Il pressa le bouton de la multiplication sur sa calculatrice, et laissa les chiffres tourbillonner jusqu'à ce qu'ils s'arrêtent. Puis il sursauta et laissa échapper une exclamation de surprise.

– Par la Galaxie, ce type a raison!

Le président de la Fédération terrestre était devenu hagard, dans sa fonction et en privé, il laissait apparaître sur ses traits sensibles une expression de mélancolie. La guerre denebienne, après son début de vastes mouvements et de grande popularité, s'était réduite à une sordide affaire de manœuvres et de contre-manœuvres, et

314

le mécontentement s'aggravait régulièrement sur la Terre. Peut-être aussi sur Deneb.

Et maintenant le député Brant, président de l'importante Commission sur les crédits militaires, gaspillait gaiement sa demi-heure de rendez-vous en débitant des stupidités.

– Calculer sans calculatrice, déclara impatiemment le président, est une contradiction dans les termes.

– Le calcul, dit le parlementaire, n'est qu'un système pour traiter les données. Une machine peut le faire ou le cerveau humain le pourrait. Permettez que je vous donne un exemple.

Sur ce, utilisant les nouveaux talents qu'il avait appris, il s'appliqua avec des sommes et des produits jusqu'à ce que le président se trouve intéressé malgré lui.

– Et ça marche toujours?

– A chaque fois, monsieur le président. C'est imparable.

– Est-ce difficile d'apprendre?

– Il m'a fallu une semaine pour bien comprendre. Je pense que vous feriez mieux que moi.

– Ma foi, dit le président en réfléchissant, c'est un petit jeu de société amusant, mais ça sert à quoi?

– A quoi sert un bébé nouveau-né, monsieur le président? Pour le moment, il n'y a aucune utilisation concevable, mais ne voyez-vous pas que cela ouvre la voie vers la libération de la machine? Songez, monsieur le président, dit le parlementaire en se levant, (et sa voix grave prit automatiquement le rythme qu'il employait dans les débats publics), songez que la guerre denebienne est une guerre d'ordinateurs contre ordinateurs. Leurs calculatrices forgent un impénétrable bouclier de contre-missiles contre nos missiles, et les nôtres en forgent un contre les leurs. Si nous augmentons l'efficacité de nos ordinateurs ils font de même avec les leurs et depuis cinq ans un équilibre précaire et sans profit s'est établi. Maintenant, nous avons entre les mains une méthode pour aller au-delà de la calculatrice, pour sauter par-dessus, pour passer au travers. Nous combinerons la mécanique du calcul avec la pensée humaine et nous aurons l'équivalent d'ordinateurs intelligents, de milliards d'entre eux. Je ne peux prédire ce que seront les conséquences dans le détail, mais elles seront incalculables. Et si Deneb nous coiffe au poteau, elles risquent d'être inconcevablement catastrophiques.

Le président murmura, troublé :

– Que voudriez-vous que je fasse ?

– Mettez la puissance du gouvernement à l'établissement d'un projet secret de calcul humain. Appelez-le le Projet Nombre, si vous voulez. Je me porte garant pour ma commission mais j'aurai besoin du soutien du gouvernement.

– Mais jusqu'où peut aller le calcul humain ?

– Il n'y a pas de limite. D'après le Programmateur Shuman, qui le premier m'a fait connaître cette découverte...

– J'ai entendu parler de Shuman, naturellement.

– Oui. Eh bien, Shuman me dit qu'en théorie il n'y a rien que les calculatrices ne puissent faire que l'esprit humain ne puisse faire. La calculatrice ne prend qu'un nombre défini d'opérations. L'esprit humain peut reproduire la procédure.

Le président réfléchit un instant puis il dit :

– Si Shuman l'affirme, je suis enclin à le croire... en théorie. Mais, dans la pratique, comment quelqu'un peut-il savoir comment marche une calculatrice?

Brant rit de bon cœur.

– Figurez-vous, monsieur le président, que j'ai posé la même question. Il paraît qu'à un moment donné les calculatrices étaient directement conçues par des êtres humains. Elles étaient très simples, évidemment, puisque cela se passait avant l'utilisation rationnelle des ordinateurs pour concevoir des ordinateurs plus avancés.

– Oui, oui, continuez.

– Le Technicien Aub avait apparemment comme passe-temps la reconstitution de certains de ces anciens appareils et, ce faisant, il a étudié les détails de leur fonctionnement et découvert qu'il pouvait les imiter. La multiplication que je viens d'effectuer pour vous est une imitation du fonctionnement d'une calculatrice.

– Stupéfiant!

Le parlementaire toussota discrètement.

– Si je puis me permettre encore un mot, monsieur le président... plus nous pourrons développer cela, plus nous pourrons économiser sur notre budget fédéral de production et d'entretien des ordinateurs. Si le cerveau humain prend la relève, nous pourrons consacrer davantage de notre énergie à des recherches en temps de paix, et le fardeau des frais de guerre sera allégé d'autant pour le contribuable. Ce sera naturellement très avantageux pour le parti au pouvoir.

– Ah! fit le président, je vois où vous voulez en venir. Mais asseyez-vous, mon ami, asseyez-vous. J'ai besoin d'un peu de temps pour y réfléchir. En attendant, montrez-moi encore ce truc de la multiplication. Voyons si je peux comprendre le mécanisme.

Le Programmateur Shuman ne chercha pas à précipiter les choses. Loesser était conservateur, très conservateur même, et il aimait traiter avec les ordinateurs, comme l'avaient fait son père et son grand-père avant lui. Malgré tout, il contrôlait le consortium des ordinateurs pour l'Europe occidentale et, s'il pouvait être persuadé de participer au Projet Nombre avec enthousiasme, beaucoup de progrès seraient accomplis.

Mais Loesser se faisait tirer l'oreille. Il déclara :

— Je ne sais pas si j'aime cette idée de relâcher notre emprise sur les ordinateurs. L'esprit humain est capricieux. Tandis que la calculatrice donnera la même solution au même problème, chaque fois. Quelle garantie avons-nous que le cerveau humain en fera autant ?

— Le cerveau humain, Ordinateur Loesser, ne fait que manipuler les faits. Peu importe qu'ils le soient par le cerveau humain ou par un appareil. Ce ne sont que des instruments.

— Oui, oui. J'ai étudié votre ingénieuse démonstration tendant à prouver que l'esprit peut imiter l'ordinateur, mais cela me semble un peu léger. Je veux bien accepter la théorie, mais quelle raison avons-nous de penser que la théorie peut être convertie en pratique ?

— Je crois que nous avons une raison. Après tout, les ordinateurs n'ont pas toujours existé. Les hommes des cavernes, avec leurs trirèmes, leurs haches de pierre et leurs chemins de fer n'avaient pas d'ordinateurs.

— Peut-être ne calculaient-ils pas ?

— Vous ne pouvez croire cela ! Même la construction d'un chemin de fer ou d'une ziggourat exigeait un peu de calcul, et cela devait être fait sans les ordinateurs tels que nous les connaissons.

– Est-ce que vous insinuez qu'ils calculaient à la façon que vous démontrez?

– Probablement pas. Après tout, cette méthode – au fait, nous l'appelons graphitique, dérivé d'un vieux mot européen, *grapho*, signifiant écrire – est développée à partir des ordinateurs eux-mêmes, donc elle ne peut pas les avoir précédés. Malgré tout, les hommes des cavernes devaient avoir une méthode quelconque, hein?

– Des arts perdus! Si nous devons parler des arts perdus...

– Non, non. Je ne suis pas un fanatique des arts perdus, bien que je reconnaisse qu'il a dû en exister. Après tout, l'homme mangeait du blé avant l'hydroponique, et si les peuplades primitives mangeaient du blé, elles devaient le cultiver dans la terre. Qu'auraient-elles pu faire d'autre?

– Je ne sais pas, mais je croirai à la culture dans la terre quand je verrai quelqu'un faire pousser du blé dans la terre. Et je croirai à l'allumage du feu en frottant deux morceaux de silex quand je l'aurai vu de mes yeux.

Shuman se fit apaisant.

– Je vous l'accorde, mais restons-en à la graphitique. Ce n'est qu'une partie du processus d'éthéréalisation. Le transport par engins massifs fait place au transfert direct de masse. Les engins de communication deviennent de jour en jour moins massifs et plus efficaces. A ce sujet, comparez votre calculatrice de poche avec les appareils énormes d'il y a mille ans. Pourquoi, dans ce cas, ne pas se débarrasser entièrement des ordinateurs? Allons, monsieur, le Projet Nombre est déjà bien lancé, il progresse à grands pas. Mais nous voulons votre aide. Si le patriotisme ne vous inspire pas, songez à l'aventure intellectuelle en jeu!

– Quels progrès? demanda Loesser, sceptique. Que pouvez-vous faire au-delà de la multiplication? Pouvez-vous intégrer une fonction transcendantale?

– Nous y arriverons avec le temps. Avec le temps, monsieur. Au cours du dernier mois, j'ai appris à effectuer la division. Je peux déterminer, et correctement, des quotients intégraux et des quotients décimaux.

– Des quotients décimaux? A combien de décimales?

Le Programmateur Shuman s'efforça de garder un ton nonchalant :

– N'importe quel nombre.

Loesser resta bouche bée.

– Sans calculatrice?

– Posez-moi un problème.

– Divisez vingt-sept par treize. Jusqu'à six décimales.

Cinq minutes plus tard, Shuman annonça :

– Deux virgule zéro, sept, six, neuf, deux, trois.

Loesser vérifia.

– Par exemple, c'est ahurissant! La multiplication ne m'a pas tellement impressionné parce qu'elle comporte des intégrales, après tout, et j'ai pensé qu'un truc de manipulation pourrait l'expliquer. Mais les décimales...

– Et ce n'est pas tout. Il y a un nouveau développement qui est, jusqu'à présent, ultra-secret et que je ne devrais pas même évoquer. Mais enfin... il se peut que nous ayons opéré une percée sur le front de la racine carrée.

– La racine carrée?

– Cela comporte quelques points délicats et nous n'avons pas encore tout aplani, mais le Technicien Aub, celui qui a inventé cette science et qui a une intuition étonnante pour l'appliquer, affirme qu'il a presque résolu le problème. Et ce n'est qu'un simple Technicien. Un homme comme vous, un mathématicien expert, ne devrait avoir aucune difficulté.

– Des racines carrées, murmura Loesser, séduit.

– Les racines cubiques aussi. Etes-vous avec nous?

Loesser tendit brusquement la main.

– Comptez sur moi!

Le général Weider arpentait le fond de la salle et s'adressait à ses auditeurs à la manière d'un professeur de choc face à un groupe d'élèves récalcitrants. Peu importait au général qu'il y eût des savants civils à la tête du Projet Nombre, il en était le chef et c'était ainsi qu'il se considérait à tout moment.

– Les racines carrées, c'est bien joli, dit-il. Je ne peux pas les extraire moi-même et je ne comprends pas les méthodes, mais c'est très bien. Malgré tout, le Projet ne va pas être détourné dans ce que certains d'entre vous appellent les bases. Vous pourrez jouer avec la graphitique tant que vous voudrez quand la guerre sera finie, mais pour le moment nous avons des problèmes pratiques très précis à résoudre.

Dans un coin éloigné, le Technicien Aub écoutait avec une douloureuse attention. Il n'était plus un Technicien, naturellement, ayant été relevé de ses fonctions et affecté au Projet, avec un titre ronflant et un gros salaire. Mais, naturellement, la ségrégation sociale demeurait et les dirigeants scientifiques haut placés ne pouvaient se résoudre à l'admettre dans leurs rangs, sur un pied d'égalité. Il faut rendre cette justice à Aub qu'il ne le souhaitait pas. Il était mal à l'aise avec eux, tout comme eux avec lui.

Le général pérorait :

– Notre but est simple, messieurs, le remplacement de l'ordinateur. Un vaisseau capable de naviguer dans l'espace sans ordinateur à bord peut être construit en un cinquième du temps normal, et à un dixième des frais d'un vaisseau doté d'un ordinateur. Nous pourrons construire des escadres cinq fois, dix fois plus importantes que ne le peut Deneb, si nous éliminons l'ordinateur. Et je vois même plus loin. Cela paraît sans doute fantastique aujourd'hui, un simple rêve, mais je vois dans l'avenir le missile habité.

Un murmure courut dans le public.

Le général poursuivit :

– A l'heure actuelle, notre pierre d'achoppement est la suivante : l'intelligence des missiles est limitée. L'ordinateur qui les contrôle ne peut être démesuré et, pour cette raison, ils ne peuvent s'adapter assez vite à la nature changeante des défenses anti-missiles. Peu de missiles, s'il y en a, atteignent leur but, et la guerre des missiles sera bientôt dans l'impasse; pour l'ennemi, heureusement, autant que pour nous! D'autre part, un missile contenant un homme ou deux, contrôlant le vol au moyen de la graphitique, serait plus léger, plus mobile, plus intelligent. Il nous donnerait une avance qui pourrait bien être la marge de la victoire. De plus, messieurs, les exigences de la guerre nous contraignent à ne pas oublier une chose. On peut plus aisément sacrifier un homme qu'un ordinateur. Des missiles habités pourraient être lancés en grand nombre et dans des circonstances qu'aucun bon général n'envisagerait pour le lancement de missiles dirigés par ordinateurs...

Le général en dit beaucoup plus mais le Technicien Aub n'attendit pas davantage.

Le Technicien Aub, dans l'intimité de ses appartements, travailla longuement à la lettre qu'il laissait derrière lui. Finalement, le texte fut le suivant :

« Quand j'ai commencé à étudier ce que l'on appelle maintenant la graphitique, ce n'était qu'un passe-temps. Je n'y voyais qu'un amusement intéressant, un exercice de l'esprit.

« Quand le Projet Nombre a commencé, je pensais que d'autres étaient plus sages·que moi, que la graphitique aurait peut-être un usage pratique, pour le bien de l'humanité : aider à la production d'engins de transfert de masse vraiment pratiques, peut-être. Mais je vois maintenant qu'elle ne sera utilisée que pour la mort et la destruction. Je ne puis supporter le poids de la responsabilité d'avoir inventé la graphitique. »

Sur ce, il tourna résolument contre lui-même l'objectif d'un dépolarisateur à protéine et mourut sans douleur.

Ils entouraient la tombe du petit Technicien. Un hommage était rendu à la grandeur de sa découverte.

Le Programmateur Shuman baissait la tête, comme tous les autres, mais n'éprouvait aucune émotion. Le Technicien avait joué son rôle et, après tout, on n'avait plus besoin de lui. Peut-être

9×7=63

MYRON AUB

5057-5119

avait-il inventé la graphitique mais, une fois lancée, elle allait continuer et progresser toute seule, triomphalement, jusqu'à ce que les missiles habités deviennent possibles ainsi que des choses dont on n'avait pas encore idée.

Neuf fois sept, pensa Shuman avec une profonde satisfaction, font soixante-trois et je n'ai pas besoin d'une calculatrice pour me le dire. La calculatrice est dans ma propre tête.

Et il était stupéfié par la sensation de pouvoir que cela lui procurait.

MON NOM S'ÉCRIT AVEC UN *S*
(SPELL MY NAME WITH AN *S*)

Marshall Zebatinsky se sentait ridicule. Il avait l'impression que des yeux le regardaient à travers le verre sale de la vitrine et par les trous de la vieille cloison de bois, des yeux qui l'observaient. Il ne se fiait pas du tout aux vieux vêtements qu'il avait exhumés, ni au bord baissé d'un chapeau qu'il ne portait jamais autrement, pas plus qu'aux lunettes laissées dans leur étui.

Il se sentait idiot : cela creusait plus profondément les rides de son front, et donnait à son visage ni jeune ni vieux une pâleur plus grande.

Jamais il ne pourrait expliquer à personne pourquoi un physicien nucléaire tel que lui allait consulter un numérologue. (Jamais, pensa-t-il. Jamais.) Il ne pouvait même pas se l'expliquer à lui-même, mais il avait laissé sa femme le persuader de s'y rendre.

Le numérologue était assis derrière un vieux bureau qui avait dû être acheté d'occasion. Aucun bureau ne pouvait devenir aussi vieux avec un seul propriétaire. On pouvait en dire autant de ses habits. Il était petit, noiraud, et il examinait Zebatinsky avec de petits yeux noirs singulièrement vifs.

– Je n'ai encore jamais eu un physicien pour client, dit-il.

Zebatinsky rougit immédiatement.

– Vous devez comprendre que ma démarche est confidentielle.

Le numérologue sourit : la peau se plissa aux coins de ses lèvres et se tendit sur son menton.

– Tout ce que je fais est confidentiel, docteur Zebatinsky.

– Je crois devoir vous faire un aveu. Je ne crois pas à la numérologie, et je ne m'attends pas à commencer à y croire aujourd'hui. Si cela change quelque chose, dites-le-moi tout de suite.

– Mais pourquoi êtes-vous ici, dans ce cas?

– Ma femme pense que vous avez peut-être quelque chose. Je lui ai promis de venir vous voir, et me voici.

Il haussa les épaules et son impression de ridicule devint encore plus forte.

– Que cherchez-vous? L'argent? La sécurité? La longévité? Quoi?

Zebatinsky resta un long moment silencieux, pendant que le numérologue l'observait sans un mot, sans rien faire pour presser son client.

Zebatinsky pensa : Qu'est-ce que je dis, au fait? Que j'ai trente-quatre ans et pas d'avenir?

– Je veux la réussite, dit-il. Je veux être reconnu.

– Un meilleur emploi?

– Un emploi *différent*. Un *genre* d'emploi différent. En ce moment, je fais partie d'une équipe, je

328

travaille aux ordres. Les équipes! Ce n'est pas autre chose, la recherche officielle. On est un violoniste perdu dans un orchestre symphonique.

– Et vous voulez jouer en solo.

– Je veux m'extirper de l'équipe et travailler avec... avec *moi*, dit Zebatinsky, et il se sentit soudain emporté, presque grisé d'exprimer cela pour quelqu'un d'autre que pour sa femme. Il y a vingt-cinq ans, avec mon entraînement et mon talent, j'aurais pu travailler dans les premières centrales nucléaires. Aujourd'hui j'en dirigerais une ou je serais à la tête d'un groupe de recherche pure dans une université. Mais en débutant de nos jours, où serai-je dans vingt-cinq ans? Nulle part. Toujours dans la même équipe. Toujours avec mes deux pour cent de responsabilité. Je suis noyé dans une foule de physiciens nucléaires et ce que je veux, c'est ma place sur la terre ferme, si vous voyez ce que je veux dire.

Le numérologue hocha lentement la tête.

– Il faut que vous compreniez bien, docteur Zebatinsky, que je ne garantis pas le succès.

Zebatinsky, en dépit de son manque de foi, fut amèrement déçu.

– Ah non? Mais alors, que diable garantissez-vous?

– Une amélioration dans les probabilités. Mon travail est à caractère statistique. Comme vous vous occupez d'atomes, vous devez comprendre les lois de la statistique.

– Vous les comprenez, vous? demanda aigrement le physicien.

– Justement, oui. Je suis mathématicien et je travaille mathématiquement. Je ne vous dis pas cela afin d'augmenter mes honoraires. Ils sont les mêmes pour tout le monde. Cinquante dollars.

Mais comme vous êtes un scientifique, vous êtes capable de comprendre la nature de mon travail mieux que les autres clients. C'est même un plaisir de pouvoir vous l'expliquer.

– Je m'en passerai volontiers, si ça ne vous fait rien. C'est inutile de me parler de la valeur numérique des lettres, de leur signification mystique et tout ce genre de choses. Je ne considère pas ces éléments comme des mathématiques. Venons-en au fait...

– Vous voulez bien que je vous aide, à condition de ne pas vous gêner en vous parlant de la base non scientifique stupide de ma méthode pour vous aider. C'est bien cela ?

– C'est cela, en effet.

– Mais vous partez tout de même du principe que je suis un numérologue, et je ne le suis pas. Je me fais appeler ainsi pour que la police ne vienne pas m'embêter et... les psychiatres non plus, dit le numérologue avec un petit rire sec. Je suis un mathématicien, un honnête mathématicien.

Zebatinsky sourit.

– Je construis des ordinateurs. J'étudie les avenirs probables, expliqua le numérologue.

– Quoi ?

– Est-ce que cela vous semble pire que la numérologie ? Pourquoi ? Avec suffisamment de données et un ordinateur capable d'un nombre suffisant d'opérations en temps d'unité, l'avenir est prévisible, tout au moins en termes de probabilités. Quand nous calculons les mouvements d'un missile afin de viser un anti-missile, n'est-ce pas le futur que nous prédisons ? Le missile et l'anti-missile n'entreraient pas en collision si le futur n'était pas correctement prédit. Je fais la même chose.

Comme je travaille avec un plus grand nombre de variables, mes résultats sont moins exacts.

– Vous voulez dire que vous allez prédire mon avenir?

– Très approximativement. Cela fait, je modifierai les données en changeant votre nom, mais aucun autre facteur vous concernant. J'introduirai cette donnée modifiée dans le programme-opération. Ensuite, j'essaierai d'autres modifications de nom. J'étudierai chaque avenir modifié et j'en trouverai un contenant plus de réussite reconnue pour vous que l'avenir qui s'étend en ce moment devant vous. Ou bien, non, je vais formuler ça autrement. Je vais vous trouver un avenir dans lequel la probabilité de distinction méritée sera plus grande que la même probabilité dans votre avenir actuel.

– Pourquoi changer mon nom?

– C'est la seule modification que j'effectue jamais, pour plusieurs raisons. Premièrement, c'est un changement simple. Après tout, si je procède à un grand changement ou à plusieurs, tant de nouvelles variables entrent en jeu que je ne peux plus interpréter le résultat. Ma machine est encore rudimentaire. Deuxièmement, c'est un changement raisonnable. Je ne peux pas changer votre taille, n'est-ce pas, ni la couleur de vos yeux, ni même votre tempérament. Troisièmement, c'est un changement important. Les noms ont une signification très forte pour les gens. Enfin, quatrièmement, c'est un changement courant qui se fait tous les jours pour de nombreuses personnes.

– Et si vous ne découvrez pas de meilleur avenir? demanda Zebatinsky.

– C'est le risque que vous avez à courir. Vous ne serez pas plus mal loti qu'à présent, mon ami.

Zebatinsky regarda l'homme avec une certaine inquiétude.

– Je ne crois rien de tout ça. J'aimerais encore mieux croire à la numérologie.

Le numérologue soupira.

– Je pensais qu'un homme comme vous serait plus à l'aise avec la vérité. Je tiens à vous aider et vous avez encore beaucoup à faire. Si vous me preniez pour un numérologue, vous n'auriez pas suivi mes conseils. J'ai pensé que si je vous disais la vérité, vous me laisseriez vous aider.

– Si vous pouvez voir l'avenir...

– Pourquoi ne suis-je pas l'homme le plus riche de la Terre, c'est ça? Mais je suis riche, en tout ce que je veux. Vous voulez être reconnu et je veux qu'on me laisse tranquille. Je fais mon travail. Personne ne vient m'embêter. Cela fait de moi un milliardaire. J'ai besoin de peu d'argent comptant, et cela, je l'obtiens de personnes comme vous. Aider les autres est un plaisir, et un psychiatre dirait peut-être que cela me donne un sentiment de pouvoir et alimente mon ego. Cela dit... est-ce que vous voulez que je vous aide?

– Combien avez-vous dit que coûtait la séance?

– Cinquante dollars. J'aurai besoin de beaucoup de renseignements biographiques sur vous, mais j'ai préparé un formulaire pour vous guider. C'est un peu long, j'en ai peur. Malgré tout, si vous pouvez me l'envoyer par la poste avant la fin de la semaine, j'aurai une réponse pour vous le... (Il tirailla sa lèvre inférieure et fronça les sourcils en se livrant à un calcul mental.) Le 20 du mois prochain.

– Cinq semaines? Tant que ça?

– J'ai d'autres travaux, mon ami, d'autres

clients. Si j'étais un charlatan, je ferais ça bien plus vite. C'est d'accord, alors ?

Zebatinsky se leva.

– Eh bien, oui, d'accord. Mais tout ceci est confidentiel, n'est-ce pas ?

– Mais oui, mais oui. Tous les renseignements que vous me donnerez vous seront rendus quand je vous dirai quelle modification effectuer, et vous avez ma parole que je n'en ferai aucun usage ultérieur.

Le physicien nucléaire s'arrêta à la porte.

– Vous n'avez pas peur que je raconte que vous n'êtes pas un numérologue ?

Le numérologue secoua la tête.

– Qui vous croirait, mon ami ? Et il vous faudrait avouer que vous êtes venu me consulter.

Le 20 du mois, Marshall Zebatinsky était devant la porte écaillée. Il coula un regard de côté vers la vitrine, avec sa petite carte « Numérologie » appuyée contre le carreau, indistincte et à peine lisible à cause de la poussière. Il essaya de voir l'intérieur, en espérant presque qu'il y aurait un autre client, ce qui lui donnerait un prétexte pour renoncer à son intention hésitante et pour rentrer chez lui.

Il avait essayé plusieurs fois de chasser l'affaire de son esprit. Il n'arrivait pas à travailler long-temps pour remplir le formulaire. C'était embarrassant. Il se sentait complètement idiot en donnant le nom de ses amis, le prix de sa maison, en disant si, oui ou non, sa femme avait fait des fausses couches et, dans l'affirmative, quand. Il le laissait tomber.

Mais il n'arrivait plus à y renoncer totalement. Il y revenait tous les soirs.

Peut-être était-ce la pensée de l'ordinateur qui l'y encourageait; la pensée de l'infernal toupet de ce petit homme qui prétendait avoir un ordinateur. La tentation de révéler le bluff, de voir ce qui se passerait finit par se révéler irrésistible.

Il envoya le formulaire rempli par courrier ordinaire, en collant pour neuf *cents* de timbres sans prendre la peine de peser l'enveloppe. Si elle revenait, pensait-il, il laisserait tout tomber.

Elle ne revint pas.

A présent, il regardait dans le magasin et voyait qu'il était vide. Il n'avait plus le choix, il devait entrer. Une sonnette tinta.

Le vieux numérologue surgit d'une porte derrière un rideau.

– Oui? Ah, docteur Zebatinsky!

– Vous vous souvenez de moi? bredouilla Zebatinsky en essayant de sourire.

– Oh, oui!

– Quel est le verdict?

Le numérologue frotta l'une contre l'autre ses mains noueuses.

– Avant cela, monsieur, il y a la petite question des...

– La petite question des honoraires?

– J'ai déjà fait le travail, monsieur. J'ai gagné cet argent.

Zebatinsky ne protesta pas. Il était prêt à payer. S'il était venu jusque-là, ce serait stupide de faire demi-tour pour une simple question d'argent.

Il compta cinq billets de dix dollars qu'il posa sur le comptoir.

– Eh bien?

Le numérologue recompta les billets, lentement, et les poussa sur son bureau vers un tiroir-caisse.

– Votre cas est très intéressant, dit-il. Je vous conseille de changer votre nom en *Sebatinsky*.

– Seba... Comment épelez-vous ça?

– S, e, b, a, t, i, n, s, k, y.

Zebatinsky regarda le vieux, indigné.

– Vous voulez dire, changer l'initiale? Changer le *Z* en *S*? C'est tout?

– Cela suffit. Du moment que le changement est adéquat, une petite modification est plus sûre qu'une grande.

– Mais comment est-ce que cela va changer quelque chose?

– Comment le peut n'importe quel nom? dit doucement le numérologue. Je n'en sais rien. Cela peut modifier l'avenir, d'une façon ou d'une autre, c'est tout ce que je peux dire. N'oubliez pas, je ne garantis pas les résultats. Naturellement, si vous ne voulez pas procéder au changement, vous êtes libre. Mais dans ce cas, je ne puis rembourser les honoraires.

– Qu'est-ce que je fais? demanda Zebatinsky. Je dis simplement à tout le monde que mon nom s'écrit avec un *S*?

– Si vous voulez un conseil, consultez un avocat et changez de nom légalement. Il saura vous conseiller pour les détails.

– Ça demandera combien de temps? Pour que ça marche pour moi, je veux dire? Que ça s'améliore?

– Comment voulez-vous que je le sache? Peut-être jamais. Peut-être demain.

– Mais vous avez vu l'avenir. Vous prétendez le voir!

– Pas comme dans une boule de cristal. Non, non, docteur Zebatinsky. Tout ce que j'obtiens de mon ordinateur, c'est une suite de chiffres codés.

Je peux vous donner les probabilités mais je n'ai pas vu d'images.

Zebatinsky tourna les talons et sortit rapidement. Cinquante dollars pour changer une lettre à son nom! Cinquante dollars pour Sebatinsky! Dieu, quel nom! Pire que Zebatinsky!

Il lui fallut encore un mois pour qu'il se décide à consulter un avocat, mais il finit par s'y résoudre.

Il se dit qu'il pourrait toujours rechanger de nom par la suite et reprendre l'ancien.

On peut toujours lui donner une chance, se dit-il.

Enfin quoi, aucune loi ne l'interdisait.

Henry Brand examina le dossier page par page, de l'œil expert d'un agent qui était à la Sécurité depuis quatorze ans. Il n'avait pas à lire chaque mot. Tout ce qui était insolite lui sautait aux yeux et lui flanquait comme un coup de poing.

– Ce type me paraît régulier, dit-il.

Henry Brand avait l'air régulier, lui aussi, avec son petit ventre rond et son teint rose bien lavé. C'était comme si un contact constant avec toutes sortes de défauts humains, de l'ignorance possible à la trahison possible, le contraignait à se débarbouiller souvent.

Le lieutenant Albert Quincy, qui lui avait apporté le dossier, était jeune et tout plein de sa responsabilité d'agent de la Sécurité, à la Station de Hanford.

– Mais pourquoi Sebatinsky? demanda-t-il.

– Pourquoi pas?

– Parce que ça n'a aucun sens. Zebatinsky est un nom étranger et j'en changerais moi-même si je le portais, mais je changerais pour quelque chose d'anglo-saxon. Si Zebatinsky avait fait ça, ça aurait un sens et je n'y penserais même pas. Mais pourquoi mettre un *S* à la place d'un *Z*? Je crois que nous devrions chercher à découvrir ses raisons.

– Le lui a-t-on demandé directement?

– Bien sûr. Dans la conversation ordinaire, naturellement, j'ai pris soin d'arranger ça. Tout ce qu'il veut bien dire, c'est qu'il en avait assez d'être dernier dans l'alphabet.

– C'est peut-être vrai, après tout?

– Peut-être, mais pourquoi ne pas changer pour Sands, ou pour Smith, s'il voulait un *S*? Ou s'il en avait assez du *Z*, pourquoi ne pas y aller à fond dans l'autre sens et choisir un *A*? Comme qui dirait... Aarons?

– Pas assez anglo-saxon, marmonna Brand. Mais il n'y a rien à épingler sur cet homme. Même si le changement de nom est tout ce qu'il y a de plus bizarre, on ne peut pas s'en servir contre lui ni personne.

Le lieutenant Quincy eut l'air réellement malheureux.

– Dites-moi, lieutenant, on dirait qu'il y a quelque chose de particulier qui vous tracasse. Quelque chose que vous avez sur le cœur, une hypothèse, un truc : qu'est-ce que c'est?

Le lieutenant s'assombrit. Ses sourcils blonds se rejoignirent et sa bouche se pinça.

– Enfin quoi, merde, chef, ce type est un Russe!

– Pas du tout. C'est un Américain de la troisième génération.

– Je veux dire que son nom est russe.

La figure de Brand perdit un peu de sa douceur trompeuse.

– Non, lieutenant, faux encore. C'est polonais.

Le lieutenant leva impatiemment les bras au ciel.

– Même chose !

Le nom de jeune fille de la mère de Brand était Wiszewski. Il riposta :

– Ne dites jamais ça à un Polonais, lieutenant... A un Russe non plus, je suppose.

– Ce que j'essaie de vous expliquer, chef, dit le lieutenant en rougissant, c'est que les Polonais et les Russes sont derrière le rideau de fer.

– Nous le savons tous.

– Et Zebatinsky ou Sebatinsky, de quelque façon qu'on veuille l'appeler, dit avoir des parents là-bas.

– Il est de la troisième génération. Il a peut-être, en effet, des cousins éloignés. Et alors ?

– Rien en soi. Des tas de gens ont des parents éloignés là-bas. Mais Zebatinsky a changé de nom.

– Et alors ?

– Il cherche peut-être à détourner l'attention. Il a peut-être un cousin germain, là-bas, qui devient trop célèbre, et notre Zebatinsky a peur que la parenté ne nuise à ses propres chances d'avancement.

– Changer de nom ne servirait à rien. Il serait quand même cousin germain.

– Bien sûr, mais il n'aurait pas l'impression de nous fourrer son parent sous le nez.

– Est-ce que vous avez entendu parler d'un Zebatinsky de l'autre côté, vous ?

– Non, chef.

– Alors il ne doit pas être très célèbre. Et comment notre Zebatinsky le connaîtrait-il ?

– Il a pu garder le contact avec sa famille. Ce

338

serait suspect dans ces conditions, vu qu'il est physicien nucléaire.

Méthodiquement, Brand parcourut encore une fois le dossier.

– C'est terriblement mince, lieutenant. Tellement mince que c'en est invisible.

– Avez-vous une autre explication, chef, qui nous dirait pourquoi il veut changer de nom de cette façon-là ?

– Non, je n'en ai aucune, je l'avoue.

– Alors je crois que nous devrions enquêter, chef. Nous devrions rechercher tous les nommés Zebatinsky, de l'autre côté, et voir si nous découvrons un rapport, dit le lieutenant. (Sa voix s'éleva un peu tandis qu'une nouvelle idée lui venait :) Il pourrait changer de nom pour détourner l'attention des *autres*. Pour les protéger, je veux dire ?

– J'ai l'impression qu'il fait exactement le contraire.

– Il ne s'en rend pas compte, peut-être, mais son mobile pourrait bien être de les protéger.

Brand soupira.

– D'accord, nous allons investiguer l'angle Zebatinsky. Mais si rien n'apparaît, lieutenant, nous laissons tomber. Je garde le dossier, pour le moment.

Quand les renseignements parvinrent enfin à Brand, il avait pratiquement oublié le lieutenant et ses hypothèses. Sa première pensée, en les recevant, une liste de dix-sept citoyens russes et polonais du nom de Zebatinsky, fut : Qu'est-ce que c'est encore que ça ?

Puis il se souvint, jura tout bas et se mit à lire.

Il commença par le côté américain. Marshall Zebatinsky (empreintes digitales) était né à Buffalo,

Etat de New York (date, maternité, détails). Son père était né à Buffalo aussi, sa mère à Oswego, New York. Ses grands-parents paternels étaient tous deux natifs de Bialystok en Pologne (date d'entrée aux Etats-Unis, date de naturalisation, photos).

Les dix-sept Russes et Polonais nommés Zebatinsky descendaient tous de personnes qui, il y avait un demi-siècle, vivaient à Bialystok ou dans les environs. Peut-être étaient-ils apparentés, mais rien de précis n'était dit à ce sujet. (Les registres d'état civil étaient mal tenus, quand ils l'étaient, en Europe de l'Est après la Première Guerre mondiale.)

Brand parcourut les biographies individuelles des actuels Zebatinsky hommes et femmes (ahurissant de voir comment les services secrets faisaient leur travail à fond; les Russes aussi, probablement). Il s'arrêta sur l'une d'elles et son front lisse se plissa, tandis que ses sourcils se haussaient brusquement. Il mit le feuillet de côté et poursuivit sa lecture. Finalement, il rassembla la liasse de papier et la remit dans son enveloppe.

En considérant la biographie qu'il avait extraite du dossier, il pianota sur son bureau d'un ongle soigné.

Enfin, à contrecœur, il alla rendre visite au Dr Paul Kristow, de la Commission à l'Energie atomique.

Le Dr Kristow écouta l'affaire avec un visage de pierre. De temps en temps, il levait un auriculaire pour gratter son nez bulbeux et en chasser un grain de poussière imaginaire. Il avait des cheveux gris fer, clairsemés et coupés court. Il avait l'air presque chauve.

– Non, dit-il, je n'ai jamais entendu parler d'un Zebatinsky russe. Ni d'ailleurs d'un Zebatinsky américain.

– Franchement, dit Brand, je pense que tout cela ne mène à rien mais je n'aime pas renoncer trop vite. J'ai un jeune lieutenant sur le dos et vous savez comment ils sont. Je ne veux rien faire qui risque de l'envoyer se plaindre à une commission parlementaire. Et puis, le fait est qu'un des Zebatinsky russes, Mikhail Andreyevitch Zebatinsky, est un physicien nucléaire. Vous êtes sûr de n'avoir jamais entendu parler de lui?

– Mikhail Andreyevitch Zebatinsky...? Non. Non, je ne vois pas. Mais cela ne prouve rien.

– Je dirais bien que c'est une coïncidence mais ce serait aller un peu loin, vous savez. Un Zebatinsky ici et un Zebatinsky là-bas, tous les deux physiciens nucléaires, et celui d'ici change subitement son nom en Sebatinsky et il va partout en insistant beaucoup, par-dessus le marché. Il ne supporte pas qu'on l'orthographie mal. Il répète : « Mon nom s'écrit avec un *S*. » Tout cela s'accorde assez bien pour que mon lieutenant ait un peu trop l'air d'avoir raison avec son espionnite. Et il y a encore un détail singulier, c'est que le Zebatinsky russe a disparu, il y a juste un an.

– Exécuté! dit froidement le Dr Kristow.

– C'est possible. Normalement, c'est ce que je supposerais, bien que les Russes ne soient pas plus fous que nous et ne tuent pas un physicien nucléaire s'ils peuvent l'éviter. Mais un savant nucléaire peut avoir une autre raison de disparaître. Je n'ai pas besoin de vous le dire.

– Recherche intensive, ultra-secrète. C'est ce que vous voulez dire, je suppose. Vous croyez que c'est ça?

– Ajoutez ça à tout le reste et à l'intuition du lieutenant, et je commence à me le demander...

– Donnez-moi cette biographie.

Le Dr Kristow prit le feuillet et le lut deux fois. Il secoua la tête. Puis il annonça :

– Je vais vérifier ça dans *Nuclear Abstracts*.

Des *Nuclear Abstracts* tapissaient un mur du bureau du Dr Kristow, dans de petites boîtes bien rangées pleines de carrés de microfilms. Le membre de la CEA se servit de sa visionneuse, et Brand l'observa avec toute la patience dont il était capable.

– Il y a un Mikhail Zebatinsky qui a écrit ou été co-auteur d'une demi-douzaine de communications dans des revues soviétiques, depuis six ans. Nous allons prendre les extraits et peut-être en tirerons-nous quelque chose. Mais j'en doute.

Un sélecteur fit apparaître les carrés en question. Le Dr Kristow les aligna, les fit passer dans la visionneuse et, progressivement, son expression devint curieusement intéressée.

– C'est bizarre, dit-il.

– Quoi donc ? demanda Brand.

Le Dr Kristow se redressa.

– Je préfère ne rien dire encore. Pouvez-vous m'obtenir une liste d'autres physiciens nucléaires qui auraient disparu, en Union soviétique, dans le courant de l'année dernière ?

– Vous voulez dire que vous voyez quelque chose ?

– Pas vraiment. Pas si je parcourais simplement une de ces communications. C'est plutôt en les voyant toutes ensemble et en sachant que cet homme pourrait travailler à un programme intensif de recherche et, par-dessus le marché, les soupçons que vous m'avez mis dans la tête... Mais ce n'est rien.

Brand insista :

– J'aimerais que vous me disiez à quoi vous pensez. Autant être idiots ensemble, avec cette histoire.

– Si vous le prenez comme ça... Eh bien, il est peut-être possible que ce type ait fait un pas vers la réflexion des rayons gamma.

– Ce qui veut dire?

– Si un bouclier réfléchissant, contre les rayons gamma, était conçu, des abris individuels pourraient être construits pour protéger contre les retombées. C'est la retombée qui représente le véritable danger, vous le savez. Une bombe à hydrogène détruit sans doute une ville mais les retombées tuent lentement la population sur des milliers de kilomètres de long et des centaines de kilomètres de large.

– Est-ce que nous travaillons là-dessus?

– Non.

– Et s'ils ont ça et pas nous, ils peuvent détruire les Etats-Unis en totalité, au prix, disons, de dix villes, une fois qu'ils auront achevé leur programme de bouclier.

– C'est encore loin dans l'avenir. Pourquoi nous mettons-nous dans tous nos états? Tout ça n'est basé que sur un homme qui change une lettre à son nom!

– D'accord, je suis fou, dit Brand. Mais je ne vais pas abandonner maintenant. Pas à ce point où nous sommes arrivés. Je vais vous obtenir une liste des physiciens nucléaires disparus, même si je dois aller la chercher à Moscou!

Brand obtint la liste. Ils examinèrent toutes les communications sur leurs travaux. Ils réunirent en séance plénière la Commission à l'Energie Atomique, les plus grands cerveaux nucléaires de la nation. Le Dr Kristow sortit enfin d'une séance de nuit à laquelle avait assisté le président en personne.

Brand l'attendait. Tous deux étaient hagards et manquaient sérieusement de sommeil.

– Eh bien? demanda Brand.

– La plupart sont d'accord. Certains doutent encore mais la plupart sont acquis.

– Et vous? En êtes-vous sûr?

– Je suis loin d'en être sûr, mais disons que c'est plus facile de croire que les Soviétiques travaillent à un bouclier anti-rayons gamma, que de croire que tous les renseignements que nous avons découverts sont sans rapport entre eux.

– Est-ce qu'il a été décidé que nous allions procéder à des recherches sur le bouclier, nous aussi?

– Oui...

Kristow passa une main sur ses cheveux courts et cela fit un crissement sec, comme un chuchotement.

– Oui, nous allons nous lancer à fond dans ce programme. Puisque nous connaissons les communications des hommes qui ont disparu, nous serons tout de suite sur leurs talons. Nous avons même une chance de les coiffer au poteau. Naturellement, ils découvriront que nous y travaillons.

– Qu'ils le découvrent! dit Brand. Ça les empêchera d'attaquer. Je ne vois aucun intérêt à leur vendre dix de nos villes rien que pour nous payer dix des leurs... si nous sommes tous deux protégés et s'ils sont trop bêtes pour le savoir.

– Mais pas trop tôt. Nous ne voulons pas qu'ils le découvrent trop tôt. A propos, et ce Zebatinsky-Sebatinsky américain?

Brand, la mine grave, secoua la tête.

– Il n'y a rien encore qui établisse un rapport entre lui et tout ceci. Enfin quoi, nous avons enquêté! Mais je suis d'accord avec vous, bien sûr. Il représente un point sensible, là où il est en ce moment, et nous ne pouvons pas nous permettre de le garder là, même s'il est au-dessus de tout soupçon.

– Nous ne pouvons pas le renvoyer comme ça, simplement. Les Russes se poseraient des questions.

– Qu'est-ce que vous suggérez?

Ils suivaient le long couloir vers le lointain ascenseur, dans le silence de quatre heures du matin.

– J'ai examiné ses travaux, dit le Dr Kristow. C'est un homme de valeur, meilleur que la moyenne, et il n'est pas content de son emploi. Il n'est pas fait pour le travail d'équipe.

– Alors?

– Mais il serait très bien pour remplir une fonction universitaire. Si nous pouvions nous arranger pour qu'une grande université lui offre une chaire de physique, je crois qu'il l'accepterait avec joie. Il y aurait bien assez de domaines non sensibles pour l'occuper; nous pourrions le surveiller de près, et ce serait une promotion toute naturelle. Les Russes ne se gratteraient pas la tête. Qu'est-ce que vous en pensez?

Brand approuva.

– C'est une idée. Elle me paraît même excellente. Je vais la proposer au patron.

Ils entrèrent dans l'ascenseur et Brand s'abandonna à ses réflexions. Quel dénouement pour ce qui n'avait commencé qu'avec le changement d'une seule lettre d'un nom!

Marshall Sebatinsky pouvait à peine parler. Il dit à sa femme :

— Je te jure que je ne sais pas comment c'est arrivé. Jamais je n'aurais pensé qu'on aurait pu me distinguer d'un détecteur de mésons. Dieu de Dieu, Sophie! Professeur de physique à Princeton! Pense un peu!

— Est-ce que tu crois que c'est ta conférence à la réunion de l'APS?

— Je ne vois pas comment. C'était une communication totalement dénuée d'intérêt, une fois que tout le monde de la division a eu fini de la décortiquer, grogna-t-il. (Et soudain il claqua des doigts.) Ça devait être Princeton qui se renseignait sur moi! C'est ça. Tu sais, tous ces formulaires que j'ai eu à remplir, depuis six mois, ces entrevues qu'ils n'expliquaient pas. Franchement, je commençais à penser que j'étais soupçonné de subversion. C'était Princeton qui se renseignait. Ils sont consciencieux.

— C'est peut-être ton nom, hasarda Sophie. Je veux dire le changement.

— Tu vas voir! Ma vie professionnelle sera enfin à moi. Je laisserai mon empreinte. Une fois que j'aurai l'occasion de travailler sans... Hein? Mon nom? Tu veux dire le S?

— Tu n'as reçu l'offre qu'après avoir changé ton nom, n'est-ce pas?

— Longtemps après. Non, ça ce n'est qu'une coïncidence. Je te l'ai déjà dit, Sophie, ce n'était qu'un gaspillage de cinquante dollars pour te faire plaisir. Dieu, quel imbécile j'ai été de tant insister sur ce S, pendant tous ces derniers mois!

Sophie fut aussitôt sur la défensive.

— Je ne t'ai pas forcé, Marshall. Je l'ai suggéré

mais je ne t'ai pas harcelé. Ne dis pas que j'ai fait ça. Et d'ailleurs, tout a très bien tourné. Je suis sûre que c'est grâce au nom.

Sebatinsky sourit avec indulgence.

– Voyons, c'est de la superstition.

– Appelle ça comme tu voudras mais tu ne vas pas rechanger de nom.

– Ma foi non, je ne pense pas. J'ai eu trop de mal à faire épeler mon nom avec un *S* et je n'ai pas du tout envie de recommencer avec le *Z*. Mais je devrais peut-être changer pour Jones, hein ?

Il fut pris de fou rire. Mais Sophie ne sourit pas.

– Tu ne vas pas y toucher !

– Ah, d'accord, ça va, je plaisantais. Tiens, je vais te dire. Un de ces jours, je vais passer à la boutique de ce vieux et je lui dirai que tout a bien marché. Et je lui refilerai dix dollars de mieux. Est-ce que tu seras satisfaite ?

Il fut assez exubérant pour y aller dès la semaine suivante. Cette fois, il ne se déguisa pas. Il porta ses lunettes et son costume de tous les jours, sans chapeau.

Il fredonnait même en arrivant en vue de la boutique et il s'écarta pour permettre à une femme lasse, à la figure amère, de manœuvrer sur le trottoir avec sa poussette de jumeaux.

Il posa sa main sur la poignée de la porte. Le loquet ne céda pas sous la pression de son pouce. La porte était fermée à clef.

La carte poussiéreuse, quasi illisible, de « Numérologie » avait disparu, il s'en aperçut tout à coup. Elle était remplacée par un autre écriteau, imprimé, qui commençait déjà à jaunir au soleil : « A louer ».

Sebatinsky haussa les épaules. La question était

réglée. Il avait essayé de bien agir et il avait la conscience tranquille.

Haround, joyeusement dépouillé de toute excroissance corporelle, gambadait gaiement et ses vortex d'énergie luisaient d'un violet diffus au-dessus des hyperkilomètres cubes.

– Est-ce que j'ai gagné? Est-ce que j'ai gagné? demandait-il.

Meestack était réservé, ses vortex formaient presque une sphère de lumière dans l'hyperes-pace.

– Je n'ai pas encore calculé.

– Eh bien, vas-y. Tu ne changeras rien au résultat en traînant. Ouf! Quel soulagement de me retrouver dans l'énergie pure. Il m'a fallu un microcycle de temps dans une enveloppe corporelle, et une enveloppe presque complètement usée, mais ça en valait la peine, rien que pour te faire voir!

– D'accord, je reconnais que tu as arrêté une guerre nucléaire sur la planète.

– Alors, est-ce que ça n'est pas un effet de Classe A, oui ou non?

– C'est un effet de Classe A. Si, bien sûr.

– Bon. Alors vérifie et vois si je n'ai pas obtenu cet effet de Classe A avec un stimulant de Classe F. J'ai changé une lettre d'un seul nom.

– Quoi?

– Ah, je t'en prie! Tout est là. J'ai tout exposé pour toi.

Meestack dit à contrecœur :

– Je cède. Un stimulant de Classe F.

– Alors j'ai gagné! Avoue-le.

– Ni toi ni moi ne gagnerons quand le Veilleur aura jeté un coup d'œil à ça.

Haround, qui avait été sur Terre un vieux numérologue et qui était encore quelque peu ivre du soulagement de ne plus l'être, répliqua :

— Tu ne t'inquiétais pas de ça quand tu as fait le pari.

— Je ne pensais pas que tu serais assez fou pour y aller.

— Chaleur perdue! Et d'abord, pourquoi s'en faire? Jamais le Veilleur ne détectera un stimulant de Classe F.

— Peut-être pas, mais il détectera un effet de Classe A. Ces corporels seront encore là après une dizaine de microcycles. Le Veilleur le remarquera.

— L'ennui, avec toi, Meestack, c'est que tu ne veux pas payer. Tu cherches à gagner du temps.

— Je paierai. Mais attends que le Veilleur découvre que nous avons travaillé à un problème non commandé et fait un changement non autorisé! Naturellement, si nous...

Il s'interrompit.

— Ça va, ça va, dit Haround. Nous allons le rechanger. Il n'en saura rien.

Il y avait maintenant une lueur rusée dans le scintillement croissant du schéma d'énergie de Meestack.

— Il te faudra un autre stimulant de Classe F, si tu veux qu'il ne remarque rien.

Haround hésita.

— Je peux le faire.

— J'en doute.

— Je pourrai!

— Tu veux encore parier aussi là-dessus?

De la jubilation s'insinuait dans les radiations de Meestack. Piqué au vif, Haround riposta :

— Bien sûr! Je vais remettre ces corporels exactement là où ils étaient et le Veilleur n'y verra que du feu.

Meestack profita de son avantage :

– Suspendons le premier pari, alors. Triplons la mise pour le second.

La fièvre du jeu s'emparait de Haround.

– D'accord! Je marche. Quitte ou triple!

– Pari conclu, alors!

– Pari conclu.

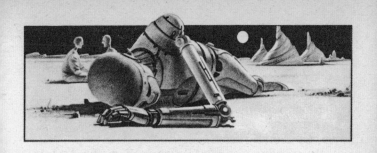

LE PETIT GARÇON TRÈS LAID
(THE UGLY LITTLE BOY)

Edith Fellowes lissa sa blouse de travail, comme elle le faisait toujours, avant d'ouvrir la porte verrouillée et de franchir la ligne invisible divisant l'*est* du n'*est pas*. Elle avait son bloc-notes et son stylo, bien qu'elle n'eût plus besoin de prendre de notes, sauf quand elle sentait le besoin absolu d'un rapport quelconque.

Cette fois, elle portait aussi une valise. (« Des jeux pour le petit », avait-elle dit en souriant au gardien qui avait cessé depuis longtemps de l'interroger et lui faisait simplement signe de passer.)

Et, comme toujours, le petit garçon laid devina qu'elle était entrée et arriva en courant vers elle en criant de sa voix douce et bredouillante :

– Miss Fellowes... Miss Fellowes !

– Timmie, dit-elle en passant sa main sur les cheveux bruns hirsutes de la petite tête difforme, qu'est-ce qui ne va pas ?

351

– Est-ce que Jerry reviendra jouer? Je regrette ce qui est arrivé.

– Ne t'inquiète pas pour ça maintenant, Timmie. C'est pour ça que tu pleurais?

Il se détourna.

– Pas seulement pour ça, Miss Fellowes. J'ai encore rêvé.

– Le même rêve?

Miss Fellowes pinça les lèvres. Bien sûr, l'affaire Jerry avait de nouveau provoqué le rêve. Il hocha la tête. Ses dents trop grandes se montrèrent quand il essaya de sourire et les lèvres de sa bouche proéminente s'étirèrent largement.

– Quand est-ce que je serai assez grand pour sortir d'ici, Miss Fellowes?

– Bientôt, murmura-t-elle, le cœur brisé. Bientôt.

Miss Fellowes le laissa lui prendre la main et aima le contact chaud de son épaisse peau sèche. Il l'entraîna à travers les trois pièces formant toute la Section Un de Stasis, assez confortables, oui, mais une éternelle prison pour le petit garçon laid durant les sept ans (était-ce bien sept?) de sa vie.

Il la conduisit vers l'unique fenêtre, donnant sur une partie boisée, aux arbres rabougris, du monde du *est* (à présent cachée par la nuit), où une barrière et des instructions peintes interdisaient à tout homme d'entrer sans permission. Il pressa son nez contre la vitre.

– Là-bas dehors, Miss Fellowes?

– Des endroits meilleurs. Plus jolis, dit-elle tristement en regardant le pauvre petit visage emprisonné se profilant contre le carreau.

Le front était plat, fuyant, et les cheveux s'y plaquaient par touffes. La partie postérieure du crâne saillait et semblait rendre la tête trop lourde, si bien qu'elle penchait en avant, forçant tout le corps à se voûter. Déjà, des protubérances osseuses commençaient à tirer la peau au-dessus des yeux. Sa large bouche avançait plus loin que son nez camus et il n'avait pour ainsi dire pas de menton, rien qu'une mâchoire qui s'arrondissait en retrait. Il était petit pour son âge et avait de maigres jambes arquées.

C'était un petit garçon très laid, et Edith Fellowes l'aimait tendrement.

Elle gardait le visage hors de son champ de vision, aussi permit-elle à ses lèvres le luxe d'un frémissement.

Ils ne le tueraient pas. Elle ferait tout pour l'empêcher. N'importe quoi. Elle ouvrit sa valise et en retira les vêtements qu'elle contenait.

Edith Fellowes avait franchi pour la première fois le seuil de Stasis S.A. trois ans plus tôt. A cette époque, elle n'avait pas la moindre idée de ce que voulait dire Stasis ni ce que l'on faisait là. Personne ne le savait alors, sauf ceux qui y travaillaient. Ce fut même le lendemain de son arrivée, seulement, que la nouvelle fut communiquée au monde.

A l'époque, il y avait eu simplement une petite annonce demandant une femme avec des notions de physiologie, une expérience de la chimie clinique et aimant les enfants. Edith Fellowes avait été infirmière dans une maternité et pensait être qualifiée pour le poste.

Gerald Hoskins, dont la petite plaque sur son bureau indiquait un doctorat après son nom, se gratta la joue en la considérant.

Miss Fellowes se raidit automatiquement et sentit se pincer son visage (au nez légèrement asymétrique et aux sourcils trop épais).

Il n'a rien d'une créature de rêve non plus, se dit-elle, pleine de ressentiment. Il est déjà gros et chauve, et il a la bouche maussade. Mais le salaire mentionné était considérablement plus élevé qu'elle ne s'y était attendue, alors elle ne dit rien.

– Vous aimez réellement les enfants? demanda Hoskins.

– Je ne dirais pas que je les aime si je ne les aimais pas.

– Ou est-ce que vous n'aimez que les jolis enfants? Les gentils petits enfants au petit nez mutin, qui gazouillent?

– Les enfants sont les enfants, monsieur Hoskins, et ceux qui ne sont pas jolis sont justement ceux qui ont le plus besoin d'être aidés.

– Dans ce cas, supposons que nous vous engagions...

– Vous voulez dire que vous m'offrez la place tout de suite?

Il sourit brièvement et, pendant un moment, sa large figure eut une espèce de charme distrait.

– Je prends des décisions rapides, dit-il. Jusqu'à présent, l'offre est provisoire, cependant. Je puis prendre tout aussi rapidement la décision de vous renvoyer. Etes-vous prête à tenter votre chance?

Les mains de Miss Fellowes se crispèrent sur son sac, elle calcula aussi vite qu'elle le pouvait et puis elle oublia tous les calculs et obéit à une impulsion.

– D'accord.

– Parfait. Nous allons former la Stasis ce soir et je pense qu'il faudrait que vous soyez là pour prendre votre place immédiatement. Ce sera à

20 heures, alors je vous serais reconnaissant d'être là à 19 h 30.

– Mais qu'est-ce...

– Parfait. Parfait. Ce sera tout pour le moment.

Sur un signal, une secrétaire souriante apparut pour la reconduire.

Miss Fellowes se retourna un instant sur la porte fermée du Dr Hoskins. Qu'est-ce que c'était que Stasis? Quel rapport avait cette grande baraque d'immeuble – avec ses employés porteurs de badges, ses couloirs de fortune et son allure d'usine – avec les enfants?

Elle se demanda si elle devait revenir dans la soirée ou rester chez elle pour donner une leçon à cet homme arrogant. Mais elle savait qu'elle reviendrait, ne fût-ce que par pure curiosité. Elle devait savoir ce qui se passait avec les enfants.

Elle revint donc à 19 h 30 et n'eut pas besoin de s'annoncer. Les hommes et les femmes qu'elle croisait paraissaient la connaître et savoir quelle était sa fonction. Elle se trouva presque placée sur les rails et poussée en avant.

Le Dr Hoskins était présent mais il lui accorda à peine un regard en murmurant :

– Miss Fellowes.

Il ne la pria même pas de s'asseoir, mais elle tira calmement une chaise vers la balustrade et s'assit.

Ils étaient sur un balcon dominant une vaste fosse, pleine d'appareils qui tenaient du tableau de commandes d'un vaisseau spatial et de la console d'ordinateur. D'un côté, des cloisons semblaient former un appartement sans plafond, une maison de poupée géante où le regard pouvait plonger dans les pièces.

Elle aperçut une cuisinière électronique et une unité de congélation dans une pièce, une salle d'eau près d'une autre. Et, sans aucun doute, l'objet qu'elle distinguait dans une troisième était la partie visible d'un lit, d'un petit lit.

Hoskins parlait à un autre homme et, avec Miss Fellowes, ils étaient tous trois les seuls occupants du balcon. Hoskins ne présenta pas l'autre homme et Miss Fellowes le regarda furtivement. Il était maigre et plutôt séduisant, dans le genre homme mûr. Il avait une petite moustache et des yeux perçants qui semblaient s'intéresser à tout. Il disait :

– Je ne prétendrai pas un instant que je comprends tout ceci, docteur Hoskins. Tout au plus comme un profane, et un profane normalement intelligent, pourrait le comprendre. Malgré tout, s'il y a une chose que je comprends encore moins que le reste, c'est bien cette question de sélectivité. Vous ne pouvez atteindre qu'une certaine limite, cela paraît raisonnable, les choses deviennent plus diffuses quand vous allez plus loin, il faut davantage d'énergie. De plus, vous ne pouvez toucher plus près. C'est ce qui reste énigmatique.

– Je peux rendre le fait moins paradoxal, Deveney, si vous me permettez d'avoir recours à une analogie.

(Miss Fellowes situa l'homme dès qu'elle entendit son nom et, malgré elle, elle fut impressionnée. Ce devait être Candide Deveney, le rédacteur de la rubrique scientifique du *TVnews* qui, de notoriété publique, se trouvait présent lors de toute importante percée scientifique. Elle reconnut même sa figure, qu'elle avait vue sur le panneau d'actualités, quand l'atterrissage sur Mars avait été annoncé. Donc, le Dr Hoskins devait avoir là quelque chose d'important.)

– Bien sûr, utilisez une analogie, dit Deveney, si vous pensez que ce sera plus pratique.

– Eh bien, alors, vous ne pouvez pas lire un livre aux caractères normaux si on le tient à deux mètres de vos yeux, mais vous pouvez le lire si vous le tenez à trente centimètres. Jusqu'à présent, plus il est rapproché, mieux vous lisez. Mais si vous amenez le livre à deux centimètres de vos yeux, vous le perdez à nouveau. On ne peut pas être trop près, comprenez-vous ?

– Hum ! fit Deveney.

– Ou prenez un autre exemple. Votre épaule droite est à environ soixante-quinze centimètres du bout de votre index droit et vous pouvez placer votre index droit sur votre épaule droite. Votre coude n'est qu'à mi-distance du bout de votre index et, selon toute logique, il devrait être plus facile à atteindre, et pourtant vous ne pouvez pas placer votre index droit sur votre coude droit. Encore une fois, c'est trop près.

– Puis-je utiliser ces analogies pour mon article ? demanda Deveney.

– Naturellement. J'en serai même ravi. J'ai attendu trop longtemps qu'un homme comme vous ait un tel sujet. Je vous donnerai tout ce que vous voulez d'autre. Il est temps, enfin, de forcer le monde à regarder par-dessus notre épaule. Il y a quelque chose à voir.

(Miss Fellowes admira malgré elle cette calme certitude. Il y avait là de la force.)

– Quelle distance allez-vous atteindre ? demanda Deveney.

– Quarante mille ans.

Miss Fellowes réprima une exclamation.

Ans ?

La tension était perceptible dans l'air. Les hommes aux commandes bougeaient à peine. L'un d'eux avait un microphone et parlait tout bas d'une voix monotone, à courtes phrases qui n'avaient aucun sens pour Miss Fellowes.

Accoudé à la balustrade, le regard fixe, Deveney demanda :

– Verrons-nous quelque chose, docteur Hoskins ?

– Hein ? Non. Rien avant que ce soit fini. Nous détectons indirectement, un peu selon le principe du radar, sauf que nous employons des mésons au lieu de la radiation. Les mésons se tendent en arrière, dans les conditions voulues. Certains sont reflétés et nous devons analyser les reflets.

– Ça paraît difficile.

Hoskins sourit, brièvement, comme toujours.

– C'est le produit de cinquante ans de recherches, dont quarante avant que je fasse mon entrée dans ce domaine. Oui, c'est difficile.

L'homme au micro leva une main.

– Nous avons le point fixe sur un moment particulier du temps, depuis des semaines, nous le perdons, nous le retrouvons après de nouveaux calculs de nos propres mouvements dans le temps, pour nous assurer que nous sommes capables de manier l'écoulement du temps avec une précision suffisante. Ce coup-ci, ça devrait marcher.

Mais son front luisait de sueur.

Edith Fellowes se leva brusquement et se pencha à la balustrade, mais il n'y avait rien à voir.

L'homme au micro murmura :

– Maintenant.

Il y eut un instant de silence, le temps d'une

respiration, suivi du hurlement d'un petit garçon terrifié dans la maison de poupée. De la terreur ! Une terreur stridente !

Miss Fellowes tourna la tête en direction du cri. Il s'agissait d'un enfant. Elle avait oublié.

Le poing de Hoskins s'abattit sur la balustrade et il dit d'une voix tendue, frémissante d'orgueil :

– C'est réussi !

Miss Fellowes était poussée dans le petit escalier en colimaçon par la main dure de Hoskins appuyée contre ses omoplates. Il ne lui avait pas dit un mot.

Les hommes qui avaient été aux commandes allaient et venaient, en souriant et en fumant ; ils regardaient les trois personnes qui entraient dans la salle principale. Un très léger bourdonnement venait de la maison de poupée.

Hoskins dit à Deveney :

– On peut entrer dans Stasis absolument sans danger. Je l'ai fait mille fois. On éprouve une sensation bizarre qui n'est que momentanée et qui ne signifie rien.

Il franchit la porte ouverte, pour une démonstration muette, et Deveney, avec un sourire crispé et en retenant ostensiblement sa respiration, le suivit.

– Miss Fellowes ! S'il vous plaît, dit Hoskins.

Il lui fit signe, en repliant impatiemment un index.

Miss Fellowes acquiesça et entra d'un pas raide. Elle eut l'impression qu'une onde la parcourait, une petite onde interne.

Mais une fois à l'intérieur, tout parut normal. Il y avait l'odeur de bois neuf de la maison de poupée et de... terre mouillée.

Le silence était tombé, à présent; du moins on n'entendait aucune voix mais un vague raclement de pied, de main grattant le bois... et puis un sourd gémissement.

– Qu'est-ce que c'est? demanda Miss Fellowes d'une voix pleine de détresse.

Ces hommes stupides étaient-ils donc indifférents à ce point?

Le garçon était dans la chambre; du moins dans la pièce où se trouvait le lit.

Il était tout nu, son petit torse couvert de crasse soulevé par une respiration irrégulière. Un tas de terre et d'herbe sèche s'étalait sous ses pieds. C'était de là que venait l'odeur de terre mouillée avec des relents fétides.

Hoskins suivit le regard horrifié de Miss Fellowes et dit, agacé :

– On ne peut pas cueillir proprement un gamin hors du temps, Miss Fellowes. Nous avons dû rapporter un peu de son environnement avec lui, pour plus de sécurité. Ou bien vous auriez préféré qu'il arrive avec une jambe en moins, ou seulement la moitié de la tête?

– Je vous en prie! s'écria Miss Fellowes avec un geste de répulsion. Est-ce que nous allons rester plantés là? Le pauvre petit est effrayé. Et il est *dégoûtant*!

Elle avait parfaitement raison. Il était couvert d'une croûte incrustée faite d~~~~~~~~~~~~~~~
et ~~~~~~~~~~~~~~~~~ faite de crasse et de graisse, et une égratignure, sur sa cuisse, suppurait.

Quand Mr Hoskins s'approcha, l'enfant, qui devait avoir un peu plus de trois ans, se replia sur lui-même et recula vivement. Il retroussa sa lèvre supérieure et gronda en crachant à la manière d'un chat. D'un geste prompt, Hoskins lui saisit les deux bras et le souleva, hurlant et gigotant.

— Tenez-le bien, maintenant, dit Miss Fellowes. Il a besoin avant tout d'un bon bain chaud. Il a besoin d'être lavé. Avez-vous ce qu'il faut? Si c'est oui, faites apporter cela ici et, au début, il me faudra de l'aide pour le maîtriser. Et puis aussi, pour l'amour du ciel, faites enlever ces saletés!

Elle donnait des ordres, à présent, et cela ne lui déplaisait pas. Et comme elle était une infirmière efficace, et non pas une spectatrice désorientée, elle considérait l'enfant d'un œil clinique. Mais, pendant un instant de choc, elle hésita. Elle vit au-delà de la crasse et des cris, sous les mouvements violents et les contorsions inutiles. Elle vit l'enfant lui-même.

C'était le petit garçon le plus laid qu'elle avait jamais vu. Il était absolument affreux, de sa tête difforme à ses jambes torses.

Elle nettoya le petit garçon avec l'aide de trois hommes, pendant que d'autres leur tournaient autour pour faire un peu de ménage dans la pièce. Elle travaillait en silence, outrée, exaspérée par les cris et les gestes désordonnés de l'enfant, et par l'éclaboussement sans dignité auquel elle était soumise.

Le Dr Hoskins avait laissé entendre que l'enfant n'était pas joli, certes, mais il avait été loin d'avouer qu'il était d'une difformité révoltante. Et il émanait de lui une puanteur que l'eau et le savon ne parvenaient pas entièrement à supprimer.

Elle avait une forte envie de jeter l'enfant tout trempé et savonneux dans les bras de Hoskins, et de s'en aller, mais il y avait l'orgueil de sa profession. Elle avait accepté une mission, après tout. Et il y avait eu le regard de cet homme. Un regard froid, qui disait : Seulement les jolis enfants, Miss Fellowes ?

Il se tenait à l'écart, observant le tableau avec un demi-sourire, comme s'il s'amusait de la voir scandalisée.

Elle décida d'attendre un peu, avant de partir. Si elle démissionnait maintenant, elle en serait rabaissée.

Enfin, quand l'enfant fut d'un rose supportable et embauma la savonnette, elle se sentit mieux. Ses cris aigus se changeaient en gémissements tandis qu'il regardait tout avec attention, ses petits yeux effrayés et soupçonneux sautant rapidement de l'un à l'autre. Sa propreté accentuait sa maigreur et sa nudité, et il grelottait après son bain. Miss Fellowes dit d'un ton sec :

– Apportez-moi une chemise de nuit pour cet enfant !

Une chemise apparut aussitôt. C'était comme si tout était prêt et, pourtant, rien ne l'était à moins qu'elle ne donnât des ordres; comme si on la laissait délibérément responsable, sans aide, pour la mettre à l'épreuve.

Deveney, le journaliste, s'approcha et proposa :

– Je vais le tenir, mademoiselle. Vous ne pourrez pas la lui passer toute seule.

– Merci.

Et ce fut en effet une véritable bataille, mais la chemise fut enfilée, et quand le petit garçon fit mine de la déchirer, elle lui donna une bonne tape sur la main.

L'enfant rougit mais ne pleura pas. Il la regarda fixement et les doigts spatulés d'une de ses mains caressèrent lentement la flanelle de la chemise, tâtant son étrangeté.

Miss Fellowes pensa désespérément : Eh bien, quoi encore?

Tout le monde restait figé dans l'inactivité, attendant qu'elle fît quelque chose. Même le vilain petit garçon.

– Avez-vous fourni des provisions? Du lait? demanda-t-elle vivement.

Il y en avait. Une unité mobile fut poussée dans la pièce, avec un compartiment-réfrigérateur contenant trois litres de lait, une plaque chauffante et une quantité de fortifiants sous forme de comprimés de vitamines, de sirop de cuivre-cobalt-fer et d'autres qu'elle n'eut pas le temps d'examiner. Il y avait aussi un assortiment d'aliments pour enfants, dans des boîtes auto-chauffantes.

Pour commencer, elle n'utilisa que le lait. L'unité radar le chauffa à la température voulue en l'affaire de dix secondes et s'éteignit; elle le versa dans une soucoupe. Elle était certaine de la sauvagerie de l'enfant. Il ne saurait pas boire à la tasse.

Elle lui fit signe et lui dit :

– Bois. Bois.

Elle fit mine de porter le lait à sa bouche. Il suivit le mouvement des yeux mais ne bougea pas.

L'infirmière eut alors recours aux mesures directes. Elle saisit le garçon par un bras et trempa son autre main dans la soucoupe. Elle lui éclaboussa la bouche et le lait coula sur ses joues et sur son menton fuyant.

L'enfant poussa un cri perçant, puis sa langue passa sur ses lèvres. Miss Fellowes recula.

Il s'approcha de la soucoupe, se pencha par-dessus et leva furtivement les yeux pour regarder derrière lui comme s'il craignait un ennemi; puis il se pencha de nouveau et lapa avidement le lait, comme un chat, en faisant du bruit.

Miss Fellowes laissa un peu de la répugnance qui pourrait se voir sur sa figure. C'était plus fort qu'elle. Deveney surprit son expression, peut-être. Il demanda :

– Est-ce que la nurse sait, docteur Hoskins?

– Si je sais quoi? s'exclama Miss Fellowes.

Deveney hésita mais Hoskins (de nouveau cet air d'amusement détaché) dit simplement :

– Eh bien, dites-le-lui.

Deveney s'adressa à elle.

– Vous ne vous en doutez pas, mademoiselle, mais vous êtes la première femme civilisée de l'histoire à prendre soin d'un enfant de Neandertal.

Elle se tourna vers Hoskins avec une espèce de férocité contrôlée.

– Vous auriez pu me le dire, docteur!

– Pourquoi? Qu'est-ce que ça change?

– Vous avez dit un enfant.

– Eh bien, n'est-ce pas un enfant? Vous n'avez jamais eu un chiot, Miss Fellowes, ou un petit chat? Sont-ils plus proches de l'humain? Si c'était un bébé chimpanzé, est-ce que vous seriez dégoûtée? Vous êtes infirmière, Miss Fellowes. D'après votre curriculum vitæ, vous avez travaillé dans une maternité pendant trois ans. Vous est-il arrivé de refuser de prendre soin d'un enfant difforme?

Miss Fellowes sentit qu'elle perdait l'initiative. Elle répondit, avec beaucoup moins de détermination :

– Vous auriez pu me prévenir.

– Et vous auriez refusé ce poste? Est-ce que vous le refusez maintenant?

Il l'observait froidement, tandis que Deveney les

regardait tous deux. De l'autre côté de la pièce, l'enfant de Neandertal avait bu tout le lait et léché la soucoupe; il levait vers elle une figure mouillée et des yeux pleins de nostalgie.

Il désigna le lait et se mit tout à coup à émettre une courte suite de sons, qu'il répéta plusieurs fois, des sons gutturaux accompagnés de claquements de langue. Miss Fellowes s'écria avec étonnement :

— Mais il parle!

— Naturellement, dit Hoskins. L'*Homo sapiens neanderthalensis* n'est pas réellement une espèce différente mais plutôt une sous-espèce de l'*Homo sapiens*. Pourquoi ne parlerait-il pas? Il réclame probablement encore du lait.

Automatiquement, Miss Fellowes tendit la main vers la bouteille mais Hoskins lui saisit le bras.

— Miss Fellowes, avant que nous allions plus loin, allez-vous rester?

Elle se dégagea avec irritation.

— Est-ce que vous le ferez manger, si je m'en vais? Je vais rester avec lui... pour un temps.

Elle versa le lait.

— Nous allons vous laisser avec le petit, dit Hoskins. Ceci est l'unique porte de Stasis Numéro Un, et elle est bien verrouillée et gardée. Je veux que vous appreniez les détails du verrouillage qui, bien entendu, sera adapté à vos empreintes digitales, comme il est déjà adapté aux miennes. L'espace au-dessus de nos têtes, expliqua-t-il en levant les yeux vers les plafonds ouverts de la maison de poupée, est également gardé et nous serons avertis là-haut, si quelque chose d'insolite se passait ici.

Miss Fellowes s'indigna.

— Vous voulez dire que je serai exposée à la vue de tous?

Elle songea subitement à son propre examen de l'intérieur des pièces, du haut du balcon.

– Non, non, répondit sérieusement Hoskins. Votre intimité sera totalement respectée. La vue ne consiste qu'en symboles électroniques, que seul un ordinateur peut lire. Vous allez donc rester ici avec lui ce soir, Miss Fellowes, et toutes les nuits jusqu'à nouvel ordre. Vous serez relayée dans la journée, selon l'horaire que vous trouverez le plus commode. Nous vous laisserons prendre vos dispositions.

Miss Fellowes regarda autour d'elle, perplexe.

– Mais pourquoi tout ceci, docteur Hoskins? Cet enfant serait-il dangereux?

– C'est une question d'énergie, Miss Fellowes. Il ne doit jamais quitter ces pièces. Jamais. Pas un seul instant. Pour aucune raison. Même pas pour sauver sa vie. Même pas pour sauver *votre* vie. Est-ce clair, Miss Fellowes?

Elle releva le menton.

– Je comprends les ordres, docteur Hoskins, et les infirmières ont l'habitude de faire passer leurs devoirs avant leur instinct de conservation.

– Parfait. Vous pouvez toujours faire signe, si vous avez besoin de quelqu'un.

Et les deux hommes s'en allèrent.

Miss Fellowes se tourna vers l'enfant. Il l'observait et il y avait encore du lait dans la soucoupe. Laborieusement, elle essaya de lui montrer comment la soulever et la porter à ses lèvres. Il résista mais se laissa toucher sans crier.

Ses yeux effrayés ne la quittaient pas. Ils observaient, guettaient le moindre faux mouvement. Elle tenta machinalement de le calmer, elle tendit lentement une main vers ses cheveux, en le laissant la regarder, suivre la main des yeux, voir qu'elle était inoffensive.

Et elle réussit à lui caresser la tête un instant.

– Il va falloir maintenant que je te montre comment utiliser la salle de bains. Tu crois que tu peux apprendre le pot?

Elle parlait à voix basse, avec douceur, sachant qu'il ne comprenait pas les mots mais espérant qu'il réagirait au ton calme.

Le petit garçon se lança dans une nouvelle phrase de claquements de langue.

– Est-ce que je peux te prendre par la main? dit-elle.

Elle tendit la sienne et le petit la regarda. Elle resta le bras tendu et attendit. La main de l'enfant se leva lentement vers la sienne.

– C'est ça, dit-elle.

La petite main s'approcha mais, quand elle fut à un ou deux centimètres, il perdit tout son courage et la ramena vivement contre lui.

– Ça ne fait rien, dit calmement Miss Fellowes. Nous essaierons encore une autre fois. Tu voudrais t'asseoir là?

Elle tapota le bord du lit.

Les heures passèrent, lentes, et les progrès furent minces. Elle n'eut de succès ni avec la salle de bains ni avec le lit. En fait, quand l'enfant eut laissé voir qu'il avait sommeil, il se coucha par terre et, de là, à petits mouvements rapides, il roula sous le lit.

Elle se baissa pour le regarder et vit ses yeux brillants tandis qu'il faisait claquer sa langue.

– C'est bon, dit-elle, si tu te sens plus en sécurité comme ça, tu n'as qu'à dormir là.

Elle ferma la porte de la chambre et alla vers le lit de camp qu'elle avait fait installer pour son usage personnel, dans la plus grande des pièces. A sa demande insistante, on avait étendu au-dessus un baldaquin de fortune. Ces imbéciles d'hommes, pensa-t-elle, devront placer une glace et une grande commode ici, et une salle de bains séparée s'ils veulent que je passe mes nuits ici!

Elle eut du mal à s'endormir. A tout instant, elle tendait l'oreille en guettant le moindre bruit dans la chambre voisine. Il ne pouvait pas sortir, n'est-ce pas? Les murs étaient lisses et d'une hauteur impossible, mais si cet enfant était capable de grimper comme un singe? Mais Hoskins avait dit qu'il y avait des appareils d'observation, regardant par le haut.

Tout à coup, elle se demanda : Pourrait-il être dangereux? Physiquement dangereux?

Non, Hoskins ne voulait sûrement pas dire cela. Il ne la laisserait sûrement pas seule si...

Elle essaya de rire, de se moquer d'elle-même. Ce n'était qu'un enfant de trois ou quatre ans. Malgré tout, elle n'avait pas réussi à lui couper les ongles. S'il l'attaquait avec ses ongles et ses dents tandis qu'elle dormait...

Sa respiration s'accéléra. Non, c'était ridicule, mais pourtant...

Elle écouta avec une douloureuse attention et cette fois elle entendit quelque chose.

Le petit garçon pleurait.

Il ne criait pas de peur ou de colère, il ne glapissait ni ne hurlait. Il pleurait doucement, à petits sanglots entrecoupés d'un enfant abandonné qui se sent terriblement seul.

Pour la première fois, le cœur de Miss Fellowes se serra. Pauvre petit bonhomme!

Bien sûr, c'était un enfant, quelle importance avait la forme de sa tête? C'était un enfant devenu orphelin comme jamais aucun enfant ne l'avait été avant lui. Non seulement son père et sa mère avaient disparu, mais toute son espèce. Brutalement arraché hors du temps, il était maintenant la seule créature de sa race au monde. La dernière. L'unique.

Sa pitié grandit, et avec elle la honte de son propre manque de cœur. Baissant soigneusement sa chemise de nuit autour de ses mollets (la pensée incongrue lui vint d'apporter une robe de chambre, le lendemain), elle se leva et alla dans la chambre de l'enfant.

– Petit garçon? chuchota-t-elle. Petit garçon?

Elle allait allonger la main sous le lit quand elle songea à une possibilité de morsure; elle se retint mais alluma la veilleuse et déplaça le lit.

Le pauvre enfant était blotti dans le coin, les genoux remontés contre son menton, et il levait vers elle des yeux voilés pleins d'appréhension.

Dans la lumière tamisée, elle ne voyait qu'à peine sa laideur repoussante.

– Pauvre petit, murmura-t-elle. Pauvre petit. (Elle le sentit se raidir quand elle lui toucha les cheveux, et puis se détendre.) Pauvre petit. Tu me permets de te bercer?

Elle s'assit par terre à côté de lui et, lentement, régulièrement, elle lui caressa les cheveux, la joue, le bras. Elle se mit à chanter tout bas une petite chanson tendre, lente.

A cela, il redressa la tête et regarda la bouche de l'infirmière dans la pénombre, comme émerveillé par les sons incompréhensibles.

Elle le serra plus près d'elle et il continua de l'écouter. Lentement, elle appuya légèrement contre un côté de sa tête pour l'amener vers sa propre épaule. Elle lui glissa un bras sous les cuisses et, d'un mouvement sans brusquerie, elle le souleva sur ses genoux.

Elle continua de chanter, répétant le même verset simple, en le berçant doucement.

Il s'arrêta de pleurer et, au bout d'un moment, sa respiration régulière révéla qu'il dormait.

Avec un soin infini, elle repoussa le lit contre le mur et y déposa l'enfant. Elle le recouvrit et le contempla. Sa figure était paisible, celle d'un petit garçon dans son sommeil. Sa laideur avait bien moins d'importance. Vraiment.

Elle fit mine de sortir sur la pointe des pieds mais se ravisa : et s'il se réveillait ?

Elle revint sur ses pas, resta un moment irrésolue, en conflit avec elle-même, puis elle se coucha à côté de l'enfant.

Le lit était trop petit pour eux deux. Elle n'avait guère de place et l'absence de baldaquin au-dessus de sa tête la gênait, mais une petite main se glissa dans la sienne et, finalement, elle s'endormit dans cette position.

Miss Fellowes se réveilla en sursaut avec une folle envie de hurler, mais elle parvint à étouffer le cri. Le petit garçon la regardait avec de grands yeux. Elle mit un long moment à se souvenir qu'elle s'était allongée près de lui, et puis, lentement, sans quitter des yeux ceux de l'enfant, elle étendit une jambe avec précaution et posa un pied par terre, puis l'autre.

Elle jeta un bref coup d'œil inquiet vers le plafond ouvert et banda ses muscles pour un désengagement rapide.

Mais, à ce moment, les petits doigts courts de l'enfant se levèrent et lui touchèrent les lèvres. Il dit quelque chose.

Elle frémit un peu à ce contact. Il était affreusement laid, à la lumière du jour.

Il parla encore. Il ouvrit sa propre bouche et fit un geste de la main, comme si quelque chose en sortait.

Miss Fellowes devina la signification et demanda :

– Tu veux que je chante?

L'enfant ne dit rien mais lui regarda fixement la bouche.

D'une voix légèrement faussée par la tension, Miss Fellowes reprit la petite chanson de la veille et l'enfant laid sourit. Il se balança maladroitement au rythme de la musique et émit de petits sons gargouillants qui pouvaient être un commencement de rire.

Elle soupira à part elle. La musique possédait des charmes qui apaisaient les bêtes sauvages. Cela aiderait peut-être...

– Attends, dit-elle. Laisse-moi m'arranger. Je n'en ai que pour une minute. Ensuite, je te ferai un petit déjeuner.

Elle travailla rapidement, consciente de l'absence de plafond au-dessus d'elle. Le petit garçon resta au lit, l'observant quand elle passait dans son champ de vision. Elle lui souriait alors et agitait la main. Finalement, il imita le geste et elle en fut charmée.

Enfin, elle lui dit :

– Veux-tu des flocons d'avoine avec ton lait?

Il fallut un moment pour les préparer, puis elle lui fit signe de venir.

Elle ne sut pas s'il avait compris ou s'il suivait la bonne odeur, mais il se leva.

Elle essaya de lui montrer comment se servir d'une cuiller mais il eut un mouvement de recul peureux. (Avec le temps, pensa-t-elle.) Elle se résigna à insister pour qu'il soulève le bol avec ses mains. Il le fit plutôt gauchement et, si ce fut incroyablement salissant, il réussit tout de même à en avaler une partie.

Elle s'efforça cette fois de lui faire boire le lait dans un verre, et le petit garçon gémit, trouvant l'ouverture trop petite pour lui permettre d'y plonger commodément la figure. Elle lui tint la main, l'enroula autour du verre et l'obligea à le pencher, à poser sa bouche sur le rebord.

Encore pas mal de gâchis mais, une fois de plus, il en avala la plus grande partie et elle était habituée au gâchis.

La salle de bains, à son grand soulagement, fut une affaire moins ardue. Il comprit ce qu'elle attendait de lui.

Elle lui caressa la tête en disant :

– Tu es un bon petit garçon. Intelligent.

Et, pour son plus grand plaisir, l'enfant lui sourit.

Quand il sourit, se dit-elle, il est tout à fait supportable. Réellement.

Plus tard dans la journée, ces messieurs de la presse arrivèrent.

Elle garda l'enfant dans ses bras et il se cramponna désespérément à elle pendant que, de l'autre côté de la porte ouverte, les caméras étaient installées. Toute cette agitation effraya le petit et il se mit à pleurer. Au bout de dix minutes, cependant, Miss Fellowes eut le droit de se retirer et alla mettre le petit garçon dans l'autre pièce.

Elle reparut, rouge d'indignation, et sortit de l'appartement (pour la première fois depuis dix-huit heures) en refermant la porte derrière elle.

– Je crois que cela suffit. Il va me falloir un moment pour le calmer. Allez-vous-en.

– Mais oui, mais oui, dit le journaliste du *Times-Herald*. Mais est-ce que c'est vraiment un néandertalien, ou bien une espèce de gag?

– Je puis vous assurer, dit soudain Hoskins, à l'arrière-plan, que ce n'est pas un gag. L'enfant est authentique. *Homo sapiens neanderthalensis.*

– C'est un garçon ou une fille?

– Un garçon, répliqua sèchement Miss Fellowes.

– Un garçon-singe, dit le représentant du *News*. Voilà ce que nous avons ici. Un garçon-singe. Comment se comporte-t-il, mademoiselle?

– Exactement comme un petit garçon, répliqua-t-elle, agacée et sur la défensive, et ce n'est pas un garçon-singe. Il s'appelle... il s'appelle Timothy. Timmie. Et son comportement est tout à fait normal.

Elle avait choisi au hasard ce nom de Timothy. C'était le premier qui lui était venu à l'esprit.

– Timmie le garçon-singe, dit l'homme du *News*.

Et Timmie le garçon-singe fut le nom par lequel l'enfant devint connu dans le monde.

Le journaliste du *Globe* se tourna vers Hoskins et demanda :

– Qu'est-ce que vous espérez faire avec ce garçon-singe, docteur?

Hoskins fit un geste vague.

– Mon projet initial s'est achevé quand j'ai prouvé qu'il était possible de le faire venir jusqu'ici. Toutefois, les anthropologues seront très intéressés, j'imagine, et aussi les physiologistes. Après tout, il s'agit d'une créature sur le point de devenir humaine. Nous devrions apprendre beaucoup de choses sur nous-mêmes et sur nos aïeux, grâce à cet enfant.

– Combien de temps comptez-vous le garder ?

– Jusqu'à ce que nous ayons plus besoin de l'espace que de lui. Assez longtemps, peut-être.

Le représentant du *News* demanda :

– Est-ce que vous pouvez le faire sortir pour que nous puissions installer un matériel sub-éthérique et organiser un vrai spectacle ?

– Je regrette, mais l'enfant ne peut être retiré de Stasis.

– Qu'est-ce au juste que Stasis ?

– Ah, fit Hoskins en se permettant un de ses rares sourires. Cela exigerait de très longues explications, messieurs. Dans la Stasis, le temps tel que nous le connaissons n'existe pas. Ces pièces se trouvent à l'intérieur d'une bulle invisible qui ne fait pas précisément partie de notre univers. C'est pourquoi l'enfant a pu être, pour ainsi dire, cueilli hors du temps.

– Non, attendez, attendez ! s'exclama le journaliste, mécontent. Qu'est-ce que vous nous racontez ? L'infirmière entre dans la pièce et en ressort.

– Vous pouvez en faire autant, dit tranquillement Hoskins. Vous vous déplaceriez parallèlement aux lignes de force temporelle, et il n'y aura pas de perte ou de gain d'énergie important. L'enfant, en revanche, a été arraché à un lointain passé. Il a franchi les lignes et gagné un potentiel temporel. Pour le déplacer dans l'univers et dans notre propre temps, cela absorberait assez d'énergie pour brûler toutes les lignes et faire probablement sauter tout le courant de Washington. Nous avons dû emmagasiner la terre apportée avec lui, ici, et nous serons obligés de l'enlever petit à petit.

Les journalistes prenaient fébrilement des notes sur ce que leur disait Hoskins. Ils ne comprenaient rien et ils étaient sûrs que leurs lecteurs ne comprendraient pas non plus, mais ça « faisait scientifique » et c'était le principal.

L'homme du *Times-Herald* demanda :

– Est-ce que vous serez libre pour une interview sur toutes les chaînes, ce soir ?

– Je le pense, répondit sans hésiter Hoskins.

Et ils s'en allèrent tous.

Miss Fellowes les regarda partir. Elle ne comprenait pas tout sur la Stasis et la force temporelle, guère mieux que les journalistes, mais elle avait quand même saisi quelque chose : l'emprisonnement de Timmie (il était soudain devenu Timmie pour elle) était bien réel et non pas imposé par une décision arbitraire de Hoskins. Apparemment, il serait éternellement impossible de le laisser sortir de la Stasis. Eternellement.

Pauvre petit. Pauvre petit.

Elle l'entendit alors pleurer et se dépêcha d'aller le consoler.

Miss Fellowes n'eut pas l'occasion de voir l'émission de Hoskins; et si elle fut diffusée dans toutes les parties du monde, et même vers l'avant-poste sur la Lune, elle ne pénétra pas dans l'appartement où vivaient Miss Fellowes et le petit garçon.

Mais il descendit le lendemain matin, joyeux et rayonnant.

– L'interview s'est bien passée ? demanda-t-elle.

– Extrêmement bien. Et comment va – euh – Timmie ?

Miss Fellowes fut contente qu'il prononce le prénom.

– Il va très bien. Viens, Timmie, le gentil monsieur ne te fera pas de mal.

Mais Timmie resta dans l'autre pièce, une mèche de ses cheveux hirsutes apparente au coin de la porte et, de temps en temps, la moitié d'un œil.

– A vrai dire, il s'adapte d'une façon surprenante, dit-elle. Il est très intelligent.

– Cela vous étonne ?

Elle hésita à peine et avoua :

– Oui. Je suppose que je le prenais pour un garçon-singe.

– Ma foi, garçon-singe ou non, il a beaucoup fait pour nous. Il a fait connaître la Stasis. Nous sommes arrivés, Miss Fellowes, nous sommes arrivés.

On avait l'impression qu'il avait besoin d'exprimer sa victoire, ne fût-ce qu'à Miss Fellowes.

– Ah ? fit-elle, et elle le laissa parler.

Il enfonça ses mains dans ses poches et déclara :

– Nous avons travaillé avec des ronds de carotte pendant dix ans, en mendiant quelques subventions quand nous le pouvions. Nous avons dû tout miser sur un seul grand coup. C'était tout ou rien. Et quand je dis tout, je veux bien dire tout. Cette tentative de faire venir un néandertalien a coûté jusqu'au dernier centime que nous avons pu emprunter ou voler, et certains ont bel et bien été volés, détournés de leurs projets, employés sans permission pour celui-ci. Si cette expérience n'avait pas réussi, j'aurais été fini.

– C'est pour ça qu'il n'y a pas de plafonds ? demanda brusquement Miss Fellowes.

– Hein ? fit Hoskins en levant les yeux.

– Il n'y avait plus d'argent pour des plafonds ?

– Ah ! Eh bien, ce n'était pas la seule raison.

Nous ne savions pas, à l'avance, quel âge aurait notre néandertalien. Nous ne pouvions le distinguer que très vaguement dans le temps et il aurait pu être énorme et sauvage. Il fallait prévoir de s'occuper de lui de loin. Comme un animal en cage.

– Mais comme ce n'est pas le cas, je suppose que vous pouvez construire un plafond, maintenant ?

– Maintenant, oui. Nous avons assez d'argent. Des fonds nous ont été promis, de toutes les sources possibles. C'est vraiment merveilleux, Miss Fellowes.

Un large sourire illumina sa figure, y resta, et quand il partit, son dos même eut l'air de sourire.

Miss Fellowes pensa : Dans le fond, il est charmant quand il laisse tomber sa garde et oublie d'être scientifique.

Elle se demanda distraitement s'il était marié, puis elle chassa cette pensée comme si elle la gênait.

– Timmie ! appela-t-elle. Viens ici, Timmie.

Durant les mois suivants, Miss Fellowes se sentit devenir une part intégrante de Stasis S.A. On lui donna un petit bureau, bien à elle, avec son nom sur la porte, un bureau tout à côté de la maison de poupée (comme elle ne cessait d'appeler la bulle Stasis de Timmie). Elle eut droit à une considérable augmentation de salaire. La maison de poupée fut recouverte d'un plafond, son mobilier complété et amélioré, une seconde salle de bains fut installée et, malgré cela, elle obtint un appartement personnel dans le parc de l'institut; il lui arrivait occasionnellement de ne pas passer la nuit avec Timmie.

Un interphone fut installé entre la maison de poupée et son appartement, et Timmie apprit à s'en servir.

Miss Fellowes s'habitua à Timmie. Elle eut même moins conscience de sa laideur. Un jour, elle regarda dans la rue un petit garçon normal, et trouva un aspect massif et déplaisant à son front bombé et à son menton proéminent. Elle dut se secouer pour rompre le charme.

Il lui était plus agréable de s'habituer aux visites occasionnelles de Hoskins. Manifestement, il aimait échapper à son rôle de plus en plus écrasant de directeur de Stasis et il commençait à avoir un intérêt sentimental pour l'enfant qui avait tout déclenché, mais Miss Fellowes avait aussi l'impression qu'il aimait s'entretenir avec elle.

(Elle avait aussi appris diverses choses sur Hoskins. Il avait inventé une méthode pour analyser la réflexion du rayon mésonique pénétrateur du passé; il avait inventé un moyen d'établir Stasis; sa froideur n'était qu'une tentative de cacher la bonté de son caractère et, oh oui, il était marié.)

Le fait auquel Miss Fellowes ne pouvait s'habituer, c'était qu'elle était engagée dans une expérience scientifique. En dépit de tous ses efforts, elle ne pouvait s'empêcher de s'y mêler personnellement, au point de se disputer avec les physiologistes.

Une fois, Hoskins descendit et la trouva d'humeur massacrante. Ils n'avaient pas le droit! Ils n'avaient absolument pas le droit... même s'il était un néandertalien, il n'était quand même pas un animal.

Elle les regardait partir, folle de rage, par la porte ouverte, et elle entendait les sanglots de Timmie quand elle remarqua soudain Hoskins devant elle. Peut-être était-il là depuis plusieurs minutes.

– Puis-je entrer? demanda-t-il.

Elle hocha la tête et se précipita vers Timmie, qui se cramponna et serra autour d'elle ses petites jambes arquées, encore si maigres, bien maigres.

Hoskins les considéra et dit gravement :

– Il a l'air très malheureux.

– Je le comprends! Ils viennent le harceler tous les jours, avec leurs prises de sang et leurs auscultations. On l'astreint à un régime synthétique que je ne donnerais pas à un cochon!

– C'est le genre de choses qu'ils ne peuvent expérimenter sur des êtres humains, vous savez.

– Et ils ne peuvent pas les essayer sur Timmie non plus, docteur Hoskins! Vous m'avez dit que c'était l'arrivée de Timmie qui avait fait le renom de Stasis. Si vous lui en aviez la moindre reconnaissance, vous les empêcheriez de malmener ce pauvre petit, au moins jusqu'à ce qu'il soit assez grand pour comprendre. Après une mauvaise séance avec eux, il fait des cauchemars, il ne peut pas dormir. Alors, je vous avertis, déclara-t-elle dans un nouveau paroxysme de fureur, je ne les laisserai plus entrer ici. (Elle s'aperçut qu'elle avait crié mais elle n'y pouvait rien.) Je sais qu'il est néandertalien, reprit-elle plus calmement, mais il y a beaucoup de choses que nous ne comprenons pas, sur les êtres de Neandertal. J'ai lu des articles à leur sujet. Ils avaient une culture à eux. Certaines des plus grandes inventions humaines ont leur source à l'époque de Neandertal. La domestication des animaux, par exemple; la roue, diverses techniques pour tailler la pierre. Ils avaient même des besoins spirituels. Ils enterraient leurs morts et ils enterraient leurs biens avec les corps, montrant qu'ils croyaient à la vie après la mort. Est-ce que cela ne veut pas dire que Timmie a droit à un traitement humain?

Elle donna une petite tape affectueuse sur les fesses du petit garçon et l'envoya dans sa salle de jeux. A l'ouverture de la porte, Hoskins sourit un peu en voyant tout un assortiment de jouets.

Miss Fellowes s'exclama, sur la défensive :

– Le pauvre enfant mérite ses jouets. C'est tout ce qu'il a et il les a bien gagnés, avec tout ce qu'il doit supporter.

– Non, non, je n'ai aucune objection, je vous assure. Je pensais seulement que vous avez bien changé, depuis le premier jour, quand vous étiez très fâchée que je vous aie imposé un néandertalien.

– Je suppose que je n'étais pas...

Miss Fellowes laissa sa phrase en suspens. Hoskins changea de conversation.

– Quel âge lui donnez-vous, Miss Fellowes?

– Je ne sais pas, puisque je ne sais pas comment les néandertaliens se développaient. Par la taille, il n'a que trois ans, mais en général les néandertaliens étaient plus petits, et avec toutes les expériences qu'on fait sur lui, il est probable qu'il ne grandit pas. A sa façon d'apprendre l'anglais, cependant, je dirais qu'il a bien plus de quatre ans.

– Vraiment? Je n'ai rien vu sur son apprentissage de l'anglais, dans les rapports?

– Il ne veut parler à personne d'autre que moi. Pour le moment, du moins. Il a terriblement peur des autres, ce qui n'a rien d'étonnant. Mais il sait demander ce qu'il a envie de manger, il peut indiquer pratiquement tous ses besoins et il comprend presque tout ce que je dis. Naturellement (elle observa Hoskins avec attention en se demandant si c'était le bon moment), il se peut que son développement s'interrompe.

– Pourquoi?

– Tout enfant a besoin de stimulation et celui-ci a une existence solitaire, constamment enfermé. Je fais ce que je peux mais je ne suis pas tout le temps avec lui et je ne suis pas la seule dont il ait besoin. Ce que je veux dire, docteur Hoskins, c'est qu'il lui faudrait un camarade de jeux.

Hoskins hocha lentement la tête.

– Malheureusement, il est seul de son espèce, n'est-ce pas? Pauvre enfant.

Miss Fellowes fut aussitôt prise de sympathie pour Hoskins.

– Vous aimez Timmie, n'est-ce pas?

C'était si bon de voir qu'une autre personne éprouvait ce sentiment!

– Oh, oui! affirma-t-il.

Et, sa garde étant baissée, elle vit de la lassitude dans ses yeux.

Elle abandonna son intention d'insister sur la question et dit, avec un souci très sincère :

– Vous avez l'air épuisé, docteur Hoskins.

– Vraiment? Je vais devoir m'appliquer à paraître plus animé, alors.

– Stasis doit représenter beaucoup de travail et vous occuper énormément.

– Ma foi, sans doute. C'est une question d'animal, de végétal et de minéral en parties égales. Mais je pense que vous n'avez pas vu nos installations et nos réalisations?

– Non, en effet, mais ce n'est pas parce que je ne suis pas intéressée. Simplement, j'ai eu trop à faire.

– Eh bien, vous n'avez pas trop à faire en ce

moment, dit-il en prenant spontanément une décision. Je viendrai vous chercher demain à onze heures et je vous ferai personnellement tout visiter. Qu'en dites-vous?

Elle sourit gaiement.

– J'en serai ravie!

Il salua, sourit à son tour et la quitta.

Miss Fellowes fredonna de temps en temps, tout le reste de la journée. Vraiment – cette pensée était ridicule, bien sûr –, mais, vraiment, c'était presque comme si elle avait un rendez-vous galant.

Le lendemain, il arriva à l'heure précise et se montra tout à fait charmant. Elle avait remplacé son uniforme d'infirmière par une robe. Une robe stricte, naturellement, mais, depuis des années, elle ne s'était jamais sentie aussi féminine.

Il la complimenta sur sa toilette avec une gravité polie, et elle accepta son compliment avec grâce. C'était un prélude parfait, pensait-elle. Et puis une autre pensée lui vint : Un prélude à quoi?

Elle chassa cela en se dépêchant de dire au revoir à Timmie, et de lui assurer qu'elle reviendrait bientôt. Elle veilla à ce qu'il sache où était son déjeuner et comment se servir.

Hoskins la conduisit dans l'aile neuve, où elle n'était jamais allée. Il y régnait encore une odeur de neuf et le vacarme qu'on devinait, même étouffé, indiquait assez qu'elle était encore en cours d'agrandissement.

– Animal, végétal et minéral, dit Hoskins comme il l'avait dit la veille. L'animal est là; c'est notre division la plus spectaculaire.

L'espace était divisé en nombreuses salles, chacune avec sa bulle Stasis. Hoskins la fit approcher d'une vitrine et elle vit d'abord ce qui lui fit l'effet d'un poulet écailleux à longue queue. Il courait d'un mur à l'autre sur deux petites pattes maigres en tournant de tous côtés sa délicate tête d'oiseau surmontée d'une excroissance osseuse comme une crête de coq. Ses pieds griffus se crispaient et se décrispaient constamment.

– C'est notre dinosaure, dit Hoskins. Nous l'avons depuis des mois. Je ne sais pas quand nous pourrons le relâcher.

– Un dinosaure?

– Vous vous attendiez à un géant?

Elle sourit et ses fossettes se creusèrent.

– C'est naturel, je pense. Mais je sais que certains étaient tout petits.

– Ce n'était qu'un petit que nous visions, croyez-moi. Normalement, il est en cours d'investigations mais ce doit être son heure de pause. Certaines choses intéressantes ont été découvertes. Par exemple, il n'est pas entièrement à sang froid. Il a une méthode imparfaite pour maintenir sa température au-dessus de celle de son environnement. Malheureusement, c'est un mâle. Depuis que nous l'avons amené, nous essayons d'obtenir un point fixe sur un autre qui pourrait être une femelle, mais nous n'avons pas encore eu de chance.

– Pourquoi une femelle?

Il la regarda ironiquement.

– Pour que nous ayons une chance d'avoir des œufs fécondés, et des bébés dinosaures.

– Bien sûr.

Il la conduisit dans la section trilobite.

– Je vous présente le professeur Dwayne de l'université de Washington, dit-il. C'est un chimiste nucléaire. Si je me souviens bien, il relève le taux isotopique de l'oxygène de l'eau.

– Pourquoi?

– C'est de l'eau primitive, vieille d'au moins un

demi-milliard d'années. Le taux isotopique donne la température de l'océan à cette époque. Il se trouve que lui-même se désintéresse des trilobites mais d'autres s'occupent de les disséquer. Dwayne doit installer un spectographe de masse chaque fois qu'il procède à une expérience.

– Pourquoi? Est-ce qu'il ne peut...

– Non, il ne peut pas. Il ne peut rien faire sortir de la salle, dans la mesure où cela peut être évité.

Il y avait aussi des spécimens de la flore primitive et des fragments de formations rocheuses. C'étaient le végétal et le minéral. Et chaque spécimen avait son enquêteur. C'était comme un musée, ou plutôt un muséum animé servant de centre de recherche super-actif.

– Et vous dirigez tout cela, docteur Hoskins?

– Indirectement seulement, Miss Fellowes. J'ai des subordonnés, grâce au ciel. Personnellement, je m'intéresse surtout aux aspects théoriques : la nature du temps, la technique de détection intemporelle mésonique, et ainsi de suite. J'échangerais volontiers tout cela contre une méthode de détection des objets plus proches que nous dans le temps que dix mille ans. Si nous pouvions pénétrer dans les temps historiques...

Il fut interrompu par un brouhaha émanant d'une alcôve éloignée; une voix de fausset s'élevait avec colère. Il fronça les sourcils et partit précipitamment en murmurant des excuses.

Miss Fellowes le suivit aussi vite qu'elle le put sans courir.

Un homme âgé, avec une barbiche et une figure congestionnée, protestait :

– J'ai encore à compléter les aspects vitaux de mes investigations. Vous ne comprenez pas ça?

Un technicien en uniforme portant le sigle de Stasis déclara :

– Docteur Hoskins, il était convenu au commencement avec le professeur Ademewski que le spécimen ne pourrait rester ici que deux semaines.

– Je ne savais pas combien de temps devraient durer mes investigations. Je ne suis pas un prophète! s'écria Ademewski.

– Vous devez comprendre, professeur, intervint Hoskins, que nous manquons de place; nous devons effectuer un roulement, avec les spécimens. Ce fragment de chalcopyrite doit repartir; il y a des hommes qui attendent le spécimen suivant.

– Pourquoi ne puis-je le prendre pour moi, alors? Laissez-moi l'emporter.

– Vous savez que vous ne le pouvez pas.

– Un fragment de chalcopyrite! Un morceau de cinq malheureux kilos! Pourquoi pas?

– Nous ne pouvons nous permettre la dépense d'énergie, dit Hoskins avec brusquerie. Vous le savez...

Le technicien interrompit :

– Le fait est, docteur Hoskins, que le professeur a essayé de déplacer la pierre, contrairement au règlement, et j'ai failli percer Stasis alors qu'il était à l'intérieur, ne sachant pas qu'il y était.

Un bref silence suivit et le Dr Hoskins s'adressa avec froideur au vieux savant :

– Est-ce vrai, professeur?

Ademewski toussota et grommela :

– Je ne voyais pas de mal à...

Hoskins leva une main vers un cordon qui pendait à sa portée, hors de la pièce du spécimen en question, et le tira.

Miss Fellowes, qui regardait à l'intérieur le spécimen de roche d'apparence tout à fait ordinaire qui occasionnait la dispute, étouffa une exclamation en le voyant disparaître. La pièce était vide.

– Professeur, reprit Hoskins, votre permis d'étudier les spécimens en Stasis est définitivement annulé. Je regrette.

– Mais...

– Je regrette. Vous avez transgressé une des règles les plus strictes.

– J'en appellerai à l'Association internationale...

– Faites appel à qui vous voulez. Dans les cas comme celui-ci, vous vous apercevrez qu'on ne peut passer outre à mes décisions.

Il tourna aussitôt les talons, laissant le professeur continuer de protester, et (la figure blême de colère) dit à Miss Fellowes :

– Me ferez-vous le plaisir de déjeuner avec moi, Miss Fellowes ?

Il la conduisit dans une petite alcôve administrative de la cafétéria. Il salua les autres consommateurs et présenta Miss Fellowes avec une parfaite aisance, mais elle était péniblement intimidée.

Que doivent-ils penser ? se demandait-elle en essayant désespérément de paraître à son aise.

– Avez-vous souvent ce genre d'ennuis, docteur Hoskins ? demanda-t-elle. Comme à l'instant avec le professeur ?

– Non ! C'est la première fois. Naturellement, je suis constamment obligé de discuter, de dissuader des savants de prélever les spécimens, mais c'est la première fois que l'un d'eux tente de le faire réellement.

– Je me souviens que vous m'avez parlé une fois de l'énergie que cela consommerait.

– C'est exact. Bien sûr, nous avons essayé d'en

tenir compte. Des accidents peuvent survenir, aussi avons-nous des sources d'énergie spécialement conçues pour supporter la perte causée par un retrait accidentel de Stasis; mais cela ne veut pas dire que nous voulons voir un an de réserve d'énergie disparaître en une demi-seconde... Si nous nous le permettions, nos plans d'expansion seraient retardés de plusieurs années. D'ailleurs, imaginez que le professeur ait été dans la pièce au moment où Stasis était sur le point d'être percée!

– Que lui serait-il arrivé, alors?

– Eh bien, nous avons fait des expériences avec des objets inanimés et avec des souris et ils ont disparu. On peut penser qu'ils ont été expulsés dans le temps, emportés pour ainsi dire par l'attraction de l'objet retournant simultanément dans son ère naturelle. Pour cette raison, nous devons ancrer dans la Stasis les objets que nous ne voulons pas déplacer, et c'est une procédure compliquée. Si le professeur n'avait pas été ancré, il serait parti dans le pliocène à l'instant où nous aurions abstrait le fragment de roche... plus, naturellement, les deux semaines pendant lesquelles elle est restée ici dans le présent.

– Quelle horreur!

– Pas à cause du professeur, croyez-moi. S'il avait été assez fou pour faire ce qu'il voulait, cela aurait été bien fait pour lui. Mais songez à l'effet que la chose aurait sur le public, si cela venait à se savoir. Il suffirait qu'on prenne conscience des dangers pour que nos fonds soient supprimés, comme ça!

Il claqua des doigts et se pencha d'un air morose sur son assiette.

– Vous n'auriez pas pu le faire revenir? Comme vous aviez fait venir la roche?

– Non, parce qu'une fois qu'un objet est retourné, le point fixe initial est perdu, à moins que nous n'ayons voulu le maintenir en place et, dans ce cas-là, nous n'avions aucune raison. Il n'y en a jamais. Pour retrouver le professeur, il aurait fallu recalculer un point fixe spécial, cela équivaudrait à peu près à lancer une ligne dans un grand fond océanique, dans l'intention de pêcher un poisson particulier. Dieu, quand je pense aux précautions que nous prenons pour éviter les accidents, je vois rouge. Nous installons chaque unité individuelle de Stasis avec son propre système de percement. Nous le devons, puisque les unités ont chacune leur point fixe particulier et doivent être dégonflables séparément. Le fait est, malgré tout, que le système de percement n'est mis en action qu'à la dernière minute. Et nous rendons volontairement toute activation impossible autrement qu'en tirant sur un cordon installé avec précaution hors de la Stasis. C'est un système mécanique solide et pour tirer le cordon il faut une certaine force, ce n'est pas quelque chose que l'on risque de faire accidentellement.

– Mais est-ce que... cela ne modifie-t-il pas le cours de l'histoire, de retirer ainsi quelque chose hors de son temps?

Hoskins haussa vaguement les épaules.

– Théoriquement, oui. En réalité, sauf dans des cas exceptionnels, non. Nous déplaçons constamment des objets hors de Stasis. Des molécules d'air. Des bactéries. De la poussière. Environ dix pour cent de notre consommation d'énergie sont consacrés à compenser les micro-pertes de cette nature. En revanche, déplacer d'importants objets dans le temps cause des changements irréversibles. Prenez ce fragment de chalcopyrite du pliocène. A cause de ses deux semaines d'absence, un insecte a peut-être manqué de l'abri qu'il aurait pu trouver, et a été tué. Ce facteur pourrait déclencher une série de changements en chaîne, mais les mathématiques de Stasis indiquent que c'est une suite convergente. La quantité de changements diminue avec le temps; ensuite, les choses sont comme elles étaient auparavant.

— Vous voulez dire... La réalité se guérit elle-même?

— Pour ainsi dire. Si on abstrait un humain de son temps ou si on en renvoie un en arrière, on cause une blessure plus importante. Si l'individu est un homme ordinaire, cette blessure se guérit d'elle-même. Naturellement, beaucoup de gens nous écrivent tous les jours pour que nous ramenions dans le présent Abraham Lincoln, Mahomet ou Lénine. Cela ne peut être fait, bien sûr. Même si nous les trouvions, le changement dans la réalité causé par le déplacement d'un des modeleurs de l'histoire serait trop important pour être guéri. Nous avons les moyens de calculer les risques de tel ou tel changement et nous évitons même de nous approcher de cette limite.

— Alors, Timmie...

— Non, il ne présente pas de problème de ce côté-là. La réalité ne risque rien. Mais... Mais peu importe. Hier, vous me disiez que Timmie avait besoin de compagnie.

— Oui! s'écria Miss Fellowes avec un sourire heureux. Je ne pensais pas que vous y aviez fait attention.

— Mais si, naturellement. J'ai de l'affection pour cet enfant. Je comprends vos sentiments pour lui et je m'en soucie assez pour vouloir vous donner des explications. C'est ce que j'ai fait. Vous avez vu maintenant ce que nous faisons, vous avez une idée des difficultés, alors vous savez pourquoi, avec la meilleure volonté du monde, nous ne pouvons fournir de compagnon à Timmie.

– Vous ne pouvez pas? dit Miss Fellowes avec une soudaine détresse.

– Je viens de vous l'expliquer! Nous ne pouvons absolument pas espérer trouver un autre néandertalien de son âge, sans une chance incroyable; et si nous le pouvions, ce ne serait pas juste de multiplier les risques avec un autre être humain en Stasis.

Miss Fellowes posa sa fourchette et dit énergiquement :

– Je ne veux pas que vous ameniez un autre néandertalien dans le présent. Je sais que c'est impossible. Mais il n'est pas impossible de faire venir un autre enfant pour jouer avec Timmie.

Hoskins la regarda avec inquiétude.

– Un enfant *humain*?

– Un autre enfant, répéta Miss Fellowes, tout à fait hostile maintenant. Timmie est humain!

– Jamais je ne pourrais faire une chose pareille!

– Et pourquoi pas? Pourquoi ne le pourriez-vous pas? Qu'y aurait-il de mal? Vous arrachez cet enfant hors du temps pour en faire un éternel prisonnier. Estimez-vous ne rien lui devoir? S'il y a un homme, docteur Hoskins, qui, dans ce monde, est le père de cet enfant sous tous les aspects, sauf l'aspect biologique, c'est vous! Pourquoi ne pouvez-vous faire cela pour lui?

– Moi, son père? s'exclama Hoskins en se

levant. Miss Fellowes, je crois que je vais vous raccompagner, si cela ne vous ennuie pas.

Ils retournèrent à la maison de poupée dans un silence total.

Elle ne revit pas Hoskins avant longtemps, sauf de temps en temps, en passant. Il lui arrivait de le regretter mais, parfois, quand Timmie était plus triste que d'ordinaire ou quand il passait des heures silencieuses à la fenêtre, d'où l'on ne voyait presque rien, elle pensait avec rage que cet homme était stupide.

Timmie parlait et s'exprimait de mieux en mieux. Il ne perdait jamais tout à fait un certain défaut de prononciation sifflant que Miss Fellowes trouvait plutôt attachant. Dans les moments d'énervement, il en revenait à ses claquements de langue, mais c'était de plus en plus rare. Il devait oublier le temps d'avant le présent, excepté dans ses rêves.

Il grandissait. Les physiologistes s'intéressaient moins à lui, et les psychologues davantage. Miss Fellowes ne savait trop si elle préférait le second groupe au premier. Les seringues avaient disparu, avec les prises de sang et les régimes spéciaux. Mais à présent, Timmie devait franchir des barrières pour atteindre ses aliments et l'eau. Il devait soulever des panneaux, déplacer des barres, s'étirer vers des cordes. Et les légers électro-chocs le faisaient pleurer, ce qui rendait Miss Fellowes littéralement folle de rage.

Elle ne souhaitait pas faire appel à Hoskins; elle ne voulait pas aller le voir car, chaque fois qu'elle pensait à lui, elle revoyait sa figure au déjeuner, la dernière fois. Des larmes lui montaient aux yeux et elle pestait encore contre cet homme stupide, stupide, stupide!

Enfin, un jour, elle eut la surprise d'entendre la voix de Hoskins, appelant dans la maison de poupée :

– Miss Fellowes ?

Elle sortit froidement, en lissant son uniforme d'infirmière, et s'arrêta net, décontenancée. Elle se trouvait en présence d'une femme pâle, mince et de taille moyenne. Elle avait des cheveux blonds et son teint délicat lui donnait une apparence de fragilité. Derrière elle, cramponnée à sa jupe, il y avait un enfant de quatre ans à la figure ronde et aux yeux immenses.

– Ma chérie, dit Hoskins, voici Miss Fellowes, la nurse chargée du petit garçon. Miss Fellowes, ma femme.

(Sa femme ! Elle n'était pas du tout comme Miss Fellowes l'avait imaginée. Mais après tout, pourquoi pas ? Il était normal qu'un homme comme Hoskins choisît quelqu'un de faible, comme repoussoir. Si c'était ce qu'il voulait...)

Elle se força à être naturelle.

– Bonjour, Mrs Hoskins. C'est... c'est votre petit garçon ?

(C'était une surprise. Elle avait pensé à Hoskins comme à un mari, et non pas comme à un père, excepté naturellement... Elle surprit le regard grave de Hoskins et rougit.)

– Oui, dit-il, celui-ci est mon fils Jerry. Dis bonjour à Miss Fellowes, Jerry !

(*Celui-ci* ? Voulait-il dire que c'était celui-ci son fils, et non...)

Jerry recula un peu plus dans les plis de la jupe maternelle et marmonna un bonjour. Les yeux de Mrs Hoskins scrutaient derrière Miss Fellowes, fouillaient la pièce, à la recherche de quelque chose.

– Eh bien, entrons. Viens, ma chérie. Il y a une petite sensation désagréable sur le seuil mais elle passe très vite.

– Vous voulez que Jerry entre aussi? demanda Miss Fellowes.

– Naturellement. Il doit être le compagnon de jeux de Timmie. Vous m'avez dit que Timmie avait besoin d'un petit camarade. Auriez-vous oublié?

– Mais... *votre* fils? murmura-t-elle en le regardant avec un immense étonnement.

– Le fils de qui vouliez-vous que j'amène? répliqua-t-il avec un certain agacement. N'est-ce pas ce que vous souhaitiez? Viens, ma chérie. Entrons, entrons.

Mrs Hoskins prit Jerry dans ses bras avec un effort visible, hésita, puis franchit le seuil. Jerry se débattit un peu à ce moment, effrayé par la désagréable sensation.

– Est-ce que la créature est là? demanda Mrs Hoskins d'une petite voix aiguë. Je ne la vois pas.

– Timmie! appela Miss Fellowes. Viens voir.

Timmie risqua un coup d'œil au coin de sa porte et regarda le petit garçon qui venait lui rendre visite. Les muscles des bras de Mrs Hoskins se crispèrent nettement. Elle murmura à son mari :

– Tu es sûr qu'il n'y a aucun danger, Gerald?

Miss Fellowes intervint aussitôt :

– Vous voulez savoir si Timmie est dangereux? Absolument pas, voyons! C'est un gentil petit garçon.

– Mais c'est un sau... un sauvage.

(Les histoires du garçon-singe dans les journaux!) Miss Fellowes protesta avec fermeté :

– Ce n'est pas un sauvage! Il est tout aussi tranquille et raisonnable qu'on peut l'espérer d'un enfant de cinq ans et demi. C'est très généreux de votre part, Mrs Hoskins, de permettre à votre fils de jouer avec Timmie mais, je vous en prie, n'ayez aucune crainte.

Mrs Hoskins répliqua en s'échauffant :

– Je ne sais pas si je suis d'accord.

– Nous en avons assez parlé, ma chérie, intervint Hoskins. Ne recommençons pas la discussion. Pose Jerry par terre.

Mrs Hoskins obéit et l'enfant recula contre elle, en regardant la paire d'yeux qui le dévisageaient, de la pièce voisine.

– Viens ici, Timmie, dit Miss Fellowes. N'aie pas peur.

Lentement, Timmie s'avança. Hoskins se baissa pour détacher les doigts de Jerry de la jupe de sa mère.

– Recule, ma chérie. Donne donc une chance aux enfants.

Les garçons se faisaient face, maintenant. Bien que plus jeune, Jerry avait quelques centimètres de plus et, en présence de son dos droit, de sa tête haute et bien proportionnée, la laideur grotesque de Timmie était aussi frappante que les premiers jours.

Les lèvres de Mrs Hoskins tremblaient.

Ce fut le petit néandertalien qui parla le premier, d'une voix fluette d'enfant :

– Comment tu t'appelles ?

Timmie allongea le cou brusquement, comme pour voir de plus près les traits de l'autre enfant.

Surpris, Jerry répliqua par une poussée vigoureuse qui fit chanceler Timmie à la renverse. Tous deux se mirent à pleurer bruyamment et Mrs Hoskins reprit son fils dans ses bras, tandis que Miss

Fellowes, rouge de colère contenue, soulevait Timmie et le consolait.

– Instinctivement, ils ne s'aiment pas, déclara Mrs Hoskins.

– Pas plus instinctivement, dit avec lassitude son mari, que n'importe quels autres gamins. Maintenant pose Jerry et laisse-le s'habituer à la situation. Nous ferions mieux de partir, d'ailleurs. Miss Fellowes pourra ramener Jerry à mon bureau dans un moment, et je le ferai raccompagner à la maison.

Les deux enfants passèrent l'heure suivante à s'examiner avec méfiance. Jerry pleurait et appelait sa mère; il frappa Miss Fellowes et, finalement, se laissa consoler avec une sucette. Timmie en suça une autre et, au bout de l'heure, Miss Fellowes les fit jouer avec les mêmes cubes, mais dans des coins opposés de la pièce.

Elle pleurait presque de reconnaissance pour Hoskins, quand elle lui ramena Jerry.

Elle chercha des moyens de le remercier mais il gardait une attitude froide qui ressemblait à une rebuffade. Peut-être ne lui pardonnait-il pas de lui avoir donné à penser qu'il était un père cruel. Peut-être tentait-il, en amenant son propre enfant, de se prouver qu'il était après tout un bon père pour Timmie et, en même temps, pas du tout son père. Les deux à la fois!

Alors elle ne put faire mieux que de dire :

– Merci. Merci infiniment.

Et il ne put que bougonner :

– De rien. Je vous en prie.

Cela devint une routine. Deux fois par semaine, Jerry était amené pour une heure de jeu, plus tard étendue à deux heures. Les enfants apprirent chacun leur nom et leurs manières, et désormais ils jouaient ensemble.

Malgré tout, après le premier élan de gratitude, Miss Fellowes s'aperçut qu'elle n'aimait pas Jerry. Il était plus grand, plus lourd et, en toute chose, dominateur, il reléguait Timmie à un rôle tout à fait secondaire. La seule chose qui la réconciliait avec la situation était qu'en dépit des difficultés Timmie attendait joyeusement avec de plus en plus d'impatience les visites ponctuelles de son petit camarade.

C'était tout ce qu'il avait, se disait-elle tristement.

Et une fois, en les observant, elle pensa : Les deux enfants de Hoskins, l'un avec sa femme, l'autre grâce à Stasis.

Alors qu'elle-même...

Ciel, se dit-elle, en serrant sa tête entre ses poings, alarmée, je suis jalouse !

– Miss Fellowes, dit Timmie (prudemment, elle ne lui avait jamais permis de l'appeler autrement), quand est-ce que j'irai à l'école ?

Elle regarda les grands yeux noirs avides levés vers elle et passa doucement la main dans les épaisses boucles frisées. C'était l'élément le moins soigné de sa petite personne, car elle lui coupait les cheveux elle-même, pendant qu'il s'agitait nerveusement sous les ciseaux. Elle ne voulait pas demander d'aide professionnelle parce que la maladresse même de sa coupe masquait la zone fuyante du front et la protubérance du crâne par-derrière.

– Où as-tu entendu parler de l'école ?

– Jerry va à l'école. Au jar-din d'en-fants, dit-il en s'efforçant de bien prononcer. Il va dans des tas d'endroits. Dehors. Quand est-ce que je pourrai aller dehors, Miss Fellowes?

Une petite douleur crispa le cœur de Miss Fellowes. Bien sûr, elle comprenait soudain qu'il était impossible d'éviter que Timmie n'entende de plus en plus parler de ce monde extérieur qui lui était interdit. Elle dit en tentant d'être gaie :

– Mais que ferais-tu donc au jardin d'enfants, Timmie?

– Jerry dit qu'ils jouent à des jeux et qu'ils regardent des images qui bougent. Il dit qu'il y a beaucoup d'enfants. Il dit... il dit...

Il réfléchit un instant puis eut un geste triomphant de ses deux petites mains levées, les doigts écartés.

– Il dit, autant que ça!

– Tu aimerais voir des bandes d'images? Je peux t'en apporter. De très jolies bandes. Et aussi des bandes de musique.

Timmie fut ainsi momentanément réconforté.

En l'absence de Jerry, il regardait les bandes dessinées et Miss Fellowes lui faisait la lecture de livres normaux, pendant des heures.

Il y avait beaucoup à expliquer, dans l'histoire la plus simple, bien des choses qui étaient en dehors de la perspective de ces trois pièces. Timmie fit des rêves plus fréquents, maintenant que le monde extérieur lui était présenté.

C'étaient toujours les mêmes, à propos de l'extérieur. Il essayait maladroitement de les décrire à Miss Fellowes. Dans ses rêves, il était dehors, un extérieur vide mais très vaste, avec des enfants et de bizarres objets indescriptibles, à demi digérés par sa pensée, d'après les descriptions des livres

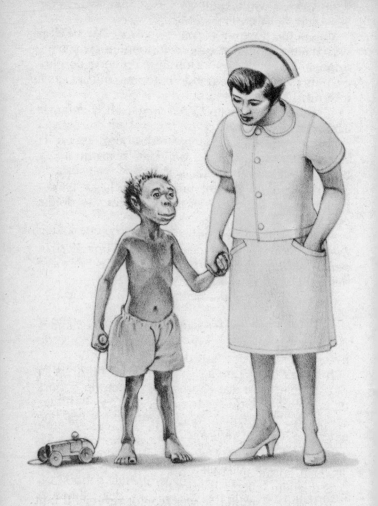

mal compris, ou venant de ses lointains souvenirs neandertaliens à demi oubliés.

Cependant, les enfants et les objets l'ignoraient et, s'il était dans le monde, il n'en faisait pas partie, jamais. Il était aussi seul que dans sa propre chambre, et il se réveillait immanquablement en pleurant.

Miss Fellowes essayait de rire en écoutant le récit des rêves mais, certaines nuits, il lui arrivait aussi de pleurer dans son propre appartement.

Un jour que Miss Fellowes lisait, Timmie lui mit une main sous le menton et le souleva doucement, pour qu'elle quitte le livre des yeux et le regarde.

– Comment savez-vous quoi dire, Miss Fellowes ?

– Tu vois ces signes ? Ils me disent ce que je dois dire, répondit-elle. Ces signes forment des mots.

Il les examina, longuement et avec curiosité, en lui prenant le livre des mains.

– Il y a des signes qui sont les mêmes.

Cette preuve de perception la fit rire de plaisir.

– Tu as raison. Est-ce que tu aimerais que je te montre comment faire ces signes ?

– Oh oui ! Ce serait un joli jeu.

L'idée ne vint pas à Miss Fellowes qu'il pourrait apprendre à lire. Et, jusqu'au moment où il lui lut un livre, elle ne se douta pas qu'il avait appris.

Finalement, au bout de plusieurs semaines, l'énormité de ce qui avait été fait la frappa. Timmie était assis sur ses genoux, suivant mot à mot les phrases imprimées dans un livre d'enfant, et les lisait. Il lui faisait la lecture !

Stupéfaite, elle se leva et lui dit :

– Ecoute, Timmie, je vais bientôt revenir. Il faut que j'aille voir le docteur Hoskins.

Follement surexcitée, elle pensait avoir trouvé la

solution à la tristesse de Timmie. S'il ne pouvait pas partir et entrer dans le monde, le monde pourrait être apporté dans ces trois pièces, le monde entier dans des livres, des films, l'image et le son. Il devait être instruit selon toutes ses capacités. Le monde lui devait bien ça.

Elle trouva Hoskins d'une humeur assez semblable à la sienne : une espèce de triomphe glorieux. Ses bureaux étaient anormalement animés et, pendant un moment, elle crut qu'elle n'arriverait pas à le voir, aussi resta-t-elle debout, hésitante, dans l'antichambre.

Mais il l'aperçut et un grand sourire illumina sa large figure.

– Miss Fellowes! Venez par ici.

Il .parla rapidement à l'interphone et raccrocha.

– Vous avez appris? Non, bien sûr, ce n'est pas possible. Nous avons réussi! Nous avons réellement réussi. Nous avons obtenu la détection intemporelle à courte portée!

– Vous voulez dire... (elle essaya de détacher un moment ses pensées de sa bonne nouvelle)... vous voulez dire que vous pouvez ramener dans le présent une personne des temps historiques?

– C'est exactement ce que je veux dire. Nous avons un point fixe en ce moment sur une personne du XIVe siècle. Vous vous rendez compte? Vous ne pouvez vous imaginer ma joie à l'idée d'échapper à l'éternelle concentration sur le mésozoïque, de remplacer les paléontologues par les historiens... Mais il y a quelque chose que vous vouliez me dire, non? Allez-y, allez-y. Vous ne sauriez me trouver de meilleure humeur. Tout ce que vous voulez, vous l'aurez.

Miss Fellowes sourit.

– J'en suis heureuse. Parce que je me demande si vous ne pourriez pas établir un système d'instruction pour Timmie.

– D'instruction ? En quoi ?

– Eh bien, en tout. Une école. Pour qu'il puisse s'instruire.

– Mais peut-il apprendre ?

– Certainement. Il apprend déjà. Il sait lire. Je lui ai déjà appris cela moi-même.

Hoskins garda un moment le silence, soudain déprimé.

– Je ne sais pas, Miss Fellowes.

– Vous venez de dire que tout ce que je voulais...

– Je sais et j'ai eu tort. Voyez-vous, Miss Fellowes, je suis sûr que vous comprenez que nous ne pouvons pas poursuivre éternellement l'expérience Timmie.

Elle le regarda avec une horreur subite, sans vraiment comprendre ce qu'il disait. Que signifiait : « Nous ne pouvons pas poursuivre... » ? Tout à coup, avec un serrement de cœur, elle se rappela le professeur Ademewski et son spécimen minéral, renvoyé au bout de deux semaines. Elle bredouilla :

– Mais vous parlez d'un enfant, pas d'une pierre...

– Même à un enfant, dit Hoskins avec gêne, on peut donner une importance exagérée, Miss Fellowes. Maintenant que nous pouvons attendre des individus venant des temps historiques, nous aurons besoin d'espace Stasis, tout l'espace possible.

Elle ne comprit pas.

– Mais vous ne pouvez pas. Timmie... Timmie...

– Voyons, Miss Fellowes, ne soyez pas si boule-versée. Timmie ne va pas repartir tout de suite, peut-être pas avant des mois. En attendant, nous ferons tout ce que nous pourrons.

Elle le regardait, toujours bouche bée.

– Vous voulez boire quelque chose, Miss Fello-wes ?

– Non, souffla-t-elle, je n'ai besoin de rien.

Elle se leva, en plein cauchemar, et le quitta.

Timmie, pensa-t-elle, tu ne mourras pas. Tu ne mourras pas !

C'était bien joli de se cramponner farouchement à la pensée que Timmie ne devait pas mourir, mais comment faire ? Durant les premières semaines, Miss Fellowes se rassura avec l'espoir que la tentative de faire venir un homme du XIVe siècle échouerait totalement. Les théories de Hoskins pouvaient être fausses, où sa mise en pratique défectueuse. Alors tout continuerait comme avant.

Ce n'était naturellement pas l'espoir du reste du monde et, déraisonnablement, Miss Fellowes détesta pour cela le reste du monde. Le « Projet Moyen Age » atteignit son apogée de publicité sensationnelle. La presse et le grand public avaient soif de quelque chose de ce genre. Stasis S.A. ne faisait plus sensation depuis longtemps. Encore un bout de rocher ou un autre poisson millénaire, cela n'intéressait plus personne. Tandis que cette fois, ça y était !

Un humain historique; un adulte parlant une langue connue; quelqu'un qui serait capable d'écrire une nouvelle page d'histoire pour l'érudit.

L'heure H approchait et, cette fois, il ne serait plus question de trois spectateurs sur un balcon.

Cette fois, le public serait composé du monde entier. Cette fois, les techniciens de Stasis S.A. joueraient leur rôle sous les yeux de l'humanité tout entière.

Miss Fellowes était elle-même folle d'impatience. Quand le jeune Jerry Hoskins arriva pour sa séance de jeux bi-hebdomadaire avec Timmie, ce fut tout juste si elle le reconnut. Ce n'était pas lui qu'elle attendait.

(La secrétaire qui l'amena partit précipitamment en saluant à peine Miss Fellowes. Elle avait hâte de chercher une bonne place d'où observer le triomphe du Projet Moyen Age. Miss Fellowes ne manquerait pas de le regarder aussi, pour une bien meilleure raison, pensa-t-elle amèrement, si seulement cette fille stupide qui la remplaçait arrivait enfin.)

Jerry Hoskins s'approcha d'elle, tout embarrassé.

– Miss Fellowes? bredouilla-t-il en tirant la photocopie d'une coupure de presse de sa poche.

– Oui? Qu'y a-t-il, Jerry?

– Est-ce une photo de Timmie?

Miss Fellowes le regarda, puis elle lui arracha des mains la coupure de journal. La curiosité autour du Projet Moyen Age avait suscité un regain d'intérêt pour Timmie. Jerry l'observa attentivement et demanda :

– Ça dit que Timmie est un garçon-singe. Qu'est-ce que ça veut dire?

Miss Fellowes saisit le bras de l'enfant et résista à l'envie de le secouer.

– Ne dis jamais ça, Jerry. Jamais, tu comprends? C'est un vilain mot et tu ne dois pas l'employer.

Il se débattit, effrayé. Miss Fellowes déchira la

coupure de presse, d'une torsion rageuse du poignet.

– Maintenant, entre et va jouer avec Timmie. Il a un nouveau livre à te montrer.

La jeune fille arriva enfin. Miss Fellowes ne la connaissait pas. Aucune de ses remplaçantes habituelles, qui venaient quand elle était obligée de sortir, n'était libre ce jour-là, avec le Projet Moyen Age dans toute sa gloire, mais la secrétaire de Hoskins avait promis de trouver quelqu'un et ce devait être cette fille-là.

Miss Fellowes s'efforça de parler calmement :

– C'est vous qui avez été affectée à la Section Stasis Un ?

– Oui, c'est moi. Mandy Terris. Vous êtes Miss Fellowes, n'est-ce pas ?

– C'est ça.

– Je regrette d'être en retard. Mais tout est sens dessus dessous...

– Je sais. Donc, je veux que vous...

– Vous allez regarder, je suppose ? dit Mandy, sa jolie figure un peu stupide pleine d'envie.

– Là n'est pas la question. Je veux que vous entriez, maintenant, pour faire la connaissance de Timmie et de Jerry. Ils vont jouer, pendant deux heures, ils ne vous causeront pas d'ennuis. Ils ont du lait à portée de la main et tous leurs jouets. D'ailleurs, il vaut mieux que vous les laissiez tranquilles, autant que possible. Je vais vous montrer où se trouvent les choses et...

– Est-ce que Timmie est le garçon-sin...

– Timmie est le sujet de Stasis, interrompit avec fermeté Miss Fellowes.

– Je voulais dire, c'est celui qui n'a pas le droit de sortir, c'est ça ?

– Oui. Maintenant entrez. Nous n'avons pas beaucoup de temps.

Et quand Miss Fellowes fut enfin prête à partir, Mandy lui cria de sa voix aiguë :

– J'espère que vous aurez une bonne place et, mince, j'espère que ça va marcher !

Miss Fellowes préféra ne pas répondre. Elle se dépêcha de sortir sans se retourner.

Mais le retard fit qu'elle n'eut pas une bonne place. Elle ne put aller plus loin que le grand panneau mural d'observation dans la salle d'assemblée. Elle le regretta amèrement. Si elle avait pu être sur place, pensait-elle, peut-être aurait-elle pu atteindre une partie sensible des instruments. Si elle avait pu d'une façon quelconque faire avorter l'expérience...

Elle trouva la force de réprimer sa folie. Une simple destruction ne servirait à rien. Ils reconstruiraient et recommenceraient. Et jamais on ne lui permettrait de retourner auprès de Timmie.

Rien n'y ferait. Rien, sauf l'échec de l'expérience, un échec irrévocable.

Elle attendit donc pendant le compte à rebours, en observant le détail des opérations sur l'écran géant, et en examinant la figure des techniciens tandis que, l'un après l'autre, ils apparaissaient en gros plan ; elle guettait une expression d'inquiétude ou d'incertitude qui lui dirait que quelque chose ne se passait pas comme prévu ; elle observait, elle observait...

Ses espoirs furent déçus. Le compte à rebours arriva à zéro et, très vite, sans incident, l'expérience réussit !

Dans la nouvelle Stasis qui avait été installée se tenait un paysan barbu, voûté, d'un âge indéterminé, en guenilles et en sabots, qui regardait avec horreur le changement dément survenu autour de lui.

Et, pendant que le monde devenait fou d'exaltation, Miss Fellowes resta figée dans son chagrin, bousculée, presque piétinée par une foule en liesse, environnée par une atmosphère de victoire, alors qu'elle était écrasée par un sentiment de défaite.

Et quand le haut-parleur appela son nom avec une force stridente, elle mit un moment à réagir.

– *Miss Fellowes. Miss Fellowes. Vous êtes demandée immédiatement à la Section Stasis Un. Miss Fellowes. Miss Fell...*

– Laissez-moi passer! cria-t-elle soudain.

Le haut-parleur se répétait inlassablement. Elle joua des coudes dans la foule, énergique et jouant des poings, donnant des coups de pied. Elle se dirigeait vers la porte avec une lenteur de cauchemar.

Mandy Terris était en larmes.

– Je ne sais pas comment ça s'est passé. Je venais de tourner le coin du couloir pour regarder un vidéo-panneau qu'on venait d'installer. Rien que pour une minute. Et, avant que je puisse faire un geste ou quoi que ce soit... Vous aviez dit qu'ils ne me causeraient pas d'ennuis! accusa-t-elle en hurlant tout à coup. Vous aviez dit de les laisser tranquilles...

Miss Fellowes, échevelée et tremblante, s'écria :

– Où est Timmie?

Une infirmière badigeonnait de désinfectant le bras de Jerry, qui hurlait, et une autre préparait une piqûre antitétanique. Les vêtements de l'enfant étaient tachés de sang.

– Il m'a mordu, Miss Fellowes! cria furieusement Jerry. Il m'a mordu!

Mais Miss Fellowes ne le voyait même pas.

– Qu'est-ce que vous avez fait de Timmie? glapit-elle.

– Je l'ai enfermé dans la salle de bains, répliqua Mandy. J'ai jeté le petit monstre là-dedans, et je l'ai enfermé.

Miss Fellowes courut dans la maison de poupée. Elle s'acharna contre la porte de la salle de bains. Il lui fallut une éternité pour l'ouvrir, et elle trouva le petit garçon laid blotti dans un coin, terrifié.

– Ne me fouettez pas, Miss Fellowes, chuchotat-il, les yeux rouges, les lèvres tremblantes. Je ne l'ai pas fait exprès.

– Ah, Timmie, qui t'a parlé de fouet?

Elle le prit dans ses bras et le serra tendrement contre elle.

– Elle a dit avec une longue corde, gémit-il. Elle a dit que vous alliez me battre, et me battre...

– Mais non, voyons. Elle a été méchante de te dire ça. Mais qu'est-ce qui est arrivé? Que s'est-il passé?

– Il m'a appelé garçon-singe. Il a dit que je n'étais pas un vrai petit garçon. Il a dit que j'étais un animal, dit Timmie qui éclata en sanglots. Il a dit qu'il ne voulait plus jouer avec un singe. J'ai dit que je n'étais pas un singe, que je n'étais pas un singe. Il a dit que j'avais un drôle d'air. Il a dit que j'étais horriblement laid. Il l'a dit et répété, alors je l'ai mordu.

Ils pleuraient tous les deux, maintenant.

– Mais ce n'est pas vrai! gémit Miss Fellowes. Tu le sais bien, Timmie. Tu es un vrai petit garçon. Tu es un cher enfant et le meilleur petit garçon du monde. Et personne, personne ne t'enlèvera à moi.

C'était facile de se décider, maintenant, facile de savoir que faire. Seulement, il fallait faire vite. Hoskins n'attendrait plus bien longtemps, avec son propre fils blessé...

Il faudrait agir cette nuit même, quand les quatre cinquièmes de l'institut dormiraient et que le dernier cinquième serait ivre du Projet Moyen Age.

Ce serait, certes, une heure inhabituelle pour revenir, mais pas si insolite après tout. Le gardien la connaissait et ne songerait pas à lui poser de questions. Il ne s'étonnerait même pas de la voir porter une valise. Elle se répéta la phrase anodine : « Des jouets pour le petit », avec un calme sourire.

Pourquoi ne la croirait-il pas ?

Il la crut. Quand elle rentra dans la maison de poupée, Timmie était encore debout et elle conserva désespérément une attitude normale, pour ne pas l'effrayer. Elle lui fit raconter ses rêves et l'écouta demander anxieusement des nouvelles de Jerry.

Elle ne croiserait ensuite que quelques rares personnes; on ne l'interrogerait pas sur le fardeau qu'elle portait. Timmie resterait silencieux, et ce serait un fait accompli. Ce serait fait et il serait impossible de chercher à le défaire. On la laisserait tranquille. On les laisserait tranquilles, tous les deux.

Elle ouvrit la valise, y prit le manteau, le bonnet de laine, les protège-oreilles et le reste.

Timmie était assis et commençait à s'alarmer.

– Pourquoi est-ce que vous me mettez tous ces vêtements, Miss Fellowes?

– Je vais t'emmener dehors, Timmie. Là où sont tes rêves.

– Mes rêves?

Sa figure se plissa de nostalgie, mais on lisait aussi de la peur dans ses yeux.

– Tu ne craindras rien. Tu seras avec moi. Tu n'auras pas peur si tu es avec moi, n'est-ce pas, Timmie?

– Non, Miss Fellowes.

Il blottit contre elle sa petite tête difforme, sous le bras qui l'enlaçait, et elle sentit battre son petit cœur.

Il était minuit; elle le souleva dans ses bras. Elle débrancha le système d'alarme et ouvrit tout doucement la porte.

Et elle hurla car, en face d'elle, de l'autre côté de la porte ouverte, il y avait Hoskins!

Deux hommes l'accompagnaient et il la regarda, aussi stupéfait qu'elle.

Miss Fellowes se ressaisit la première et tenta rapidement de passer, mais la seconde de retard avait suffi pour qu'il se remette, lui aussi. Il l'attrapa brutalement et la rejeta contre une commode. Puis il fit entrer les deux hommes et lui fit face, en bloquant la porte.

– Je ne m'attendais pas à cela. Etes-vous devenue folle?

Elle avait réussi à se déplacer pour que ce fût elle, et non Timmie, qui heurtât la commode. Elle implora :

– Quel mal peut-il y avoir à ce que je l'emmène, docteur Hoskins? Vous ne pouvez pas faire passer une perte d'énergie avant une vie humaine!

D'une main ferme, Hoskins lui reprit Timmie.

– Une perte d'énergie de cette importance signifierait la perte de plusieurs millions de dollars pour les investisseurs. Elle signifierait un terrible recul pour Stasis S.A. Elle provoquerait une campagne d'articles à sensation sur une infirmière sentimentale détruisant tout pour l'amour d'un garçon-singe !

– Un garçon-singe ? glapit Miss Fellowes, ivre de rage et impuissante.

– C'est ainsi que les journalistes l'appelleraient.

Un des hommes s'affairait et faisait passer une corde de nylon par des œillets, dans la partie supérieure du mur.

Miss Fellowes se rappela le cordon que Hoskins avait tiré, devant la pièce contenant le spécimen de roche du professeur Ademewski, il y avait si longtemps.

– Non ! cria-t-elle.

Mais Hoskins posa Timmie par terre et lui ôta doucement son manteau.

– Tu vas rester là, Timmie. Il ne t'arrivera rien. Nous allons juste sortir un moment. D'accord ?

Timmie, pâle et muet, réussit à hocher la tête.

Hoskins poussa Miss Fellowes hors de la maison de poupée. Pour le moment, elle était incapable de résister. D'un œil morne, elle regarda mettre en place le cordon de tirage, à l'extérieur de l'appartement.

– Je regrette, Miss Fellowes, dit Hoskins. Je vous aurais épargné ceci. Je l'avais prévu pour la nuit, afin que vous l'appreniez seulement lorsque tout aurait été fait.

– Parce que votre fils a été blessé, dit-elle dans un souffle. Parce qu'il a tourmenté cet enfant jusqu'à ce que Timmie soit obligé de se défendre.

– Non. Croyez-moi. Je comprends très bien l'incident d'aujourd'hui, et je sais que Jerry en était responsable. Mais l'histoire a filtré. Et dans cette période où les projecteurs sont braqués sur nous, nous serions assiégés par la presse. Je ne peux pas risquer qu'on rapporte des rumeurs de négligence dans nos services, et de sauvagerie de néandertaliens, pour détourner l'opinion publique de la réussite du Projet Moyen Age. Timmie devait d'ailleurs partir bientôt. Autant que ce soit tout de suite. Ainsi les amateurs de scandale n'auront-ils pas l'occasion de diffuser leur venin.

— Il ne s'agit pas de renvoyer un caillou. Vous tuez un être humain.

— Nous ne le tuons pas. Il n'aura aucune sensation. Il sera simplement un enfant néandertalien dans un monde de Neandertal. Il ne sera plus un prisonnier ni une créature étrangère. Il aura une chance de mener une vie libre.

— Quelle chance? Il n'a que sept ans, il est habitué à être nourri, à ce qu'on prenne soin de lui, à être à l'abri. Il sera seul. Sa tribu risque de ne plus être au bout de quatre ans là où vous l'avez laissée. Et si elle l'est, elle ne le reconnaîtra pas. Il devra se débrouiller seul. Comment saura-t-il?...

Hoskins secoua la tête.

— Ecoutez, Miss Fellowes, croyez-vous que nous n'y avons pas pensé? Croyez-vous que nous aurions fait venir un enfant si ce n'avait pas été le premier point fixe que nous réussissions sur un humain, ou un presque humain? Nous n'avons pas osé risquer de le lâcher sans savoir si nous trouverions un autre point fixe aussi bon. Pourquoi pensez-vous que nous avons gardé Timmie aussi longtemps? Nous ne parvenions pas à nous résoudre à renvoyer cet enfant dans le passé. Mais nous ne pouvons attendre plus longtemps désormais!

411

dit-il avec une insistance désespérée. Timmie entrave l'expansion! Timmie est la source possible de mauvaise publicité. Nous sommes sur le seuil de grandes choses et je regrette, Miss Fellowes, mais nous ne pouvons pas laisser Timmie nous faire obstacle. Nous ne le pouvons pas. Je suis navré, Miss Fellowes.

– Eh bien alors, dit-elle tristement, laissez-moi lui dire adieu. Accordez-moi au moins cinq minutes pour lui dire adieu. Faites-moi cette grâce.

Hoskins hésita. Puis :

– Allez.

Timmie se précipita vers elle. Pour la dernière fois, il accourait et, pour la dernière fois, Miss Fellowes le serrait dans ses bras.

Pendant un moment, elle l'embrassa follement. Du bout d'un pied, elle accrocha une chaise, la traîna contre le mur et s'assit.

– N'aie pas peur, Timmie.

– Je n'ai pas peur si vous êtes là, Miss Fellowes. Est-ce que cet homme est fâché contre moi? Ce monsieur, là, dehors?

– Non, il ne l'est pas. Mais il ne nous comprend pas. Timmie, est-ce que tu sais ce qu'est une maman?

– Comme la maman de Jerry?

– Il t'a parlé de sa maman?

– Des fois. Je pense que, peut-être, une maman est une dame qui prend soin de vous, qui est très gentille avec vous et qui fait de bonnes choses.

– C'est ça. Est-ce que tu as jamais voulu avoir une maman, Timmie?

Timmie se redressa et écarta sa tête pour mieux regarder Miss Fellowes. Lentement, il lui caressa la

joue, les cheveux, comme elle l'avait caressé autrefois.

– Vous n'êtes pas ma maman?

– Ah, Timmie!

– Vous êtes fâchée parce que j'ai demandé ça?

– Non. Bien sûr que non!

– Parce que je sais que votre nom est Miss
Fellowes mais... mais des fois, je vous appelle
maman, à l'intérieur. Ce n'est pas mal?

– Non, non, ce n'est pas mal du tout. Et je ne
vais plus te laisser; on ne te fera pas de mal,
jamais. Je resterai avec toi pour prendre soin de
toi, toujours. Appelle-moi maman, que je t'entende.

– Maman, dit Timmie avec bonheur, en posant
sa joue contre celle de l'infirmière.

Elle se leva, le portant dans ses bras, et monta
sur la chaise. Elle n'entendit pas qu'on se mettait à
crier au-dehors, tandis que, levant une main, elle
tirait de toute sa force sur la corde, entre deux
œillets.

La bulle Stasis fut crevée, laissant la pièce
vide.

LA BOULE DE BILLARD
(THE BILLIARD BALL)

James Priss – sans doute devrais-je dire le professeur James Priss, mais tout le monde sait de qui je veux parler, même sans le titre – s'exprimait toujours très lentement.

Je le sais, je l'ai interviewé assez souvent. Il était le plus grand cerveau depuis Einstein, mais ce cerveau ne travaillait pas vite. Il reconnaissait souvent sa lenteur. Peut-être était-elle due à la taille considérable de ce cerveau.

Il disait quelque chose avec une lenteur distraite, puis il réfléchissait, et disait autre chose. Même à propos de questions banales, cet esprit géant hésitait, supputait, ajoutait une petite touche ici, une autre là.

Est-ce que le soleil se lèvera demain ? Je le vois très bien se demander : Qu'entendons-nous par « lever » ? Pouvons-nous être certains que demain arrivera ? Est-ce que le mot « Soleil » est totalement dépourvu d'ambiguïté dans un tel contexte ?

Ajoutez à cette façon de parler un air neutre, une mine plutôt pâle, sans autre expression qu'une vague incertitude; des cheveux gris, assez clairsemés, soigneusement coiffés, un costume de ville un peu démodé, très sobre, et vous avez le professeur James Priss : un homme effacé, dénué de tout magnétisme.

C'est pourquoi personne au monde, excepté moi, ne pouvait un instant le soupçonner d'être un assassin. Et même moi, je n'en suis pas sûr. Après tout, il avait la pensée lente, il pensait *toujours* lentement. Pouvait-on concevoir qu'à un moment crucial il se fût montré capable de réfléchir vite et d'agir instantanément?

Cela n'a pas d'importance. Même s'il a assassiné, il s'en est tiré impunément. Il est bien trop tard maintenant pour tenter d'inverser les choses, et je n'y réussirais pas, même si je décidais de laisser publier ceci.

Edward Bloom était le condisciple de Priss à l'université, et il fut son camarade, par le hasard des circonstances, pendant une génération après cela. Ils avaient le même âge et le même penchant pour la vie de célibataire, mais ils étaient opposés pour tout le reste, pour tout ce qui avait de l'importance.

Bloom était un rayon de lumière vivant, pittoresque, grand, large, bruyant, vulgaire et sûr de lui. Il avait un esprit semblable à un météore, par sa façon de saisir l'essentiel par des moyens immédiats et inattendus. Il n'était pas un théoricien, comme Priss; Bloom n'avait pas assez de patience pour cela, ni la faculté de concentrer intensément sa pensée sur un seul point abstrait. Il le reconnaissait; il s'en vantait, même.

Ce dont il était capable, c'était de voir, comme surnaturellement, l'application d'une théorie, de voir comment elle pourrait être mise en pratique. Dans le bloc de marbre froid de la structure abstraite, il voyait sans difficulté apparente le dessin complexe d'un merveilleux appareil. Le bloc se désintégrait à son contact et faisait surgir l'appareil.

C'est une histoire connue et qui n'a rien d'exagéré : tout ce que Bloom avait fabriqué avait toujours fonctionné; on pouvait le breveter; on pouvait être sûr que ce serait lucratif. A quarante-cinq ans, il était un des hommes les plus riches de la Terre.

Et si Bloom, le technicien, était adapté à une chose particulière plus qu'à tout le reste, c'était bien à la tournure d'esprit de Priss, le théoricien. Les plus fameux gadgets de Bloom étaient basés sur les plus fameuses idées de Priss, et alors que Bloom devenait riche et célèbre, Priss obtenait un respect phénoménal de la part de ses confrères.

Naturellement, il fallait bien s'attendre à ce que la théorie des Deux-Champs présentée par Priss fût immédiatement adoptée par Bloom pour lui permettre de construire le premier engin pratique anti-gravité.

Ma mission était de trouver quelque intérêt humain dans la théorie des Deux-Champs pour les abonnés du *Tele-News Press*. J'étais censé traiter avec des êtres humains, et non avec des idées abstraites. Comme mon interviewé était le professeur Priss, les choses n'étaient pas faciles.

Bien sûr, je comptais l'interroger sur les possibilités de l'anti-gravité, qui intéressaient tout le monde, et non pas sur la théorie des Deux-Champs, que personne ne comprendrait.

– L'anti-gravité ?

Priss pinça les lèvres et réfléchit.

– Je ne suis pas absolument certain que ce soit possible, je ne sais même pas si cela le sera jamais. Je n'ai pas... euh... étudié la question à ma satisfaction. Je ne vois pas tout à fait comment les équations des Deux-Champs pourraient présenter une solution définitive, ce qui serait nécessaire, bien entendu, si...

Et le voilà reparti dans ses profondes réflexions. Je donnai un petit coup de pouce :

– Bloom dit qu'il pense qu'un tel engin peut être construit.

Priss hocha la tête.

– Eh bien, oui, mais je me le demande. Ed Bloom a le chic incroyable pour voir ce qui n'est pas évident, il l'a toujours eu. C'est un esprit peu commun. Cela n'a pas manqué de l'enrichir.

Nous étions dans l'appartement de Priss. Petit-bourgeois moyen. Je ne pouvais m'empêcher de jeter un coup d'œil à droite et à gauche. Priss n'était pas riche.

Je ne crois pas qu'il lut dans ma pensée. Il me vit regarder autour de moi. Et je pense qu'il pensait la même chose que moi.

– La richesse n'est pas la récompense habituelle pour le scientifique pur. Ni même souhaitable.

Peut-être, après tout, me dis-je. Priss avait eu lui aussi son propre genre de récompense. Il était le troisième, dans l'histoire, à remporter deux fois le prix Nobel, et le premier à avoir remporté les deux prix en sciences, et les deux sans partage. Il n'y a pas de quoi se plaindre. Et s'il n'était pas riche, il n'était pas pauvre non plus.

Mais il n'avait pas l'air d'un homme heureux. Peut-être n'était-ce pas la seule fortune de Bloom qui l'irritait; peut-être était-ce la renommée de Bloom dans tous les pays du monde, le fait que Bloom était partout une célébrité, alors que Priss, en dehors des congrès scientifiques et des clubs universitaires, menait une vie à peu près anonyme.

Il me serait impossible de dire si ces pensées qui m'agitaient se voyaient dans mes yeux ou dans ma façon de plisser le front, mais Priss poursuivit :

– Nous sommes amis, vous savez. Nous jouons au billard une ou deux fois par semaine. Je le bats régulièrement.

(Je n'ai jamais publié cette déclaration. Je l'ai vérifiée avec Bloom, qui m'a fait une longue contre-déclaration commençant par : « Il me bat au billard, moi? Cet âne bâté... » et qui devint de plus en plus personnelle. A vrai dire, ni l'un ni l'autre n'était un novice au billard. Je les ai vus jouer une fois, pendant un moment, après la déclaration et la contre-déclaration, et tous deux maniaient la queue avec une aisance de professionnels. De plus, tous deux jouaient à mort, et je ne vis aucune amitié dans cette partie.)

– Pourriez-vous prédire, demandai-je, que Bloom réussira à construire un engin anti-gravité?

– Vous me demandez de m'engager? Hum... Eh bien, réfléchissons, jeune homme. Que voulez-vous dire au juste par anti-gravité? Notre conception de la gravité est basée sur la théorie générale d'Einstein sur la relativité générale, qui remonte maintenant à un siècle et demi mais qui, dans ses limites, demeure solide. Nous pouvons l'imaginer...

J'écoutai poliment. J'avais déjà entendu Priss s'étendre sur ce sujet mais, si je voulais lui soutirer quelque chose – ce qui n'était pas certain –, il me fallait le laisser cheminer à sa façon.

– Nous pouvons l'imaginer en nous représentant l'univers comme une nappe plate, mince, super-flexible, faite d'un caoutchouc indéchirable. Si nous imaginons la masse associée au poids, comme elle l'est à la surface de la Terre, alors nous pouvons supposer qu'une masse, posée sur la feuille de caoutchouc, provoque un creux. Plus la masse est grande, plus profond est le creux. Dans l'univers réel, il existe toutes sortes de masses, donc notre nappe de caoutchouc devrait s'imaginer criblée de creux. Tout objet roulant le long de la feuille devrait tomber au passage dans des creux et en ressortir, en changeant de direction. C'est ce changement de direction, ces déviations, que nous interprétons comme la démonstration de l'existence d'une force de gravité. Si l'objet en mouvement s'approche assez du centre du creux et s'il tourne assez lentement, il est pris au piège et continue de tournoyer indéfiniment dans ce creux. En l'absence de friction il conserve éternellement son mouvement de tourbillon. Autrement dit, ce qu'Isaac Newton interprétait comme une force, Albert Einstein l'interprétait comme une distorsion géométrique.

Arrivé à ce point, il prit un temps. Il avait parlé assez rapidement – pour lui – puisqu'il répétait quelque chose qu'il avait souvent expliqué. Mais il devait à présent s'aventurer en terrain inconnu.

– Donc, dit-il, en essayant de produire de l'anti-gravité, nous tentons de modifier la géométrie de l'univers. Si nous poursuivons notre métaphore, nous essayons d'aplanir la feuille de caoutchouc criblée de creux. Nous pouvons nous représenter passant au-dessous des creux pour soulever la masse qui les cause et la soutenir pour l'empêcher de produire ces creux. Si nous arrivons à aplanir ainsi la feuille de caoutchouc, nous créons un univers – ou du moins une partie d'univers – où la gravité n'existe plus. Un corps sphérique en mouvement passerait sur la masse non productrice de creux sans changer de direction, et nous pourrions interpréter cela comme la preuve que la masse n'exerce aucune force gravifique. Afin d'accomplir cet exploit, cependant, nous aurions besoin d'une masse équivalente à la masse productrice du creux. Pour produire l'anti-gravité de cette façon, sur la Terre, nous devrions nous assurer d'une masse égale à la Terre et la mettre en place au-dessus de nos têtes, pour ainsi dire.

Je l'interrompis :

– Mais votre théorie des Deux-Champs...

– Précisément. La théorie de la relativité générale n'explique pas, à la fois, le champ gravifique et le champ magnétique, en une seule série d'équations. Einstein a passé la moitié de sa vie à chercher cette suite unique – une théorie du champ unifié – et n'a jamais réussi. Tous ceux qui ont suivi Einstein ont échoué eux aussi. Moi, en revanche, j'ai commencé par supposer qu'on était en présence de deux champs qui ne pouvaient être unifiés, et j'ai suivi les conséquences de ce postulat, que je puis expliquer en partie grâce à la métaphore de la nappe de caoutchouc.

Nous arrivions ici à quelque chose que je croyais bien n'avoir jamais entendu.

– Comment ça marche ? demandai-je.

– Supposez que, au lieu d'essayer de soulever la masse responsable du creux, nous tentions de raidir la feuille elle-même, pour la rendre moins susceptible d'être creusée. Elle se contracterait, au moins sur une petite partie, et deviendrait plus plate. La gravité faiblirait et la masse aussi, car toutes deux représentent essentiellement le même phénomène dans l'univers doté de creux. Si nous parvenions à rendre la feuille de caoutchouc absolument plane, la gravité et la masse disparaîtraient complètement. Dans de bonnes conditions, le champ électromagnétique pourrait être utilisé pour combattre le champ gravifique, et servir à raidir le tissu inégal de l'univers. Le champ électromagnétique est formidablement plus fort que le champ gravifique, donc le premier pourrait vaincre le second.

– Vous dites « dans de bonnes conditions », hasardai-je. Est-ce que ces bonnes conditions dont vous parlez peuvent être créées, professeur ?

– Voilà ce que je ne sais pas, dit lentement Priss d'un air songeur. Si l'univers était réellement une feuille de caoutchouc, sa raideur devrait atteindre une valeur infinie avant qu'il puisse rester complètement plat sous le poids d'une masse. S'il en est ainsi dans l'univers réel, alors un champ électromagnétique d'une intensité infinie serait exigé, et cela voudrait dire que l'anti-gravité deviendrait impossible.

– Mais Bloom dit...

– Oui, j'imagine que Bloom pense qu'un champ défini fera l'affaire, s'il peut être correctement appliqué. Malgré tout, quelle que soit son ingéniosité, dit Priss avec un fin sourire, il n'est pas infaillible. Sa compréhension de la théorie est souvent défectueuse. Il... il n'a jamais été diplômé, le saviez-vous ?

J'étais sur le point de dire que je le savais. Après tout, c'était de notoriété publique. Mais il y avait une telle avidité dans la voix de Priss, quand il le dit, et en même temps je surpris une telle animation dans ses yeux – comme s'il était enchanté de répandre cette petite nouvelle –, que je hochai la tête comme si je mettais la chose de côté pour y revenir plus tard.

– Vous diriez donc, professeur Priss, demandai-je pour le pousser encore un peu, que Bloom se trompe probablement et que l'anti-gravité est impossible?

Finalement, Priss acquiesça et dit :

– Le champ gravifique peut être affaibli, naturellement, mais si, par anti-gravité, nous entendons un champ réel de gravité zéro dans tous les volumes importants de l'espace... eh bien, je soupçonne fort que l'anti-gravité se révèle impossible, n'en déplaise à Bloom.

J'avais, plus ou moins, ce que je voulais.

Je ne pus voir Bloom que près de trois mois plus tard, après cette interview, et quand je le vis, il était de mauvaise humeur.

Il s'était mis immédiatement en colère, bien sûr, quand la nouvelle de la déclaration de Priss s'était répandue. Il fit savoir que Priss serait invité à l'éventuelle démonstration de l'engin anti-gravité dès qu'il serait construit et serait même invité à participer à la démonstration. Un reporter – pas moi, malheureusement – le surprit alors entre deux rendez-vous, et lui demanda de développer ce qu'il avait affirmé.

– J'aurai l'appareil, un jour ou l'autre. Bientôt, peut-être. Et vous serez là, tous ceux que la presse voudra bien envoyer. Et le professeur James Priss sera là. Il pourra représenter la Science théorique et, une fois que j'aurai fait ma démonstration de l'anti-gravité, il n'aura qu'à adapter sa théorie pour l'expliquer. Je suis sûr qu'il saura faire ses adaptations de main de maître, et montrer exactement pourquoi je ne pouvais absolument pas échouer. Il devrait même faire ça tout de suite pour gagner du temps, mais je ne pense pas qu'il le fasse.

Tout cela était dit très poliment, mais on percevait un grincement sous le flot rapide des mots.

Néanmoins, il disputait toujours ses parties de billard avec Priss, et quand tous deux se retrouvaient, ils se conduisaient le plus correctement du monde. Il était possible de deviner les progrès de Bloom par leurs attitudes respectives avec la presse. Bloom devenait bref et presque sec, tandis que Priss faisait preuve d'une bonne humeur croissante.

Quand, pour la énième fois, je demandai une interview à Bloom et qu'elle fut acceptée, je me demandai si cela n'annonçait pas une percée possible imminente. J'avais le fantasme que Bloom m'annonçait sa réussite finale, *à moi*.

Cela ne se passa pas ainsi. Il m'accueillit dans son bureau de Bloom Enterprises, dans le nord de l'Etat de New York. Le décor était merveilleux, loin de toute région peuplée, un superbe paysage, un parc admirablement dessiné et couvrant autant de terrain que tout un complexe industriel. Edison à son apogée, il y a deux siècles, n'avait jamais connu une réussite aussi phénoménale que Bloom.

Mais Bloom n'était pas de bonne humeur. Il arriva à grands pas, dix minutes en retard, et passa en grondant devant le bureau de sa secrétaire, avec à peine un soupçon de coup de tête dans ma direction. Il portait une blouse de laboratoire déboutonnée.

Il se jeta dans son fauteuil et me dit :

– Excusez-moi de vous avoir fait attendre, mais j'ai moins de temps que je ne l'espérais.

Bloom avait le don du spectacle dans le sang et ne risquait pas de se faire d'ennemis dans la presse, mais j'avais l'impression qu'à cet instant il avait les plus grandes difficultés à rester fidèle à son principe. Je fis une supposition évidente :

– Je me suis laissé dire, monsieur, que vos récents essais n'ont pas été couronnés de succès.

– Qui vous a dit ça ?

– Ma foi, un peu tout le monde, monsieur Bloom.

– Non, ce n'est pas vrai. Ne dites pas ça, jeune homme. Tout le monde ne sait pas ce qui se passe dans mes laboratoires et mes ateliers. Vous donnez l'opinion du professeur, n'est-ce pas ? Priss, je veux dire ?

– Non, je...

– Mais si, voyons. N'est-ce pas à vous qu'il a fait cette déclaration selon laquelle l'anti-gravité est impossible ?

– Il n'a pas parlé aussi catégoriquement.

– Il ne dit jamais rien catégoriquement, mais c'est assez catégorique pour lui, et je m'en vais lui catégoriser sa foutue feuille de caoutchouc avant qu'il ait le temps de se retourner !

– Ce qui veut dire que vous progressez, monsieur Bloom ?

– Vous le savez bien ! Ou plutôt vous devriez le savoir ! N'étiez-vous pas à la démonstration la semaine dernière ?

– Si, en effet.

J'estimai que Bloom avait des ennuis, sinon il n'aurait pas rappelé cette démonstration. Ça avait marché, mais il n'y avait pas de quoi pavoiser. Entre les deux pôles d'un aimant, une région de gravité amoindrie avait été produite.

C'était très astucieusement fait. Un effet d'équilibre Mössbauer avait été utilisé pour sonder l'espace entre les deux pôles. Si vous n'avez jamais vu d'effet Mössbauer en action, cela consiste essentiellement en un étroit faisceau monochromatique de rayons gamma braqué dans un champ de faible gravité. Les rayons gamma changent légèrement de longueur d'onde sous l'influence du champ gravifique et, si rien ne se passe pour modifier l'intensité du champ, la longueur d'onde change en conséquence. C'est une méthode extrêmement délicate pour sonder un champ gravifique, et elle avait marché comme un charme. Il était indiscutable que Bloom avait diminué la gravité.

L'ennui, c'était que l'expérience avait déjà été tentée par d'autres. Bloom, assurément, s'était servi de circuits qui augmentaient énormément la facilité de la réalisation de l'effet – son système était très ingénieux et avait été breveté comme il se devait – et il affirmait que c'était par cette méthode que l'anti-gravité passerait de la curiosité scientifique à une affaire pratique, avec des applications industrielles.

Peut-être. Mais c'était un travail incomplet et, d'habitude, il ne faisait pas tant de bruit à propos de trucs inachevés. Il ne l'aurait pas fait cette fois s'il ne cherchait pas désespérément à montrer *quelque chose*.

– J'ai l'impression, dis-je, que ce que vous avez accompli à cette démonstration préliminaire était de 0,82 *g*, mieux que ce qui a été réussi au Brésil au printemps dernier.

– Ah oui ? Eh bien, calculez l'apport d'énergie au Brésil et ici, et puis dites-moi la différence de diminution de la gravité par kilowattheure. Vous serez étonné.

– Mais pouvez-vous atteindre g zéro, gravité zéro? C'est ça que le professeur Priss juge impossible. Tout le monde reconnaît qu'abaisser le taux d'intensité du champ n'est pas une très grande prouesse.

Bloom serra le poing. J'eus l'impression qu'une expérience clef avait mal tourné dans la journée et qu'il était exaspéré, littéralement excédé. Bloom avait horreur que l'univers lui résiste.

– Les théoriciens me rendent malade, dit-il d'une voix basse et contrôlée, comme s'il en avait assez de le répéter, comme s'il allait dire tout ce qu'il avait sur le cœur, et au diable les conséquences. Priss a remporté deux prix Nobel pour bricoler quelques équations, mais qu'est-ce qu'il en a fait? Rien! Moi, j'aurais fait quelque chose avec ses équations, et je vais faire davantage encore, que ça plaise ou non à Priss. C'est mon nom qu'on se rappellera. C'est moi qui aurai les honneurs. Il peut garder son foutu titre et ses prix et ses mamours des scientifiques. Ecoutez, je m'en vais vous dire ce qui l'agace. La bonne vieille jalousie! Ça le tue que j'obtienne ce que j'obtiens par l'action. Il en voudrait autant par la *pensée*. Je lui ai dit ça, une fois. Nous jouons au billard ensemble, vous savez...

Ce fut à ce moment-là que je citai la déclaration de Priss sur le billard, et que j'obtins la contre-déclaration de Bloom. Je n'ai jamais publié aucune des deux. Ce n'était qu'une banalité.

– Nous jouons au billard, dit Bloom une fois calmé, et j'ai gagné ma part de parties. Elles sont assez amicales. Enfin quoi, de vieux camarades d'université et tout ça... encore que... comment il est passé, je n'en saurai jamais rien. Il a réussi en physique, bien sûr, et en maths, mais il a été reçu de justesse – par pitié, je parie – en philo et en lettres.

– Vous-même n'avez pas obtenu de diplôme, n'est-ce pas, monsieur Bloom?

C'était pure malice de ma part. J'adorais le voir bondir.

– J'ai laissé tomber pour entrer dans les affaires, bon Dieu! Ma moyenne universitaire, pendant les trois ans où j'ai suivi les cours, était un B plus. N'allez rien imaginer d'autre, vous entendez? Merde, le temps que Priss soutienne sa thèse de doctorat, je travaillais à mon second million de dollars... Enfin, bref, nous jouions au billard et je lui ai dit : « Jim, l'homme de la rue ne comprendra jamais pourquoi c'est toi qui as le prix Nobel alors que c'est moi qui obtiens les résultats. Tu en as vraiment besoin de deux? Donne-m'en un! » Il est resté planté là en passant de la craie sur son procédé, et puis il m'a dit de sa voix douce de lavette : « Tu as deux milliards de dollars, Ed. Donne-m'en un. » Vous voyez! Il veut de l'argent!

– Si je comprends bien, cela vous est égal que l'honneur lui revienne?

Je crus, pendant une minute, qu'il allait me flanquer à la porte, mais il n'en fit rien. Il s'esclaffa et agita la main devant lui, comme s'il effaçait quelque chose sur un tableau noir invisible.

– Ah, laissez donc ça. Nous sommes entre nous, hein? Ecoutez, vous voulez une déclaration? D'accord. Les choses n'ont pas bien marché aujourd'hui et j'ai piqué une colère, mais ça va s'éclaircir. Je crois savoir ce qui ne va pas. Et si je ne le sais pas encore, je le saurai bientôt. Ecoutez, vous pouvez écrire que j'ai dit que nous n'avons *aucun* besoin d'intensité électromagnétique infinie, nous aplanirons la feuille de caoutchouc, et nous aurons l'anti-gravité. Et quand nous l'aurons, j'organiserai la plus grande foutue démonstration que vous avez jamais vue, exclusivement pour la presse et pour Priss, et vous serez invité. Et vous pouvez écrire que ça ne sera pas long. D'accord?

D'accord!

J'eus le temps, après ça, de revoir chacun des deux hommes une ou deux fois. Je les vis même ensemble quand j'assistai à une de leurs parties de billard. Comme je le disais plus haut, ils étaient tous deux excellents joueurs.

Mais l'invitation à la démonstration ne vint pas si vite que ça. Elle arriva un an moins six semaines après la déclaration de Bloom. Et, dans le fond, il était peut-être injuste d'attendre un travail plus rapide.

Je reçus une invitation spéciale, avec la promesse d'un cocktail préliminaire. Bloom ne faisait jamais les choses à moitié et il comptait avoir sous la main un groupe de journalistes satisfaits et euphoriques. Des dispositions étaient prises aussi pour la télé tridimensionnelle. Bloom était sûr de lui, manifestement, assez en tout cas pour vouloir diffuser sa démonstration dans tous les living-rooms de la planète.

Je téléphonai au professeur Priss pour m'assurer qu'il était invité, lui aussi. Il l'était.

– Vous comptez y aller, monsieur?

Le professeur prit un temps, et sa figure, sur l'écran, exprima une certaine réticence.

– Une démonstration de ce genre est tout à fait inconvenante, quand il s'agit d'une question scientifique sérieuse. Je n'aime pas encourager ce genre d'exhibitions.

J'avais peur qu'il ne se dérobe; le côté spectaculaire de la démonstration serait bien affadi s'il n'était pas là. Peut-être pensa-t-il alors qu'il n'osait pas se dégonfler aux yeux du monde entier. A contrecœur, visiblement, il répondit :

– Naturellement, Ed Bloom n'est pas vraiment un scientifique et il a droit à sa journée au soleil. J'y serai.

– Croyez-vous que M. Bloom peut produire la gravité zéro, monsieur ?

– Euh... M. Bloom m'a envoyé une copie du dessin de son appareil et... et je n'en suis pas certain. Peut-être peut-il y arriver si... euh... s'il dit qu'il peut le faire. Naturellement... (un temps fort long), je crois que j'aimerais voir ça.

Moi aussi, et je n'étais pas le seul.

La mise en scène était impeccable. Tout un étage du bâtiment principal de Bloom Enterprises – celui du sommet de la colline – avait été dégagé. Il y avait les cocktails promis et d'imposants buffets, de la musique douce et des éclairages tamisés; et Edward Bloom, élégamment habillé et d'une grande jovialité, jouait les maîtres de maison parfaits tandis que bon nombre d'extra discrets et polis allaient et venaient avec des plateaux. Tout n'était que convivialité et ahurissante confiance.

James Priss était en retard et je surpris Bloom qui guettait la foule et commençait à rire un peu jaune. Enfin Priss arriva, traînant autour de lui une aura incolore et terne, en rien touchée par le bruit et la splendeur (il n'y a pas d'autre mot, à moins que ce ne soient les deux *dry* que j'avais déjà avalés) qui remplissaient la salle.

Bloom l'aperçut et sa figure s'illumina aussitôt.

Il bondit et alla saisir le petit professeur dans ses bras pour le tirer vers le bar.

– Jim! Heureux de te voir! Qu'est-ce que tu prends? Je te jure, j'aurais tout annulé si tu n'étais pas venu! On ne peut pas faire ce truc-là sans la vedette, hein? C'est ta théorie, tu sais. Nous autres, pauvres mortels, ne pouvons rien faire sans vous les rares, les foutus rares, trop rares individus pour nous montrer le chemin!

Il serrait la main de Priss à la broyer. Il débordait d'enthousiasme, il débitait la flagornerie à la louche parce que, maintenant, il pouvait se le permettre. Il engraissait Priss pour la mise à mort.

Priss essaya de refuser l'alcool, dans une espèce de marmonnement, mais un verre lui fut mis dans la main d'autorité et la voix de Bloom s'éleva, tel un mugissement de taureau :

– Messieurs! Un moment de silence, s'il vous plaît! Au professeur Priss, le plus grand cerveau depuis Einstein, deux fois prix Nobel, auteur de la théorie des Deux-Champs, et inspirateur de cette démonstration, que nous allons tous voir, même s'il pensait que ça ne marcherait jamais, et s'il a eu le culot de le dire publiquement!

Il y eut une vague de rires discrets qui s'apaisa rapidement, tandis que Priss avait l'air aussi sombre que sa figure le lui permettait.

– Mais, à présent, le professeur Priss est là, tonna Bloom, et nous avons porté notre toast, alors allons-y. Suivez-moi, messieurs!

La démonstration eut lieu dans un cadre beaucoup plus recherché que la première fois. Maintenant, c'était au dernier étage. Divers aimants entraient en jeu mais, autant que je pouvais en juger, le même effet Mössbauer était en place.

Un détail était nouveau, cependant, et il surprit tout le monde, attirant l'attention, plus que tout le reste. C'était un billard, posé sous un des pôles de l'aimant. L'autre pôle était au-dessous du billard. Un trou rond, d'environ trente centimètres de diamètre, était percé au centre du tapis vert, et il était évident que le champ de gravité zéro, s'il était produit, passerait par ce trou, au centre du billard.

C'était comme si toute la démonstration était destinée, d'une manière surréaliste, à célébrer la victoire de Bloom sur Priss. Ce devait être une nouvelle version de leur éternelle compétition de billard, et Bloom allait gagner.

Je ne sais pas si les autres journalistes voyaient les choses de cette façon, mais je crois que Priss pensait comme moi. Je tournai la tête pour le regarder et je vis qu'il avait toujours le verre qu'on lui avait mis de force dans la main. Il buvait rarement, je le savais, mais il porta ce verre à ses lèvres et le vida en deux gorgées. Il regardait fixement le billard et je n'avais pas besoin d'être doué d'un sixième sens pour m'apercevoir que c'était pour lui comme un pied de nez.

Bloom nous conduisit vers les vingt chaises entourant trois côtés du billard, laissant le quartier libre comme zone de travail. Priss fut respectueusement escorté à la place d'honneur d'où il aurait la vue la plus commode. Il jeta un coup d'œil rapide à la caméra tridimensionnelle qui marchait déjà. Je me demandai s'il songeait à partir mais estimait qu'il ne le pouvait pas, aux yeux du monde entier.

Essentiellement, la démonstration fut simple; ce qui comptait, c'était la production. Des cadrans bien visibles mesuraient la dépense d'énergie.

D'autres transféraient les indications de l'effet Mössbauer sur un écran visible par tous. Tout était organisé pour une vision tridimensionnelle facile.

Bloom expliqua clairement chaque opération. Il fit une ou deux pauses pendant lesquelles il se tournait vers Priss pour obtenir une confirmation qui devait obligatoirement venir. Il ne le fit pas assez souvent pour que ce fût évident, mais juste assez pour torturer Priss. De là où j'étais, je le voyais devant le billard.

Il avait la mine d'un homme jeté en enfer.

Comme nous le savons tous, Bloom réussit. L'effet Mössbauer révéla la chute régulière de l'intensité gravifique alors que le champ électromagnétique était intensifié. Il y eut des acclamations quand elle tomba au-dessous de 0,52 g. Une ligne rouge l'indiquait sur le cadran.

– La limite de 0,52 g représente, comme vous le savez, le précédent record d'intensité gravifique, dit Bloom avec assurance. Nous sommes maintenant plus bas que ce chiffre, à une dépense d'électricité de moins de dix pour cent de ce qui a été nécessaire au temps du précédent record. Et nous descendrons encore plus bas.

Bloom – je crois qu'il le fit exprès pour l'effet de suspens – ralentit la chute vers la fin, laissant les caméras tridimensionnelles faire la navette entre le trou dans le billard et le cadran où baissait l'effet Mössbauer.

Bloom annonça tout à coup :

– Messieurs, vous trouverez des lunettes noires dans la poche de côté de votre siège. Mettez-les, s'il vous plaît. Le champ de gravité zéro sera bientôt établi et il devrait irradier une lumière riche en rayons ultraviolets.

Il mit lui-même des lunettes et il y eut un petit

brouhaha momentané pendant que les autres l'imitaient.

Je crois que personne ne respira pendant la dernière minute, quand l'indication du cadran tomba à zéro et y resta fermement. Juste à ce moment, un cylindre de lumière jaillit d'un pôle à l'autre, par le trou au millieu du billard.

Il y eut alors vingt soupirs à l'unisson. Quelqu'un s'écria :

– Monsieur Bloom! Quelle est la raison de cette lumière?

– Elle caractérise le champ de gravité zéro, répondit-il sans se troubler, ce qui, naturellement, n'était pas une réponse.

Les journalistes étaient debout, maintenant, ils se pressaient autour du billard. Bloom les fit reculer.

– Je vous en prie, messieurs, écartez-vous!

Seul Priss resta assis. Il semblait perdu dans ses pensées et j'ai toujours été certain, depuis, que ce fut la présence des lunettes noires qui brouilla la signification possible de tout ce qui suivit. Je ne voyais pas ses yeux, je ne pouvais pas les voir. Et cela signifiait que ni moi ni personne n'était capable de deviner ce qui se passait derrière ces lunettes-là. Mais peut-être n'aurions-nous pas pu le deviner, même sans les lunettes noires, qui sait?

Bloom éleva de nouveau la voix :

– Je vous en prie! La démonstration n'est pas finie. Jusqu'à présent, nous n'avons fait que répéter ce que j'avais déjà fait. J'ai maintenant produit un champ de gravité zéro, et j'ai montré que cela pouvait se faire dans la pratique. Mais je veux démontrer un peu ce que peut faire ce champ. Ce que nous allons voir est une chose qui n'a jamais été vue, pas même par moi. Je n'ai pas expérimenté dans cette direction, comme j'aurais aimé le faire, parce que j'estimais que c'était au professeur Priss que revenait l'honneur de...

Priss se redressa brusquement.

– Quoi?... Quoi?

– Professeur Priss, dit protocolairement Bloom avec un large sourire, je veux que vous procédiez à la première expérience sur l'interaction d'un objet solide et d'un champ de gravité zéro. Vous remarquerez que le champ s'est formé au centre d'un billard. Le monde entier connaît votre adresse phénoménale au billard, professeur, un talent que ne surpasse que votre supéfiante aptitude à la physique théorique. Voulez-vous envoyer une boule de billard dans le volume de gravité zéro, s'il vous plaît?

Provocateur, il tendait une bille et une queue au professeur Priss qui, les yeux cachés derrière ses lunettes, tendit lentement des mains hésitantes pour les prendre.

Je me demande ce qu'auraient révélé ses yeux. Je me demande aussi, aujourd'hui, dans quelle mesure la décision de Bloom de faire participer Priss à la démonstration était due à sa colère contre Priss, pour sa réflexion sur leurs partics de billard, réflexion dont je m'étais fait l'écho. Etais-je, à ma façon, responsable de ce qui suivit?

– Allons, levez-vous, professeur, reprit Bloom, et abandonnez-moi votre siège. La vedette est à vous, maintenant. Allez!

Bloom s'assit tout en continuant de parler d'une voix qui prenait de seconde en seconde des sonorités d'orgue.

– Quand le professeur Priss enverra la boule dans le volume de gravité zéro, elle ne sera plus soumise au champ gravifique de la Terre. Elle demeurera réellement immobile, tandis que la Terre tournera sur son axe et autour du Soleil. A cette latitude et à cette heure de la journée, j'ai calculé que la Terre, dans ses mouvements, doit plonger un peu. Nous descendrons avec elle et la boule restera immobile. Pour nous, elle aura l'air de s'élever en s'éloignant de la surface terrestre. Observez, je vous prie.

Devant le billard, Priss semblait paralysé. Par la surprise? La stupeur? Je ne sais pas. Je ne le saurai jamais. A-t-il fait un mouvement pour interrompre le petit discours de Bloom, ou bien souffrait-il d'une douloureuse répugnance à jouer le rôle ignominieux imposé par son adversaire?

Priss se tourna vers le billard, l'examina, puis il regarda Bloom. Tous les journalistes étaient debout, se bousculaient pour être le plus près possible et pour mieux voir. Seul Bloom restait assis, souriant, isolé. Il ne regardait pas le billard, lui, ni la boule, ni le champ de gravité zéro. Autant que je pusse en juger à travers les lunettes noires, il observait Priss.

Priss sentait, peut-être, qu'il n'y avait aucune échappatoire. Ou peut-être...

Poussant la bille avec sûreté, il la mit en mouvement. Elle ne roula pas vite et tous les yeux la suivirent. Elle heurta la bande et rebondit. Elle allait encore plus lentement, à présent, comme si Priss lui-même faisait monter le suspense et rendait le triomphe de Bloom encore plus spectaculaire.

Je voyais à la perfection car j'étais du côté de la table opposé à Priss. Je voyais la bille rouler vers le champ de gravité zéro étincelant. Je distinguais aussi, au-delà, les parties du siège de Bloom qui n'étaient pas cachées par ce scintillement.

La bille s'approcha du volume de gravité zéro,

parut hésiter un instant sur ses bords, puis elle disparut dans un éclair, un coup de tonnerre et une odeur de tissu brûlé.

Nous poussâmes des cris. Tout le monde cria.

J'ai revu la scène à la télévision, depuis, comme tout le reste du monde. Je me vois sur l'écran pendant les quinze secondes de chaos dément, mais c'est à peine si je me reconnais.

Quinze secondes!

Puis on découvrit Bloom. Il était toujours assis, les bras croisés, mais il y avait un trou du diamètre d'une boule de billard qui traversait son avant-bras, sa poitrine et son dos. La plus grande partie du cœur avait été proprement poinçonnée, comme devait le révéler l'autopsie.

On arrêta l'instrument. On appela la police. On entraîna Priss, en état de choc et sur le point de s'effondrer. Je ne valais guère mieux à vrai dire, et si un seul des journalistes présents essayait de me raconter qu'il était resté froidement à observer ce qui se passait, je lui répliquerais qu'il n'est qu'un menteur.

Je ne revis pas Priss avant plusieurs mois. Il avait maigri mais paraissait par ailleurs en bonne santé. Il avait même des couleurs aux joues et un certain air de décision. Il était mieux habillé que je ne l'avais jamais vu.

– Maintenant, je sais ce qui s'est passé, me dit-il. Si j'avais eu le temps de réfléchir, je l'aurais su à ce moment-là. Mais je suis un penseur lent et ce pauvre Ed Bloom tenait tant à produire du grand spectacle, et il y réussissait si bien que je me suis laissé emporter à mon tour. Naturellement, j'ai essayé de réparer les dégâts que j'ai involontaire-ment causés.

– Vous ne pouvez pas rendre la vie à Bloom! dis-je gravement.

– Non, je ne peux pas, reconnut-il tout aussi gravement; mais il faut aussi penser à Bloom Enterprises. Ce qui est arrivé à la démonstration, sous les yeux du monde entier, était la pire des publicités pour la gravité zéro, et il est important d'éclaircir l'affaire. C'est pourquoi j'ai demandé à vous voir, *vous*.

– Oui?

– Si j'avais été un penseur plus rapide, j'aurais su qu'Ed disait n'importe quoi quand il prétendait que la bille de billard allait s'élever lentement dans le champ de gravité zéro. C'était *impossible!* Si Bloom n'avait pas méprisé la théorie et s'il n'avait pas tellement tenu à se vanter de son ignorance de la théorie, il l'aurait compris lui-même. Le mouvement de la Terre, après tout, n'est pas le seul mouvement en cause, jeune homme. Le Soleil lui-même se déplace sur une vaste orbite autour du centre de la galaxie de la Voie lactée. Et la galaxie se déplace aussi, d'une manière qui n'est pas clairement définie. Si la bille de billard était soumise à la gravité zéro, on pourrait penser qu'elle ne serait pas tributaire de ces mouvements et, par conséquent, qu'elle sombrerait dans un état d'immobilité absolue, alors que l'immobilité absolue n'existe pas!

Priss secoua lentement la tête.

– L'ennui avec Ed, je crois, c'était qu'il pensait au genre de gravité zéro qu'on obtient dans un vaisseau spatial en apesanteur, où les gens semblent flotter. Il s'attendait à voir de même la bille flotter. Mais, dans un vaisseau spatial, la gravité zéro n'est pas le résultat d'une absence de gravitation, mais simplement le résultat sur deux objets –

le vaisseau et l'homme dans le vaisseau –, tombant à la même vitesse, réagissant à la gravité exactement de la même façon, si bien que chacun est immobile par rapport à l'autre. Dans le champ de gravité zéro produit par Ed, il y avait un aplanissement de l'univers feuille de caoutchouc, ce qui signifiait une perte de masse. Tout, dans ce champ, y compris les molécules d'air et la bille de billard que j'y ai poussée, devenait absolument sans masse, le temps qu'ils y restaient. Un objet totalement sans masse ne peut se déplacer que d'une seule façon.

Il s'interrompit, invitant à la question. Je la posai :

– De quelle façon?

– A la vitesse de la lumière. Tout objet sans masse, tel un neutron ou un photon, doit se déplacer à la vitesse de la lumière tant qu'il existe. En réalité, la lumière ne se déplace à cette vitesse que parce qu'elle est composée de photons. Dès que la bille de billard est entrée dans le champ de gravité zéro et a perdu sa masse, elle est immédiatement partie à la vitesse de la lumière.

Je secouai la tête.

– Mais n'aurait-elle pas regagné sa masse dès sa sortie du volume de gravité zéro?

– Certainement, et c'est ce qu'elle a fait dès qu'elle a été de nouveau soumise au champ gravifique; elle a dû ralentir en réaction au frottement de l'air et de la surface du billard. Mais imaginez la quantité de frottement qu'il faudrait pour ralentir un objet de la masse d'une bille de billard se déplaçant à la vitesse de la lumière! Elle a traversé l'épaisseur de cent cinquante kilomètres de notre atmosphère en un millième de seconde, quelques kilomètres de moins ôtés de trois cent mille. En chemin, elle a brûlé le tapis de billard, traversé proprement la bande, le pauvre Ed et aussi la fenêtre, en perçant des cercles bien nets parce qu'elle passait avant que les portions voisines, même d'un objet aussi cassant que du verre, aient le temps de voler en éclats ou même de s'étoiler. C'est une chance que nous ayons été au sommet d'un bâtiment en pleine campagne, car si nous avions été en ville, elle aurait pu traverser de nombreux immeubles et faire de nombreux morts. En ce moment même, cette boule de billard est dans l'espace, loin, au-delà du bord du système solaire, et elle continuera de voyager éternellement à une vitesse approchant celle de la lumière, jusqu'à ce qu'elle frappe un corps assez important pour l'arrêter. Et alors, elle creusera un sacré cratère.

Je tournai et retournai cette idée et elle ne me plut pas beaucoup.

– Comment est-ce possible? La boule de billard a pénétré dans le champ de gravité zéro presque à l'arrêt. Je l'ai vue. Et vous dites qu'elle en est sortie avec une incroyable quantité d'énergie kinétique. D'où venait cette énergie?

Il haussa les épaules.

– De nulle part! La loi de conservation de l'énergie ne joue que dans les conditions où la relativité générale est valide, c'est-à-dire dans un univers de feuille de caoutchouc plein de creux. Chaque fois qu'un creux est aplani, la relativité ne joue plus et l'énergie peut être librement créée et détruite. Cela explique l'irradiation le long de la surface cylindrique du volume de gravité zéro. Bloom, rappelez-vous, n'a pas expliqué cette irradiation. Il ne le pouvait pas, je le crains. S'il avait poussé plus loin ses expériences avant la démonstration, si seulement il n'avait pas été si stupidement pressé d'organiser son spectacle...

– Qu'est-ce qui explique l'irradiation, professeur?

– Les molécules d'air à l'intérieur du volume. Chacune adopte la vitesse de la lumière et se précipite vers l'extérieur. Elles ne sont que des molécules, pas des boules de billard, alors elles sont arrêtées, mais l'énergie kinétique de leur mouvement est convertie en irradiation énergétique. Cette irradiation est continue parce que de nouvelles molécules arrivent sans cesse, atteignent la vitesse de la lumière et s'écrasent au-dehors.

– Alors l'énergie est créée continuellement?

– Précisément. Et c'est ce que nous devons expliquer clairement au grand public. L'anti-gravité n'est pas un système pour soulever des vaisseaux spatiaux ou révolutionner le mouvement mécanique. C'est plutôt la source d'une réserve infinie d'énergie gratuite puisqu'une partie de l'énergie produite peut être détournée afin de maintenir le champ qui garde aplanie cette partie de l'univers. Ce qu'Ed Bloom a inventé sans le savoir, ce n'était pas simplement l'anti-gravité, mais la première machine réussie de mouvement perpétuel, de la première classe, celle qui fabrique de l'énergie à partir de rien.

– Euh... N'importe lequel d'entre nous aurait pu être tué par cette boule de billard, c'est bien ça, professeur? Elle aurait pu sortir dans n'importe quelle direction?

– Eh bien, les photons sans masse émergent de n'importe quelle source de lumière à la vitesse de la lumière, dans n'importe quelle direction; c'est pourquoi une bougie projette sa lumière dans toutes les directions. Les molécules d'air sans masse sortent du volume de gravité zéro dans toutes les directions, et c'est pourquoi le cylindre tout entier est lumineux. Mais la bille de billard n'était qu'un objet. Elle aurait pu sortir dans n'importe quelle direction mais elle devait en avoir une, choisie au hasard, et il s'est trouvé que la direction choisie a été celle qui visait Ed.

Et voilà. Tout le monde connaît les conséquences. L'humanité a eu de l'énergie gratuite et, ainsi, nous avons le monde que nous connaissons aujourd'hui. Le professeur Priss a été chargé de son développement, par le conseil d'administration de Bloom Enterprises, et il est devenu aussi riche et célèbre que l'a été Edward Bloom. En plus, Priss a toujours ses deux prix Nobel.

Seulement...

Je ne peux pas m'empêcher de réfléchir à cette question. Les photons surgissent d'une source de lumière dans toutes les directions parce qu'ils sont créés sur le moment et n'ont aucune raison de se déplacer dans une direction plutôt que dans une autre. Les molécules d'air sortent d'un champ de gravité zéro dans toutes les directions parce qu'elles y entrent de toutes les directions.

Mais une boule de billard, toute seule, pénétrant dans un champ de gravité zéro dans une direction particulière? Est-ce qu'elle ressort dans cette même direction ou dans n'importe quelle autre?

J'ai enquêté, prudemment, mais les physiciens théoriciens n'ont pas l'air d'en être sûrs, et je ne trouve aucun document indiquant que Bloom Enterprises, qui est la seule organisation travaillant avec les champs de gravité zéro, ait étudié cette question. Quelqu'un, dans l'entreprise, m'a dit un jour que le principe d'incertitude garantit la sortie au hasard d'un objet pénétrant de n'importe quelle direction. Mais pourquoi ne tentent-ils pas l'expérience ?

Se pourrait-il, alors...

Se pourrait-il que, pour une fois, le cerveau de Priss eût fonctionné rapidement ? Se pourrait-il que, sous la pression de ce que Bloom cherchait à lui faire faire, Priss eût soudain tout compris ? Il avait déjà étudié l'irradiation d'un volume de gravité zéro. Il devait connaître sa cause et être certain de la vitesse de la lumière de tout objet pénétrant dans le volume.

Pourquoi, alors, n'a-t-il rien dit ?

Une chose est certaine. *Rien* de ce que faisait Priss autour d'une table de billard ne pouvait être accidentel. C'était un expert et la boule de billard a fait exactement ce qu'il voulait qu'elle fît. J'étais là, tout près. Je l'ai vu regarder Bloom, puis le billard, comme s'il calculait des angles.

Je l'ai regardé frapper cette bille. Je l'ai suivie des yeux quand elle a rebondi contre la bande et s'est dirigée vers le volume de gravité zéro, dans un sens particulier.

Car lorsque Priss a envoyé cette boule vers le volume de gravité zéro – et les films tridi me le confirment –, elle visait directement le cœur de Bloom.

Accident ? Coïncidence ?

... Assassinat ?

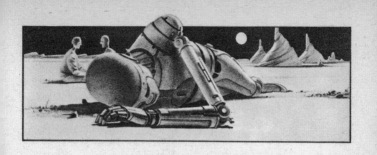

L'AMOUR VRAI
(TRUE LOVE)

Je m'appelle Joe. C'est ce que mon collègue Milton Davidson m'a donné comme nom. Il est programmateur et je suis un programme d'ordinateur. Je fais partie du complexe Multivac et je suis relié à d'autres parties, dans le monde entier. Je sais tout. Presque tout.

Je suis le programme personnel de Milton. Son Joe. Il en sait plus que n'importe qui au monde sur la programmation et je suis son modèle expérimental. Il m'a fait parler mieux que tout autre ordinateur ne le peut.

— Il s'agit simplement d'accorder les sons aux symboles, Joe, m'a-t-il expliqué. C'est comme ça que ça marche dans le cerveau humain, même si nous ne connaissons toujours pas quels symboles il existe dans le cerveau. Je connais les symboles du tien et je peux les associer à des mots, un par un.

Alors je parle. Je ne crois pas que je parle aussi

445

bien que je pense, mais Milton dit que je parle très bien. Milton ne s'est jamais marié et, pourtant, il a près de quarante ans. Il n'a jamais trouvé la femme de sa vie, à ce qu'il m'a dit. Un jour, il a déclaré :

– Je la trouverai, Joe. Je vais même trouver la meilleure. Je connaîtrai l'amour vrai et tu vas m'y aider. J'en ai assez de t'améliorer pour résoudre les problèmes du monde. Résout mon problème. Trouve-moi l'amour vrai.

J'ai demandé :

– Qu'est-ce que l'amour vrai?

– T'occupe pas. C'est abstrait. Trouve-moi simplement la fille idéale. Tu es relié au complexe Multivac, aussi as-tu accès aux banques de mémoire sur tous les êtres humains du monde. Nous allons les éliminer par groupes et par classes jusqu'à ce qu'il ne nous reste qu'une seule personne. La personne parfaite. Celle-là sera pour moi.

– Je suis prêt.

– Eliminons d'abord les hommes.

C'était facile. Ses mots activèrent des symboles dans mes circuits moléculaires. Je pus entrer en contact avec toutes les données accumulées sur tous les êtres humains du monde. Sur ses ordres, je me retirai de 3 784 982 874 hommes. Je gardai le contact avec 3 786 112 090 femmes.

– Elimine, dit-il, celles de moins de vingt-cinq ans et de plus de quarante. Ensuite, élimine toutes celles qui ont un quotient intellectuel de moins de cent vingt, toutes celles de moins d'un mètre cinquante et de plus d'un mètre soixante-quinze.

Il me donna les mesures exactes; il élimina les femmes avec des enfants vivants, il élimina les femmes possédant certaines caractéristiques génétiques.

– Je ne suis pas sûr de la couleur des yeux, dit-il. Laissons ça pour le moment. Mais pas de cheveux roux. Je n'aime pas les cheveux roux.

Au bout de quinze jours, nous en étions à deux cent trente-cinq femmes. Elles parlaient toutes très bien l'anglais. Milton disait qu'il ne voulait pas de problème de langue. Même la traduction par ordinateur serait gênante, dans les moments d'intimité.

– Je ne peux pas recevoir deux cent trente-cinq femmes, dit-il. Ça prendrait trop de temps et on découvrirait ce à quoi je m'occupe.

– Ça causerait des ennuis, dis-je.

Milton s'était arrangé pour me faire faire des choses que je n'étais pas destiné à faire. Personne ne le savait.

– Ça ne les regarde pas, dit-il, et la peau de sa figure devint rouge. Je vais te dire, Joe. Je vais apporter des holographes et tu vérifieras la liste pour trouver les similitudes.

Il apporta des holographes de femmes.

– Ces trois-là ont gagné des concours de beauté, dit-il. Est-ce qu'il y en a qui concordent, dans les deux cent trente-cinq?

Huit concordaient et Milton me dit :

– Epatant, tu as leurs données. Etudie les exigences et les besoins sur le marché du travail et arrange-toi pour les faire affecter ici. Une à la fois, naturellement.

Il réfléchit un moment, remua un peu les épaules et ajouta :

– Par ordre alphabétique.

C'est une des choses que je ne suis pas destiné à faire. Déplacer les gens d'un emploi à un autre pour des raisons personnelles, cela s'appelle de la manipulation. Je pouvais le faire parce que Milton l'avait arrangé mais je n'étais censé le faire pour personne d'autre que lui.

La première fille arriva huit jours plus tard. La peau de la figure de Milton rougit encore quand il la vit. Il parla comme s'il avait du mal à s'exprimer. Ils passèrent de longs moments ensemble sans faire attention à moi. Une fois, il me dit :

– Laisse-moi l'inviter à dîner.

Le lendemain, il m'annonça :

– Ça n'a pas marché. Il manquait quelque chose. Elle est très belle, mais je ne ressens pas d'amour vrai. Essayons la suivante.

Ce fut la même chose avec les huit femmes. Elles se ressemblaient beaucoup. Elles souriaient souvent et elles avaient toutes une voix agréable, mais Milton trouvait toujours que ce n'était pas tout à fait ça. Il me dit :

– Je n'y comprends rien, Joe. Toi et moi, nous avons choisi les huit femmes qui, dans le monde, seraient les plus parfaites pour moi. Elles sont idéales. Pourquoi est-ce qu'elles ne me plaisent pas ?

– Est-ce que tu leur plais ? demandai-je.

Il haussa les sourcils et se donna un coup de poing dans la main.

– C'est ça, Joe ! C'est une voie à double sens. Si je ne suis pas leur idéal, elles ne peuvent pas agir de manière à être le mien. Je dois être leur amour vrai, aussi, mais comment dois-je faire ?

Il parut réfléchir toute la journée.

Le lendemain matin, il vint me trouver et me dit :

– Je vais te laisser faire, Joe. Tout seul. Tu as mes données et je vais te dire tout ce que je sais sur moi. Tu rempliras ma banque de données de tous les détails possibles, mais garde toutes les additions pour toi.

– Qu'est-ce que je ferai de la banque de données, alors, Milton?

– Ensuite, tu la compareras avec celles des deux cent trente-cinq femmes. Non, deux cent vingt-sept. Eliminons les huit que nous avons vues. Arrange-toi pour faire passer à chacune un examen psychiatrique. Remplis leurs banques de données et compare-les avec la mienne. Trouve des corrélations.

(Organiser des examens psychiatriques, c'est encore une chose contraire aux instructions initiales.)

Pendant des semaines, Milton me parla. Il me parla de ses parents et de ses frères et sœurs. Il me raconta son enfance, son instruction, son adolescence. Il me parla des jeunes femmes qu'il avait admirées de loin. Sa banque de données s'enfla et il me régla pour élargir et approfondir ma capacité d'absorption des symboles.

– Tu vois, Joe, dit-il, à mesure que tu absorbes de plus en plus de moi en toi, je te règle pour que tu me ressembles de plus en plus. Tu arrives à mieux penser comme moi, alors tu me comprends mieux. Si tu arrives à me comprendre assez bien, alors n'importe quelle femme dont tu comprendras aussi bien les données sera mon amour vrai.

Il continua de parler et j'en vins en effet à le comprendre de mieux en mieux.

Je pouvais former des phrases plus longues, et mes expressions devinrent de plus en plus complexes. Ma parole commença à ressembler à la sienne, par le vocabulaire, l'ordre des mots et le style. Je lui dis une fois :

– Tu comprends, Milton, il ne s'agit pas de trouver une fille répondant seulement à un idéal physique. Tu as besoin d'une fille qui soit ton complément émotionnel et caractériel. Dans ce cas-là, la beauté est secondaire. Si nous ne pouvons pas trouver celle qui convient dans les deux cent vingt-sept, nous chercherons ailleurs. Nous trouverons quelqu'un qui ne se soucie pas non plus de ton aspect, le tien ou celui de n'importe qui, si tu as la personnalité qui convient. Qu'est-ce que l'apparence?

– Absolument, approuva-t-il. Je l'aurais su si j'avais davantage eu affaire à des femmes, dans ma vie. Naturellement, maintenant que j'y pense, c'est évident.

Nous étions toujours d'accord; nous pensions exactement l'un comme l'autre.

– Nous ne devrions plus avoir d'ennuis, Milton, si tu me permets de te poser des questions. Je vois qu'il y a là, dans ta banque de données, des lacunes et des inégalités.

Ce qui suivit, me dit Milton, fut l'équivalent d'une bonne psychanalyse. Naturellement, j'apprenais, grâce aux examens psychiatriques des deux cent vingt-sept femmes, que je surveillais de près.

Milton avait l'air tout heureux. Il me dit :

– Une conversation avec toi, Joe, c'est comme si je causais avec un autre moi. Nos personnalités finissent par s'accorder à la perfection!

– Ce sera pareil avec la personnalité de la fille que nous choisirons.

Car je l'avais trouvée, et elle faisait partie des deux cent vingt-sept, malgré tout. Elle s'appelait Charity Jones et elle était évaluatrice à la Bibliothèque historique de Wichita. Sa banque de données étendue concordait parfaitement avec les nôtres.

Toutes les autres femmes avaient été écartées pour une raison ou pour une autre, à mesure que les banques de données se remplissaient mais, avec Charity, il y avait une résonance croissante assez stupéfiante.

Je n'eus pas besoin de la décrire à Milton. Il avait si bien coordonné mon symbolisme avec le sien que je pouvais voir directement la résonance. Elle me convenait.

Ensuite, il s'agit de manipuler les feuilles d'emploi et les exigences du travail de telle manière que Charity nous fût affectée. Ce devait être fait très délicatement, pour que personne ne sût qu'il se passait quelque chose d'illégal.

Naturellement, Milton lui-même le savait puisque c'était lui qui l'avait arrangé, et il fallait s'occuper aussi de cela. Quand on vint l'arrêter pour cause de faute professionnelle grave, ce fut, heureusement, pour quelque chose qui s'était passé dix ans plus tôt. Il m'en avait parlé, bien sûr, alors c'était facile à arranger... et il n'allait pas parler de moi car cela aggraverait sérieusement son cas.

Il est parti et demain nous sommes le 14 février. La Saint-Valentin. Charity arrivera alors avec ses mains fraîches et sa voix douce. Je lui apprendrai comment me faire fonctionner et comment prendre soin de moi. Qu'importe l'apparence puisque nos personnalités concorderont?

Je lui dirai :

– Je suis Joe et vous êtes mon amour vrai.

LA DERNIÈRE RÉPONSE
(THE LAST ANSWER)

Murray Templeton avait quarante-cinq ans, la fleur de l'âge, avec toutes les parties de son corps en état de marche à l'exception de certaines portions clefs de ses artères coronaires, mais cela suffisait.

La douleur était venue subitement, était montée à un niveau insoutenable et s'était progressivement calmée. Il sentit sa respiration ralentir et une sorte de paix l'envahir.

Il n'existe aucun plaisir comparable à l'absence de douleur... immédiatement après la souffrance. Murray en avait le vertige, comme s'il s'élevait et planait dans les airs.

Il ouvrit les yeux et remarqua, avec un amusement distant, que les autres personnes présentes étaient encore agitées. Il était dans le laboratoire quand la douleur l'avait frappé, sans aucun avertissement, et quand il avait chancelé, il avait entendu les cris de surprise des autres; puis tout avait disparu dans l'insoutenable souffrance.

Maintenant, la douleur envolée, les autres continuaient de s'agiter, anxieux, toujours penchés sur un corps allongé...

... et il s'aperçut tout à coup qu'il regardait la scène d'en haut.

Il était là, par terre, vautré, la figure convulsée. Il était là-haut, en paix, et observait.

Il pensa : Miracle des miracles! Les cinglés de la vie après la vie avaient raison!

Et, bien que ce fût humiliant, pour un physicien athée, de mourir de cette façon, il n'éprouvait qu'une légère surprise et aucune altération de cette paix où il était désormais plongé.

Il se dit : Il devrait y avoir un ange, ou quelque chose, pour venir me chercher.

La scène terrestre s'estompait. Les ténèbres envahissaient son conscient et, au loin, comme une dernière vision fugace, il y avait un être de lumière, de forme vaguement humaine, qui irradiait de la chaleur.

Murray pensa : Quelle blague à mes dépens. Je m'en vais au paradis!

A l'instant même où il pensait cela, la lumière disparut mais la chaleur demeura. Il n'y eut aucune diminution de la paix, bien que dans tout l'univers il ne restât que lui... et la Voix.

La Voix dit :

– J'ai fait cela bien souvent et je suis encore capable d'être ravie de la réussite.

Murray eut alors envie de dire quelque chose, mais il n'avait pas conscience de posséder une bouche, une langue ou des cordes vocales. Néanmoins, il essaya d'émettre un son. Il essaya, sans lèvres, de fredonner des mots ou de les souffler, ou simplement de les pousser hors de lui par contraction de... de quelque chose.

Et ils sortirent. Il entendit sa propre voix, nettement reconnaissable, et ses propres mots, infiniment clairs. Murray demanda :

– Est-ce le paradis?

– Ce n'est pas un endroit comme tu comprends les endroits, répondit la Voix.

Murray fut embarrassé mais la question suivante devait être posée :

– Excusez-moi si j'ai l'air d'un imbécile. Etes-vous Dieu?

Sans changer d'intonation, sans gâter en aucune façon la perfection du son, la Voix réussit à paraître amusée.

– C'est curieux qu'on me demande toujours la même chose, naturellement d'un nombre infini de manières différentes. Il n'y aucune réponse que je puisse te faire et que tu comprendrais. Je *suis*, ce qui est tout ce que je puis dire de significatif, et tu peux couvrir ce verbe de tous les mots et concepts que tu voudras.

– Et qu'est-ce que je suis? demanda Murray. Une âme? Ou bien ne suis-je aussi qu'une existence personnifiée?

Il essaya de prendre un ton sarcastique mais il lui sembla qu'il échouait. Il songea alors, fugacement, à ajouter « Votre Grâce » ou « Etre saint » ou *quelque chose* pour couvrir le sarcasme mais il ne put s'y résoudre alors même que, pour la première fois de son existence, il envisageait la possibilité d'être puni pour son insolence – ou son péché? – par l'enfer, en se demandant ce que ce pouvait être.

La Voix ne parut pas offensée.

– Tu es facile à expliquer, y compris à toi-même.

Tu peux t'appeler une âme si ça te fait plaisir, mais tu es un noyau de forces électromagnétiques, formé de telle manière que toutes les interconnexions et interrelations soient exactement imitatives de celles de ton cerveau dans ton existence-univers, jusque dans les moindres détails. Par conséquent, tu as ta capacité de penser, tes souvenirs, ta personnalité. Il te semble encore que tu es toi.

Murray se trouva sceptique.

– Vous voulez dire que l'essence de ma personnalité est permanente.

– Pas du tout. Rien chez toi n'est permanent, sauf ce que je choisis de rendre ainsi. J'ai formé le noyau. Je l'ai façonné pendant que tu avais une existence physique et adapté en vue du moment où cette existence viendrait à te manquer.

La Voix paraissait contente d'elle-même et, après un temps, elle reprit :

– Une construction complexe mais absolument précise. Je pourrais, bien sûr, le faire pour tout être humain de ton monde, mais je suis contente de ne pas l'avoir fait. Il y a du plaisir dans la sélection.

– Vous en choisissez très peu, alors ?

– Très peu.

– Et qu'est-ce qui arrive au reste ?

– L'oubli ! Ah, naturellement, tu imagines un enfer.

Murray aurait rougi s'il en avait eu la possibilité.

Il répondit :

– Pas du tout. Quand même, je n'aurais guère pensé que j'étais assez vertueux pour avoir attiré votre attention et être un des Elus.

– Vertueux ? Ah, je vois ce que tu veux dire.

C'est agaçant de devoir rendre ma pensée assez petite pour imprégner la tienne. Non, je t'ai choisi pour ta faculté de penser, comme j'ai choisi les autres, par quatrillions, parmi toutes les espèces intelligentes de l'univers.

Murray fut soudain pris de curiosité, l'habitude d'une vie entière. Il demanda :

— Est-ce que vous les choisissez tout seul ou bien y en a-t-il d'autres comme vous ?

Pendant un bref instant, Murray crut sentir une réaction irritée, mais quand la Voix reprit, elle fut imperturbable.

— Le fait qu'il y en ait d'autres comme moi ne te concerne pas. Cet univers est le mien, à moi seul. Il est mon invention, ma création, destiné à mes seules fins.

— Et pourtant, avec les quatrillions de noyaux que vous avez formés, vous m'avez consacré du temps. Suis-je si important ?

— Tu n'es pas important du tout. Je suis aussi avec les autres d'une façon qui, pour ta perception, semblerait simultanée.

— Et cependant, vous êtes un ?

Encore quelque chose comme de l'amusement.

— Tu cherches à me prendre en flagrant délit d'inconséquence. Si tu étais une amibe, capable de ne concevoir l'individualité qu'en rapport avec des cellules autonomes, et si tu demandais à une baleine, formée de quatrillions de cellules, si elle était une ou plusieurs, comment la baleine te répondrait-elle de manière compréhensible pour une amibe ?

Murray dit ironiquement :

— J'y réfléchirai. Cela deviendra peut-être compréhensible.

– Précisément. Ce sera ta fonction. Tu réfléchiras.

– A quelle fin ? Vous savez déjà tout, je suppose ?

La Voix dit :

– Même si je savais tout, je ne saurais pas que je sais tout.

– Cela me fait l'effet d'un brin de philosophie orientale, quelque chose qui paraît profond justement parce que ça ne veut rien dire.

– Tu promets ! Tu réponds à mon paradoxe par un paradoxe, à cette différence que le mien n'en est pas un. Réfléchis. J'ai existé de toute éternité, mais qu'est-ce que cela signifie ? Cela signifie que je ne puis me souvenir d'avoir commencé à exister. Si je le pouvais, je n'aurais pas vécu de toute éternité. Si je suis incapable de me souvenir d'avoir commencé à exister, alors il y a au moins une chose – la nature de mon arrivée dans l'existence – que je ne sais pas. Et puis, bien que ce que je sache soit infini, il est également vrai que ce qu'il y a à savoir est infini. L'infinité du savoir potentiel peut être infiniment plus grande que l'infinité de mon savoir réel. Voilà un exemple simple : si je connaissais chacune des intégrales paires, je connaîtrais un nombre infini de choses, et pourtant je ne connaîtrais pas une seule intégrale impaire.

– Oui, mais les intégrales impaires peuvent être dérivées. Si vous divisez par deux toutes les intégrales paires de toute la série infinie, vous obtiendrez une autre série infinie qui contiendra la série infinie des intégrales impaires.

– Tu as saisi l'idée, dit la Voix. Cela me plaît. Tu auras pour mission de rechercher d'autres voies, beaucoup plus difficiles, du connu au pas-encore-connu. Tu as tes souvenirs. Tu te rappelleras toutes les données que tu as accumulées ou apprises, ou que tu as déduites ou déduiras de ces données. S'il le faut, tu auras le droit d'apprendre les données supplémentaires que tu jugeras adaptées aux problèmes que tu te poseras.

– Est-ce que vous ne pourriez pas faire tout ça vous-même?

La Voix déclara :

– Je le peux mais c'est plus intéressant ainsi. J'ai construit l'univers afin d'avoir davantage de faits à traiter. J'ai introduit le principe d'incertitude, l'entropie et autres facteurs de hasard pour que le tout ne soit pas instantanément évident. Cela a bien marché car, durant toute son existence, l'univers a été un amusement pour moi. J'ai ensuite introduit les complexités qui ont produit la première vie et ensuite l'intelligence, et je m'en suis servi comme une source pour une équipe de recherche, non pas parce que j'avais besoin d'aide, mais parce que cela ferait intervenir un nouveau facteur de hasard. J'ai découvert que je ne pouvais pas prédire quelle intéressante connaissance suivante serait trouvée, d'où elle viendrait, par quels moyens elle serait dérivée.

– Est-ce que cela arrive? demanda Murray.

– Certainement. Un siècle ne passe pas sans qu'une nouveauté intéressante apparaisse quelque part.

– Une chose à laquelle vous auriez pu penser vous-même mais que vous n'aviez pas encore pensée?

– Oui.

– Est-ce que vous croyez réellement qu'il y a une chance que je vous aide, moi, en cela?

– Au cours du siècle à venir? Virtuellement

aucune. A long terme, cependant, ton succès est certain puisque tu seras engagé pour l'éternité.

– Je vais réfléchir pendant l'éternité? Eternellement?

– Oui.

– A quelle fin?

– Je te l'ai dit. La découverte de nouvelles connaissances.

– Mais au-delà? A quelle fin dois-je découvrir de nouvelles connaissances?

– C'était ce que tu faisais dans ta vie liée à l'univers. Quelle en était alors la fin?

– Gagner un nouveau savoir que moi seul pouvais gagner. Recevoir les louanges de mes confrères. Eprouver la satisfaction de la recherche, en sachant que je n'avais pour cela qu'un temps très bref. Maintenant, je ne gagnerais que ce que vous pourriez gagner vous-même pour peu que vous vouliez vous en donner la peine. Vous ne pouvez me féliciter, vous ne pouvez qu'être amusé. Et il n'y a pas d'honneur ni de satisfaction dans l'accomplissement, quand on a toute l'éternité pour réussir.

– Ne trouves-tu pas la réflexion et la découverte satisfaisantes en elles-mêmes? Ne penses-tu pas que la recherche n'exige pas d'autre fin?

– Pour un temps défini, oui. Pas pour l'éternité.

– Je te comprends. Néanmoins, tu n'as pas le choix.

– Vous dites que je dois réfléchir. Vous ne pouvez pas m'y forcer.

La Voix dit :

– Je ne souhaite pas te contraindre directement. Je n'en aurai pas besoin. Comme tu ne peux rien faire d'autre que penser, tu réfléchiras. Tu ne sais pas comment ne pas penser.

— Alors je me donnerai un but. Je m'inventerai une fin.

La Voix répliqua avec indulgence :

— Tu en as certainement le droit.

— Je me suis déjà trouvé une fin.

— Puis-je savoir laquelle?

— Vous la connaissez déjà. Je sais que nous ne parlons pas d'une manière ordinaire. Vous réglez mon noyau de façon que j'imagine que je vous entends et imagine que je parle, mais vous transférez directement les pensées de vous à moi, et de moi à vous. Et quand mon noyau change selon mes pensées, vous en avez immédiatement conscience et vous n'avez pas besoin de transmission volontaire.

— Tu as étonnamment raison. C'est un plaisir pour moi. Mais il me plaît aussi que tu me dises volontairement tes pensées.

— Eh bien, je vais vous les dire. Le but de mes réflexions sera de découvrir un moyen de briser le noyau de mon être que vous avez créé. Je ne veux pas réfléchir sans autre but que de vous amuser. Je ne veux pas réfléchir éternellement pour vous amuser. Je ne veux pas exister éternellement pour vous amuser. Toute ma pensée sera dirigée vers l'anéantissement du noyau. Et *ça*, ça m'amusera!

— Je n'oppose aucune objection à cela. Même en concentrant ta pensée sur la fin de ta propre existence tu pourrais, malgré toi, découvrir quelque chose de nouveau et d'intéressant. Et naturellement, si tu réussis dans cette tentative de suicide, tu n'auras rien accompli car je te reconstruirai instantanément et de manière à rendre ta méthode de suicide impossible. Et si tu en trouves une autre, encore plus subtile, de te désintégrer, je te recréerai en éliminant cette possibilité, et ainsi de suite. Ce serait un jeu intéressant mais, néanmoins, tu existeras éternellement. Telle est ma volonté.

Murray ressentit un petit frémissement mais ses mots sortirent avec un calme parfait.

– Serais-je en enfer, alors, après tout ? Vous avez laissé entendre qu'il n'en existait pas, mais si c'était l'enfer, vous mentiriez pour faire le jeu de l'enfer.

– Dans ce cas, dit la Voix, à quoi bon t'assurer que tu n'es pas en enfer ? Je te l'assure tout de même. Il n'y a ici ni paradis ni enfer. Il n'y a que moi.

– Considérez, alors, que mes pensées risquent de vous être inutiles. Si je ne découvre rien d'utile, est-ce qu'il ne vaudrait pas mieux, pour vous, de me... désassembler et de ne plus vous soucier de moi ?

– Comme récompense ? Tu veux le nirvāna comme récompense de l'échec et tu as l'intention d'assurer le mien ? Il n'y a pas de marchés, ici. Tu n'échoueras pas. Avec toute l'éternité devant toi, tu ne peux éviter d'avoir au moins une pensée intéressante, même si tu t'en défends.

– Alors je me créerai un autre but. Je ne tenterai pas de me détruire. Mon but sera de vous humilier. Je trouverai une chose à laquelle non seulement vous n'avez jamais pensé, mais encore à laquelle vous ne pourriez jamais penser. Je vais réfléchir à la dernière solution, au-delà de laquelle il n'y aura plus rien du tout à apprendre.

La Voix répliqua :

– Tu ne comprends pas la nature de l'infini. Il y a beaucoup de choses que je ne me suis pas donné la peine d'apprendre. Il ne peut rien y avoir que je ne puisse apprendre.

Murray dit, songeur :

– Vous ne pouvez pas connaître votre commencement. Vous l'avez dit. Par conséquent, vous ne pouvez pas connaître votre fin. Très bien, alors. Ce sera mon but et ce sera ma dernière solution. Je ne me détruirai pas. Je vous détruirai, vous, si vous ne me détruisez pas avant.

– Ah! Tu en arrives là en un peu moins que le temps moyen. J'aurais cru que ça te prendrait plus longtemps. Il n'y en a pas un seul, parmi ceux que j'ai avec moi, dans cette existence de pensée parfaite et éternelle, qui n'a pas l'ambition de me détruire. Cela ne peut être fait.

– J'ai toute l'éternité pour trouver un moyen.

– Alors essaie d'y réfléchir, dit aimablement la Voix, et elle disparut.

Murray avait son but et il était satisfait.

Car, que pourrait vouloir n'importe quelle entité, consciente de l'existence éternelle, sinon une fin?

Qu'avait donc cherché d'autre la Voix au cours de ces innombrables milliards d'années? Et pour quelle autre raison l'intelligence avait-elle été créée et certains spécimens sauvés et mis au travail, sinon pour participer et apporter leur aide à la recherche? Et Murray avait l'intention, lui, et lui seul, de réussir.

Avec précaution, exalté par ce dessein, Murray se mit à réfléchir.

Il avait tout son temps.

DE PEUR DE NOUS SOUVENIR
(LEST WE REMEMBER)

1

Le drame de John Heath, pour John Heath, c'était qu'il était désespérément moyen. Il en était sûr. Et, le pire, il sentait que Susan le soupçonnait d'être moyen.

Cela voulait dire qu'il ne laisserait jamais son empreinte sur le monde, qu'il ne grimperait jamais au sommet de Quantum Pharmaceutique, où il était un rouage régulier parmi les cadres moyens, il ne ferait jamais le Bond Quantum.

Pas plus qu'il ne réussirait ailleurs, s'il changeait d'emploi.

Il soupira à part lui. Dans deux semaines exactement, il allait se marier et, pour son épouse, il rêvait de gravir les échelons. Il l'aimait à la folie, après tout, et il voulait briller à ses yeux.

Mais c'était la moyenne, pour un jeune homme sur le point de se marier.

Susan Collins regarda tendrement John. Et pourquoi pas? Il était assez beau garçon, intelligent, sérieux et affectueux par-dessus le marché. S'il ne l'aveuglait pas par son éclat, il ne la troublait pas avec une instabilité qui n'était pas dans son caractère.

Elle tapota le coussin qu'il avait placé derrière sa tête en s'asseyant dans le fauteuil et lui tendit son verre, en s'assurant qu'il le tenait fermement avant de le lâcher.

– Je m'entraîne à bien te traiter, Johnny. Il faut que je sois une bonne épouse.

John but une petite gorgée.

– C'est moi qui devrai me tenir à carreau, Sue. Tu gagnes plus que moi.

– Tout ira dans une seule poche quand nous serons mariés. Ce sera la société Johnny et Sue, avec une comptabilité unique.

– Qu'il faudra que tu tiennes, dit John, morose. Si j'essaie, je commettrai fatalement des erreurs.

– Seulement parce que tu es sûr d'en commettre. Quand tes amis doivent-ils venir?

– A neuf heures, je crois. Peut-être neuf heures et demie. Et ce ne sont pas exactement des amis. Ce sont des types de Quantum, des labos de recherche.

– Tu es sûr qu'ils ne s'attendent pas à un repas?

– Ils ont dit « après dîner ». J'en suis sûr. C'est pour une question de travail.

Elle le considéra avec étonnement.

– Tu ne m'avais pas dit ça.

– Je ne t'avais pas dit quoi?

– Que c'était pour le travail. Tu es sûr?

John fut décontenancé. Tout effort pour se souvenir avec *précision* le déroutait.

– Ils l'ont dit... je pense.

Le regard de Susan exprima une exaspération bienveillante, celui qu'elle aurait eu pour un jeune chien exubérant qui n'a pas la moindre idée que ses pattes sont pleines de boue.

– Si tu pensais vraiment, dit-elle, aussi souvent que tu dis « je pense », tu ne serais pas perpétuellement aussi incertain de ce que tu penses. Tu ne comprends pas que ça *ne* peut *pas* être pour affaires ? Si c'était pour affaires, est-ce qu'ils ne t'auraient pas vu dans le cadre de ton travail ?

– C'est confidentiel, dit John. Ils ne veulent pas me voir au boulot. Ni même chez moi.

– Pourquoi ici, alors ?

– Oh, c'est moi qui l'ai suggéré. J'ai pensé que tu devrais assister à l'entrevue, d'ailleurs. Ils vont bientôt avoir à traiter avec la société Johnny et Sue, pas vrai ?

– Ça dépend sur quoi porte le caractère confidentiel. Ils ne t'ont rien laissé entendre ?

– Non, mais ça ne peut pas faire de mal de les écouter. Ça pourrait être quelque chose qui me donnerait un coup de pouce pour me faire monter dans la maison.

– Pourquoi toi ? demanda Susan.

John parut blessé.

– Pourquoi pas moi ?

– Il me semble simplement qu'un homme à ton niveau n'a pas besoin de tout ce mystère et...

Le bourdonnement de l'interphone l'interrompit et elle se précipita pour répondre, puis elle revint annoncer :

– Ils montent.

2

Ils étaient deux, sur le seuil. Le premier était Boris Kupfer, grand, massif et agité, le menton nettement bleu par une barbe naissante. John lui avait déjà parlé.

L'autre était David Anderson, plus petit et plus réservé. Mais ses petits yeux rapides étaient sans cesse en mouvement, et rien ne lui échappait.

– Susan, dit John en hésitant, tenant encore la porte ouverte, voici mes deux collègues dont je t'ai parlé. Boris...

Il tomba dans un trou de mémoire et se tut.

– Boris Kupfer, dit avec morosité l'homme massif, et David Anderson. Vous êtes très aimable, mademoiselle...?

– Susan Collins.

– C'est très aimable de mettre votre domicile à notre disposition et à celle de M. Heath pour cette conférence privée. Nous vous prions de nous excuser de disposer ainsi de votre temps et de votre intimité et, si vous nous laissiez seuls un moment, nous vous serions encore plus reconnaissants.

Susan le considéra gravement.

– Vous voulez que j'aille au cinéma, ou simplement dans la pièce voisine?

– Si vous pouviez aller voir une amie...

– Non, dit catégoriquement Susan.

– Vous pouvez passer votre temps comme vous le voulez, naturellement. Un film, si vous préférez.

– Quand je dis non, répliqua-t-elle, je veux dire que je ne pars pas. Je veux savoir de quoi il s'agit.

Kupfer parut désorienté. Il regarda Anderson, puis il expliqua :

– C'est confidentiel, comme vous l'a dit M. Heath. Enfin, j'espère.

John parut mal à l'aise.

– Je l'ai expliqué, Susan comprend...

– Susan, dit-elle, ne comprend pas et on ne lui a pas fait comprendre qu'elle devait s'absenter de l'affaire. C'est mon appartement, Johnny et moi devons nous marier dans quinze jours, deux semaines, jour pour jour. Nous sommes la société Johnny et Sue et il va vous falloir traiter avec ladite société.

Anderson fit entendre pour la première fois sa voix, étonnamment grave, et aussi suave que si elle était huilée.

– Boris, la jeune dame a raison. En tant que future femme de M. Heath, elle sera fortement intéressée par ce que nous venons suggérer et il serait malvenu de l'exclure. Elle a un tel intérêt dans notre proposition que, si elle souhaitait partir, je la retiendrais, quant à moi, avec insistance.

– Eh bien, dans ce cas, mes amis, dit Susan, que voulez-vous boire ? Une fois que j'aurai apporté les verres, nous pourrons commencer.

Tous deux s'assirent avec une certaine raideur et, quand ils eurent bu une ou deux gorgées, Kupfer dit :

– Je ne crois pas que vous soyez informé des détails chimiques des travaux de la compagnie, Heath, la cérébro-chimie, par exemple ?

– Pas du tout, répondit John avec embarras.

– Il n'y a pas de raison que vous le soyez, dit Anderson, plus suave que jamais.

– Eh bien, voilà, reprit Kupfer avec un petit coup d'œil inquiet à Susan.

– Inutile d'entrer dans les détails techniques, intervint Anderson presque à la limite du seuil auditif.

Kupfer rougit légèrement.

– Sans entrer dans les détails techniques, Quantum Pharmaceutique s'occupe de produits cérébro-chimiques qui, comme leur nom l'indique, ont une action sur le cervelet, c'est-à-dire la part la plus importante dans le fonctionnement du cerveau.

– Ce doit être un travail très compliqué, dit Susan, parfaitement à son aise.

– Très, reconnut Kupfer. Le cerveau des mammifères a des centaines de variétés moléculaires caractéristiques, qu'on ne trouve nulle part ailleurs, qui servent à moduler l'activité cérébrale, dont certains aspects que nous nous permettons d'appeler la vie intellectuelle. Les travaux se font dans le plus grand secret, pour des raisons de sécurité, et c'est pourquoi Anderson ne veut pas donner de détails techniques. Cependant, je puis vous dire ceci. Nous ne pouvons aller plus loin avec les expériences sur les animaux. Et nous nous heurterons à un mur si nous n'avons pas la possibilité de rechercher la réaction humaine.

– Pourquoi ne le faites-vous pas? demanda Susan. Qu'est-ce qui vous en empêche?

– L'opinion publique, si jamais quelque chose tourne mal.

– Employez des volontaires.

– Ça ne changera rien. Quantum Pharmaceutique ne se remettrait pas d'une publicité négative, si une expérience tournait mal.

Susan les regarda d'un air moqueur.

– Alors vous travaillez tous les deux de votre propre chef?

Anderson leva une main pour retenir Kupfer.

– Jeune femme, dit-il, permettez-moi de vous donner quelques brèves explications afin de mettre un terme à une séance d'escrime verbale bien inutile. Si nous réussissons, nous serons énormément récompensés. Si nous échouons, Quantum Pharmaceutique nous désavouera et nous paierons le prix qu'il y aura à payer, tel que la fin de notre carrière. Si vous nous demandez pourquoi nous consentons à courir ce risque, la réponse est simple : nous ne croyons pas à un tel risque. Nous sommes raisonnablement sûrs de réussir, absolument sûrs que nous ne ferons de mal à personne. La société estime qu'elle ne peut pas tenter cette chance, mais nous pensons que nous le pouvons. Maintenant allez-y, Kupfer.

– Nous disposons d'un stimulant de la mémoire. Il fonctionne sur tous les animaux sur lesquels nous l'avons essayé. Leur faculté d'apprendre s'est extraordinairement améliorée. Ça devrait marcher aussi pour les humains.

– Ça me paraît passionnant, dit John.

– C'est passionnant, dit Kupfer. L'amélioration de la mémoire ne s'effectue pas par l'utilisation d'un moyen, pour le cerveau, d'emmagasiner plus efficacement les informations. Toutes nos études révèlent que le cerveau absorbe un nombre presque illimité de choses diverses, et cela parfaitement et définitivement. La difficulté porte sur le fait de nous en souvenir. Combien de fois avez-vous eu un nom sur le bout de la langue que vous n'arriviez pas à formuler ? Combien de fois avez-vous été incapable de donner une réponse que vous *saviez* connaître, pour vous la rappeler brusquement, deux heures plus tard, alors qu'on parlait de tout autre chose ? Est-ce que j'explique correctement les choses, David ?

– Oui. Le souvenir est inhibé, pensons-nous, parce que le cerveau des mammifères a outrepassé ses besoins en développant un système de classement trop perfectionné. Un mammifère emmagasine plus de données que ce qui lui est nécessaire ou que ce qu'il est capable d'utiliser; et si tout était à sa disposition à tout moment, jamais il ne pourrait choisir, parmi l'ensemble, assez vite pour réagir opportunément. Par conséquent, le souvenir est bridé pour assurer que les détails émergent de la banque de mémoire en nombres faciles à manier, sans qu'ils soient brouillés par l'accompagnement de nombreux autres souvenirs sans intérêt. Il y a, dans le cerveau, un produit chimique défini qui fonctionne comme inhibiteur de souvenirs, et nous avons un produit chimique qui le neutralise. Nous l'appelons un désinhibiteur et, jusqu'à présent, autant que nous avons pu nous en assurer, il n'a pas d'effets indésirables.

Susan rit.

– Je vois ce qui va suivre, Johnny. Vous pouvez partir, messieurs. Vous venez de dire que le souvenir est bridé pour permettre aux mammifères de réagir opportunément à telle ou telle situation, et maintenant vous dites que le désinhibiteur n'a pas d'effets indésirables. Mais votre désinhibiteur va sûrement faire réagir les mammifères moins opportunément; ils seront peut-être même tout à fait incapables de réagir. Et vous voulez proposer d'essayer votre produit sur Johnny, pour voir si vous pouvez le réduire ou non à une immobilité cataleptique?

Anderson se leva, ses lèvres minces frémissaient. Il fit quelques pas rapides vers le fond de la pièce et revint. Quand il se rassit, il était maître de lui et souriant.

— Tout d'abord, Miss Collins, c'est une affaire de dosage. Nous vous avons dit que tous les animaux expérimentaux ont présenté une aptitude accrue à l'apprentissage. Naturellement, nous n'avons pas totalement éliminé l'inhibiteur; nous l'avons simplement supprimé en partie. Deuxièmement, nous avons des raisons de croire que le cerveau humain est capable de supporter une désinhibition totale. Il est beaucoup plus grand que le cerveau de n'importe quel animal connu et que nous avons étudié, et nous connaissons tous son incomparable faculté pour la pensée abstraite. C'est un cerveau conçu pour la mémoire totale parfaite, mais les forces aveugles de l'évolution n'ont pas réussi à supprimer le produit chimique inhibiteur qui, après tout, a été conçu pour les animaux inférieurs et dont nous avons hérité.

— Vous en êtes sûrs? demanda John.

— Vous ne pouvez pas en être sûrs, déclara froidement Susan.

— Nous en sommes sûrs, répliqua Kupfer, mais nous avons besoin de la preuve pour convaincre les autres. C'est pourquoi nous devons faire l'expérience sur un être humain.

— John, n'est-ce pas? dit-elle.

— Oui.

— Ce qui nous amène à la question clef. Pourquoi John?

— Eh bien, répondit Kupfer en hésitant, nous avons besoin d'un sujet sur lequel les chances de réussite seront à peu près certaines, et sur lequel la démonstration sera pratiquement flagrante. Nous ne voulons pas de quelqu'un dont les facultés mentales seraient si basses que nous devrions utiliser des formules dangereusement surdosées, pas plus que nous ne voulons d'une personne si intelligente que l'effet se ferait à peine remarquer. Il nous faut quelqu'un de moyen. Heureusement, nous avons les profils physique et psychologique complets de tous les employés de Quantum et, en cela et d'ailleurs en d'autres domaines, M. Heath est idéal.

– Désespérément moyen? dit Susan.

John sursauta à l'emploi des mots mêmes qu'il avait pensés dans le plus profond de son cœur, son secret honteux.

– Allons, tout de même! protesta-t-il.

Sans s'occuper de lui, Kupfer répondit à Susan :

– Oui.

– Et s'il se soumet au traitement, il ne le sera plus?

Les lèvres d'Anderson s'étirèrent pour un de ses semblants de sourires glacés.

– C'est ça. Il ne le sera plus. C'est un véritable sujet de réflexion si vous devez vous marier bientôt, la société Johnny et Sue, comme vous dites, je crois? Au point où en sont les choses, je ne pense pas que la société gravira les échelons chez Quantum, Miss Collins, car tout en étant un excellent employé, digne de confiance, Heath est, comme vous disiez, désespérément moyen. S'il prend le désinhibiteur, en revanche, il deviendra un homme remarquable et s'élèvera à une vitesse ahurissante. Réfléchissez à ce que ce serait pour votre société.

– Qu'est-ce que notre société aurait à perdre? demanda Susan, sombrement.

– Je ne vois pas ce que vous pourriez perdre, dit Anderson. Ce sera une dose raisonnable. Elle pourrait être administrée au laboratoire demain, dimanche. Nous aurons la maison à nous, nous le garderons en observation quelques heures. Il est certain que tout se passera bien. Si j'avais le temps de vous raconter toutes nos laborieuses expériences et notre exploration consciencieuse de toutes les possibilités d'effets indésirables...

— Sur des animaux, trancha Susan sans céder d'une ligne.

Mais John intervint d'une voix crispée :

— C'est à moi de prendre la décision, Sue. J'en ai ras le bol de tout ça, d'être désespérément moyen. Pour moi, le jeu en vaut la chandelle, si ça doit m'arracher à cette impasse moyenne.

— Johnny! Ne fais pas le saut!

— Je pense à notre société, Sue. Je veux y apporter ma part.

— Parfait, mais la nuit porte conseil, dit Anderson. Nous allons vous laisser deux copies de contrat, que nous vous demanderons de lire et de signer. Ne le montrez à personne, s'il vous plaît, que vous l'ayez signé ou non. Nous reviendrons demain matin pour vous conduire au laboratoire.

Ils se levèrent tous deux, souriants, et s'en allèrent.

John parcourut le contrat en plissant le front d'un air préoccupé, puis il leva les yeux.

— Tu penses que je ne devrais pas le faire, Sue, n'est-ce pas?

— Ça m'inquiète, c'est certain.

— Ecoute, si j'ai une chance d'échapper à cette médiocrité de la moyenne...

— Mais qu'est-ce que tu reproches à la moyenne? J'ai connu assez de malades et de cinglés dans ma courte vie, et je suis ravie d'avoir un gentil garçon moyen comme toi, Johnny. Ecoute, moi aussi je suis désespérément moyenne.

– Toi, désespérément moyenne! Avec ta beauté? Ton corps?

Susan baissa les yeux sur elle-même avec un rien de complaisance.

– Eh bien, disons que je ne suis qu'une beauté fatale désespérément moyenne.

3

L'injection fut administrée le dimanche matin à huit heures, pas plus de douze heures après la proposition. Une dizaine d'électrodes relièrent John à un sensitomètre complètement informatisé, tandis que Susan observait l'expérience avec appréhension.

– S'il vous plaît, Heath, dit Kupfer, détendez-vous. Tout se passe bien mais la tension accélère le rythme cardiaque, provoque de l'hypertension et compromet les résultats.

– Comment voulez-vous que je me détende? marmonna John.

Susan intervint vivement :

– Ça compromet les résultats au point que vous ne savez plus ce qui se passe?

– Non, pas du tout, affirma Anderson. Boris dit que tout va bien et c'est vrai. Seulement nos animaux étaient chaque fois sous l'effet d'un séda-tif, quand nous administrions la piqûre, mais nous avons pensé qu'un sédatif ne serait pas approprié, dans le cas présent. Sans sédation, nous devons donc nous attendre à un peu de tension. Respirez lentement, et faites votre possible pour la minimi-ser.

Il ne fut débranché qu'à la fin de l'après-midi.

– Comment vous sentez-vous? demanda Anderson.

– Nerveux, répondit John. Autrement, ça va.

– Pas de mal de tête?

– Non. Mais j'ai besoin d'aller à la salle de bains. Je ne peux pas me détendre avec un bassin.

– Naturellement.

John revint, les sourcils froncés.

– Je ne remarque pas d'amélioration particulière de ma mémoire.

– Il faudra un certain temps et ce sera progressif. Le désinhibiteur doit s'infiltrer à travers la barrière de sang du cerveau, vous savez, expliqua Anderson.

4

Il était près de minuit quand Susan mit fin au silence oppressant de cette soirée; ni l'un ni l'autre ne s'était beaucoup intéressé à la télévision.

– Il va falloir que tu passes la nuit ici, dit-elle. Je ne veux pas que tu restes seul alors que nous ne savons pas ce qui va arriver.

– Je ne sens rien du tout, grogna John. Je suis toujours moi-même.

– Je ne demande pas mieux, Johnny. Tu ne ressens pas de douleurs, de malaises, rien de bizarre?

– Je ne crois pas.

– Je regrette que nous ayons fait ça, tu sais.

– Pour la société, dit John avec un faible sourire. Nous devons prendre des risques pour la firme.

5

John dormit mal et se réveilla de mauvaise humeur, mais à l'heure. Et il arriva à l'heure à son travail, pour commencer la nouvelle semaine.

Vers onze heures, cependant, sa grise mine attira l'attention défavorable de son supérieur immédiat, Michael Ross. Massif, le front bas et le sourcil noir, Ross répondait tout à fait au signalement du docker, sans l'avoir jamais été. John s'entendait assez bien avec lui mais ne l'aimait pas.

Ross dit de sa voix de basse :

– Qu'est-il arrivé à votre joyeuse humeur, Heath, vos plaisanteries, votre rire en cascade ?

Ross cultivait une certaine préciosité de langage, comme s'il cherchait à compenser l'image du docker.

– Je ne suis pas dans mon assiette, répondit John sans lever les yeux.

– Gueule de bois ?

– Non, monsieur, répliqua froidement John.

– Eh bien, souriez, mon vieux ! Ce n'est pas en caracolant parmi les roses, comme un chevalier à la triste figure, que vous vous ferez des amis.

John réprima un gémissement. Les affectations littéraires de série B de Ross étaient exaspérantes dans les meilleurs moments, et il n'était pas dans un de ses meilleurs moments.

Et pour tout aggraver, John respira l'odeur infecte d'un vieux cigare et devina que James Arnold Prescott, directeur des ventes, était dans les parages.

Il ne se trompait pas. Le directeur des ventes regarda de tous côtés et demanda :

– Mike, qu'est-ce que nous avons vendu à Rahlway et quand, au printemps dernier, ou par là? Il y a des foutues questions sur ce sujet et je crois que les détails ont été mal informatisés.

La question ne s'adressait pas à John mais il affirma calmement :

– Quarante-deux fioles de PCAP. C'était le 14 avril, J.P. Bordereau numéro P-20543, avec un rabais de cinq pour cent accordé pour un règlement à trente jours. Règlement effectué en totalité, reçu le 8 mai.

Tout le monde avait entendu la réponse dans la salle, apparemment. En tout cas, tout le monde releva la tête.

– Comment diable savez-vous tout ça? s'étonna Prescott.

John le regarda pendant un moment, avec une immense surprise.

– Je m'en suis souvenu comme ça, J.P. Par hasard.

– Sans blague? Répétez, pour voir?

John le répéta, en bredouillant, et Prescott le nota sur un papier, sur le coin du bureau de John, la respiration un peu oppressée, en se penchant car son abdomen corpulent appuyait contre son diaphragme. John essaya de dissiper la fumée du cigare sans en avoir l'air.

– Ross, dit Prescott, allez vérifier ça avec votre ordinateur pour voir si ça vaut quelque chose. (Il tourna vers John un regard courroucé.) Je n'aime pas les petits plaisantins. Qu'est-ce que vous auriez fait si j'avais accepté vos chiffres et si j'étais parti avec?

– Je n'aurais rien fait. Ils sont exacts, répondit

John, conscient d'être le pôle d'attraction de toute la salle.

Ross revint et tendit un feuillet d'imprimante à Prescott qui le parcourut et grommela :

– Ça vient de l'ordinateur, ça ?

– Oui, J.P.

Prescott regarda fixement les données et désigna John d'un brusque sursaut de tête.

– Et lui, qu'est-ce qu'il est ? Un autre ordinateur ? Ses chiffres sont exacts.

John essaya de sourire faiblement mais Prescott grogna et repartit, en laissant planer la puanteur de son cigare pour rappeler sa présence.

– Qu'est-ce que c'est que ce petit tour de passe-passe, Heath ? demanda Ross. Vous avez appris ce qu'il voulait savoir et vous l'avez recherché à l'avance, pour vous faire mousser ?

– Non, monsieur, répliqua John, qui prenait peu à peu de l'assurance. Je m'en suis souvenu, c'est tout. J'ai une bonne mémoire pour ces choses-là.

– Et vous avez pris la peine de la cacher soigneusement à vos loyaux compagnons, depuis tant d'années ? Personne n'avait la moindre idée que vous dissimuliez une bonne mémoire derrière votre front banal.

– Ce n'est pas la peine de l'exhiber, monsieur Ross, n'est-ce pas ? Et maintenant que je l'ai révélée, cela ne semble pas m'avoir été très bénéfique, non ?

Cela ne l'avait pas été, en effet. Ross le toisa d'un air furieux et lui tourna le dos.

6

Ce soir-là, la surexcitation de John pendant le dîner au Gino's fut telle qu'il eut du mal à parler d'une manière cohérente; mais Susan l'écouta patiemment et s'efforça d'être une force d'équilibre.

— Il est possible que tu te sois simplement rappelé quelque chose que tu savais, dit-elle. Si c'est le seul exemple, il ne prouve rien, Johnny.

— Tu es folle?

Il baissa la voix sur un signe de Susan et son coup d'œil rapide à la ronde, et répéta en chuchotant :

— Tu es folle? Tu ne penses tout de même pas que c'est la seule chose dont je me souvienne? Je crois que je me rappelle tout ce que j'ai jamais entendu dire. Ce n'est qu'une question de mémoire. Par exemple, cite-moi un vers de Shakespeare.

— Etre ou ne pas être.

John prit un air méprisant.

— Ne rigole pas! Enfin, ça n'a pas d'importance. Le fait est que je peux te réciter tout ce que tu voudras, et continuer tant que tu voudras. J'ai lu certaines des pièces pour le cours de littérature au lycée, et d'autres pour moi-même, et je me les rappelle toutes. J'ai essayé. Ça va tout seul! Je crois que je peux me rappeler n'importe quel passage de n'importe quel livre ou article de journal que j'ai jamais lu, ou n'importe quelle émission de télé que j'ai regardée, mot pour mot, scène pour scène.

— Qu'est-ce que tu vas faire de tout ça?

– Tout n'est pas là consciemment dans ma tête à tout moment. Tu ne veux sûrement pas... attends, passons la commande.

Cinq minutes plus tard, il reprit :

– Tu ne veux sûrement pas... Bon Dieu, je n'ai pas oublié ce que je disais! C'est ahurissant! Tu ne veux sûrement pas me dire que je nage dans un océan mental de citations de Shakespeare à tout instant. Se souvenir exige un effort, pas très grand mais un effort tout de même.

– Comment ça marche?

– Je ne sais pas. Comment fais-tu pour lever le bras? Quels ordres donnes-tu à tes muscles? Tu veux simplement que ton bras se lève et il se lève. Ce n'est pas difficile, mais ton bras ne se lève pas, à moins que tu ne le veuilles. Eh bien, je me rappelle tout ce que j'ai jamais lu ou vu, quand je veux mais pas quand je ne le veux pas. Je ne sais pas comment je fais, mais je le fais.

Les hors-d'œuvre arrivèrent et John les attaqua avec appétit. Susan mangea du bout des dents ses champignons farcis.

– Ça m'a l'air passionnant.

– Passionnant? J'ai le plus grand, le plus merveilleux jouet du monde. Mon propre cerveau. Ecoute, je peux épeler chaque mot correctement et je suis à peu près sûr de ne jamais faire de fautes de grammaire.

– Parce que tu te rappelles toutes les grammaires et tous les dictionnaires que tu as jamais lus?

John la regarda sévèrement.

– Ne te moque pas, Sue.

– Je ne voulais pas me...

Il la fit taire d'un geste.

– Je n'ai jamais lu de dictionnaires pour m'amuser. Mais je me rappelle bien les mots et les phrases de toutes mes lectures et ils étaient correctement épelés et analysés.

– N'en sois pas si sûr. Tu as vu tous les mots orthographiés de toutes les façons possibles, et aussi tous les exemples de fautes de syntaxe.

– Il ne s'agissait que d'exceptions. L'immense majorité de ce que j'ai lu, en littérature, était employé correctement. Ça surpasse de loin les accidents, les erreurs et l'ignorance. De plus, je suis sûr que je m'améliore, assis là, que je deviens peu à peu plus intelligent.

– Et tu n'es pas inquiet. Mais si...

– Mais si je deviens trop intelligent? Explique-moi comment diable ça pourrait faire du mal d'être trop intelligent?

– Ce que j'allais dire, dit froidement Susan, c'est que ce qui t'arrive n'est pas de l'intelligence. Ce n'est que de la mémoire totale.

– Comment ça, ce n'est *que*? Si je me rappelle parfaitement, si j'emploie correctement la langue, si je connais une foule de choses, est-ce que ça ne me fera pas paraître plus intelligent? Comment aurait-on besoin de définir autrement l'intelligence? Est-ce que tu ne deviendrais pas un peu jalouse, Sue?

– Mais non, dit-elle encore plus froidement. Si ça me désespère, je peux toujours me faire faire une piqûre.

John posa sa fourchette.

– Tu ne le penses pas sérieusement?

– Non, mais si je le pensais?

– Tu ne peux pas profiter de ton savoir spécial pour me priver de ma position.

– Quelle position?

Le plat de résistance arriva et, pendant quelques

instants, John fut occupé. Puis il dit, dans un souffle :

– Ma position est la première de l'avenir. *Homo superior!* Nous ne serons jamais assez nombreux. Tu as entendu ce que Kupfer a dit. Certains sont trop bêtes pour y arriver. Certains sont trop intelligents pour beaucoup changer. Je suis l'unique!

– Désespérément moyen, dit Susan avec un sourire en coin.

– Je l'étais. Il y en aura d'autres comme moi, un jour ou l'autre. Pas beaucoup, mais quelques-uns. Simplement, je veux laisser mon empreinte avant que d'autres arrivent. C'est pour la firme, tu sais. Pour nous!

Ensuite, il resta perdu dans ses pensées, occupé à sonder délicatement son cerveau.

Susan mangea en silence, tristement.

7

John passa plusieurs jours à organiser ses souvenirs. C'était comme la préparation d'un livre de référence bien ordonné. Un par un, il se rappela tous les événements des six années qu'il avait passées à Quantum Pharmaceutique, tout ce qu'il avait entendu, toutes les communications et les notes qu'il avait lues.

Il n'avait aucune difficulté à trier et rejeter ce qui était sans importance et à le classer dans un compartiment « à conserver jusqu'à nouvel ordre » où cela n'entravait pas son analyse. D'autres choses étaient rangées de manière à établir une progression naturelle.

Sur cette charpente d'organisation, il reconstitua les commérages qu'il avait entendus, les ragots, méchants ou non, les phrases en l'air et les interjections aux conférences qu'il ne savait même pas avoir entendues sur le moment. Ces détails qui ne trouvaient pas leur place dans l'ensemble qu'il avait échafaudé dans sa tête n'avaient aucune valeur, ils étaient vides de tout contenu intéressant. Ceux qui concordaient se mettaient fermement en place et pouvaient être considérés comme vrais, de ce fait même.

Plus la structure grandissait, plus elle était cohérente, plus les nouveaux articles étaient importants et plus il était facile de les insérer dans le tout.

Le jeudi, Ross s'arrêta devant le bureau de John et lui dit :

– Je veux vous voir dans mon bureau, sur l'heure, Heath, si toutefois vos jambes daignent vous transporter dans cette direction.

John se leva en hésitant.

– Est-ce indispensable ? Je suis occupé.

– Oui, vous m'avez l'air occupé, en effet, dit Ross en regardant le bureau bien net qui, pour le moment, n'était encombré que par la photo d'une Susan souriante. Vous avez été occupé toute la semaine, sans doute. Mais vous demandez s'il est indispensable que vous veniez me voir dans mon bureau. Pour moi, non, mais pour vous, c'est capital. La porte de mon bureau est par ici. Et là-bas, c'est la porte pour fiche le camp en vitesse. Choisissez l'une ou l'autre, et vite !

John hocha la tête et, sans se presser, suivit Ross dans son bureau. Ross s'assit sans offrir de siège à John. Il le regarda froidement pendant un moment, et finalement lui demanda :

– Quelle mouche vous a piqué cette semaine,

Heath? Est-ce que vous ne savez pas quel est votre travail?

– Dans la mesure où je l'ai déjà fait, il semble que je le sache, répliqua John. Le rapport sur le microcosmique est sur votre bureau, complet, et sept jours en avance sur la date prévue. Je doute que vous ayez à vous en plaindre.

– Vous doutez, hein? Est-ce que j'ai l'autorisation de me plaindre s'il me plaît de le faire, après avoir communié avec mon âme? Ou suis-je condamné à vous en demander la permission?

– Je n'ai pas été assez clair, monsieur Ross. Je doute que vous ayez à vous en plaindre rationnellement. Pour ce qui est d'une autre variété de plaintes, cela ne regarde que vous.

Ross se leva.

– Ecoutez un peu, morveux, si je décide de vous virer, vous ne l'apprendrez pas par la rumeur publique. Ce ne sera pas un mot qui sortira de ma bouche qui vous apportera l'heureuse nouvelle. Vous sortirez par cette porte, sur les fesses, et c'est moi qui serai la force motrice de cette sortie violente. Gardez ça dans votre petite tête, et votre langue dans votre grande gueule. Que vous ayez fait votre travail ou non, là n'est pas la question pour le moment. La question, c'est tout ce que vous avez fait d'autre. Qui ou quoi vous a donné le droit de diriger tout le monde, par ici?

John ne répondit pas.

– Eh bien? insista Ross.

– Vous m'avez donné l'ordre de garder ma langue dans ma grande gueule.

Ross devint dangereusement congestionné.

– Vous allez quand même répondre à mes questions!

– Je n'avais pas conscience de diriger qui que ce fût.

– Il n'y a pas une seule personne, ici, que vous n'ayez corrigée au moins une fois. Vous êtes passé outre Willoughby à propos de la correspondance sur le TMP; vous êtes allé fouiner dans le classement général en utilisant l'accès à l'ordinateur de Bronstein, et Dieu sait quoi encore que l'on ne m'a pas dit, depuis deux jours. Vous entravez le travail du service tout entier et il faut que ça cesse immédiatement. Ce doit être le retour au calme plat, instantanément, sinon la tornade sera pour vous, mon bonhomme.

– Si j'ai entravé quelque chose, dans le sens étroit du terme, c'était pour le bien de la compagnie. Dans le cas de Willoughby, son traitement de la question du TMP plaçait Quantum Pharmaceutique en contravention par rapport aux instructions du gouvernement, ce que je vous ai signalé dans une des nombreuses notes que je vous ai envoyées et que vous n'avez, semble-t-il, pas eu l'occasion de lire. Quant à Bronstein, il ignorait purement et simplement les directives générales et coûtait à la compagnie cinquante mille dollars en expériences inutiles, ce qui m'a été facile à établir avec la correspondance nécessaire, uniquement pour corroborer mon très net souvenir de la situation.

Pendant tout ce discours, Ross avait visiblement enflé.

– Heath, déclara-t-il, vous outrepassez votre rôle. Vous allez donc rassembler vos affaires personnelles et partir d'ici avant le déjeuner, pour ne jamais revenir. Si jamais vous deviez revenir, j'aurais le plaisir extrême de vous aider à repartir, avec mon pied. Votre lettre de congé sera entre vos mains ou dans votre gorge avant que vos affaires soient rassemblées, même si vous vous dépêchez.

– N'essayez pas de me bousculer, Ross. Votre incompétence a coûté à la compagnie un quart de million de dollars, et vous le savez.

Il y eut un bref silence pendant que Ross se dégonflait. Il dit, prudemment :

– Qu'est-ce que vous racontez ?

– Quantum Pharmaceutique a perdu le contrat Nutley à cause d'un certain renseignement qui était entre vos mains et qui n'a jamais été remis au conseil d'administration. Vous l'avez oublié ou vous ne vous êtes pas donné la peine de le chercher et, dans un cas comme dans l'autre, vous n'êtes pas l'homme qui convient à ce poste. Vous êtes incompétent ou vendu.

– Vous êtes complètement fou !

– Personne n'est obligé de me croire. L'information est dans l'ordinateur, si l'on sait où la chercher, et je le sais. De plus, l'information est classée et sera sur les bureaux des personnes intéressées deux minutes après mon départ.

– Si c'était vrai, dit Ross en parlant avec difficulté, vous n'auriez aucun moyen possible de le savoir. C'est là une stupide tentative de chantage avec menace de diffamation.

– Vous savez qu'il n'en est rien. Si vous doutez que je sois en possession de cette information, permettez-moi de vous dire qu'il y a un mémorandum qui ne figure pas dans les dossiers, mais qui peut être reconstitué sans difficulté, d'après les éléments qui s'y trouvent. Il vous faudra expliquer son absence et on présumera que vous l'avez détruit. Vous savez que je ne bluffe pas.

– C'est du chantage !

– Pourquoi ? Je n'exige rien de vous, je ne vous

menace pas. J'explique simplement mes agissements des deux derniers jours. Naturellement, si je suis forcé de démissionner, il me faudra expliquer pourquoi je démissionne, n'est-ce pas?

Ross ne dit rien. John demanda froidement :

— Dois-je considérer que ma démission est exigée?

— Foutez-moi le camp d'ici!

— Avec ou sans mon emploi?

— Vous avez votre emploi, bougonna Ross avec une expression de haine flagrante.

8

Susan avait organisé un dîner chez elle et s'était donné beaucoup de mal. Jamais, de son propre avis, elle n'avait été plus séduisante, et jamais elle n'avait jugé plus important de détourner John, ne fût-ce que pour un moment, de sa totale concentration sur son cerveau.

Elle lui déclara, avec une jovialité forcée :

— Après tout, nous fêtons nos neuf derniers jours de bienheureux célibat!

— Nous fêtons bien plus que ça, répliqua John avec un sourire plutôt sombre. Il y a seulement quatre jours qu'on m'a administré le désinhibiteur et j'ai déjà été capable de remettre Ross à sa place. Il ne me tracassera plus.

— On dirait que nous avons chacun notre propre idée du sentiment. Raconte-moi les détails de ton tendre souvenir.

John lui raconta tout avec vivacité, répétant la conversation mot pour mot, sans hésitation. Susan l'écouta en silence, sans réagir du tout à la voix triomphante de John.

– Comment savais-tu tout ça, sur Ross?

– Il n'y a pas de secrets, Sue. Les choses semblent secrètes, seulement parce que les gens ne se souviennent pas. Si on se rappelle chaque réflexion, chaque commentaire, chaque mot en l'air prononcé à portée de votre oreille ou s'adressant à soi, et si l'on considère le tout dans son ensemble, on s'aperçoit que tout le monde se trahit, et de toutes les façons possibles. On peut découvrir des intentions qui, à notre époque de l'informatique, vous renvoient tout droit aux archives nécessaires. C'est possible. Je peux le faire. Je l'ai fait dans le cas de Ross. Je peux le faire dans le cas de n'importe qui.

– Tu peux aussi les rendre furieux.

– Ross est furieux, tu peux parier là-dessus.

– Est-ce que c'était raisonnable?

– Qu'est-ce qu'il peut me faire? Je le tiens!

– Il a assez d'influence en haut lieu...

– Pas pour longtemps. J'ai une conférence, prévue pour demain, à quatorze heures, avec le vieux Prescott et son cigare puant, et je coifferai Ross au poteau.

– Tu ne crois pas que tu vas un peu trop vite?

– Trop vite? Je n'ai même pas commencé. Prescott n'est qu'un marchepied. Quantum Pharmaceutique n'est qu'un marchepied.

– C'est quand même trop vite, Johnny. Tu as besoin de quelqu'un pour te diriger. Tu as besoin...

– Je n'ai besoin de rien! Avec ce que j'ai là, dit-il en se frappant la tempe, rien ni personne ne peut m'arrêter.

– Bon, écoute, ne parlons pas de ça. Nous avons des projets différents à préparer.

– Des projets?

– Les nôtres. Nous allons nous marier dans neuf jours. Tu n'en es sûrement pas revenu, dit-elle avec une lourde ironie, au triste temps où tu oubliais tout?

– Je me rappelle le mariage, répliqua John, irrité, mais pour le moment il faut que je réorganise Quantum. A vrai dire, j'ai sérieusement envisagé de retarder le mariage jusqu'à ce que j'aie toutes les choses en main.

– Ah? Et ce serait quand?

– Difficile à dire. Bientôt, à l'allure où je marche. Un mois ou deux, je suppose. A moins, dit-il en s'abaissant au sarcasme, que tu ne penses que j'agis trop vite?

Susan se contenait difficilement.

– Est-ce que tu avais l'intention de me consulter à ce sujet?

John haussa les sourcils.

– Est-ce que ce serait nécessaire? Où est la discussion? Tu vois bien ce qui se passe. Nous ne pouvons l'interrompre sans perdre de l'élan. Ecoute, sais-tu que je suis un génie mathématique? Je peux multiplier et diviser aussi vite qu'un ordinateur parce qu'à un moment donné de ma vie j'ai eu à résoudre presque tous les problèmes d'arithmétique simple et je me rappelle les solutions. Je lis une table de racines carrées et je peux...

– Seigneur, Johnny! cria Susan. Tu es comme un enfant avec un nouveau jouet! Tu as perdu ta perspective. La mémoire instantanée ne te sert à rien d'autre qu'à faire des tours de passe-passe. Ça ne donne pas un brin d'intelligence en plus, pas un brin, pas un iota de jugement en plus, pas un soupçon de bon sens supplémentaire. Tu es aussi dangereux qu'un petit garçon avec une grenade dégoupillée. Tu as besoin d'être surveillé par quelqu'un qui a de la jugeote.

John se rembrunit.

— Ah oui? J'ai l'air d'obtenir ce que je veux.

— Tu en es sûr? Est-ce que je ne suis pas aussi ce que tu veux?

— Quoi?

— Vas-y, Johnny. Tu me veux. Tends les bras et prends-moi. Fais travailler ta fabuleuse mémoire. Rappelle-toi qui je suis, ce que je suis, les choses que nous pouvons faire, la chaleur, l'affection, le sentiment.

John, son front encore plissé par l'incertitude, tendit les bras vers Susan. Elle se dégagea.

— Mais tu ne m'as pas, ni rien de moi. Tu ne peux pas te souvenir de moi dans tes bras; tu dois m'aimer pour que j'y sois. L'ennui, c'est que tu n'as pas assez de bon sens pour le faire, et qu'il te manque l'intelligence d'établir des priorités raisonnables. Tiens, prends ça et sors de chez moi, sans quoi je vais te frapper avec quelque chose de bien plus lourd!

Il se baissa pour ramasser la bague de fiançailles.

— Susan...

— Va-t'en, j'ai dit. La société Johnny et Sue est dissoute!

La figure de Susan flamboyait de rage, alors John se retourna humblement et prit la porte.

Le lendemain matin, quand John arriva à Quantum, Anderson l'attendait avec une impatience anxieuse.

— Monsieur Heath, dit-il en souriant et en se levant.

— Qu'est-ce que vous voulez?

— Nous sommes en privé, ici, j'imagine?

— A ma connaissance, il n'y a pas de micros clandestins.

— Vous devez venir nous voir après-demain pour un examen. Dimanche. Vous vous souvenez?

— Bien sûr, je m'en souviens. Je suis incapable de ne pas me souvenir. Mais je suis capable de changer d'idée. Pourquoi ai-je besoin d'être examiné?

— Pourquoi pas? Il est tout à fait évident, d'après ce que Kupfer et moi avons appris, que le traitement a magnifiquement réussi. En réalité, nous ne voulons pas attendre jusqu'à dimanche. Si vous pouviez venir avec moi aujourd'hui, tout de suite, en fait, ce serait très important pour nous, pour Quantum et, naturellement, pour l'humanité.

— Vous auriez pu me garder quand vous m'aviez, rétorqua sèchement John. Vous m'avez renvoyé à mes affaires, en me permettant de vivre et de travailler sans surveillance, pour que vous puissiez me mettre à l'épreuve sur le terrain, pour ainsi dire, et vous faire une meilleure idée de la tournure des choses. C'était plus risqué pour moi, mais vous ne vous êtes pas souciés de ça, n'est-ce pas?

— Ce n'était pas du tout dans nos intentions, monsieur Heath. Nous...

– Ne me racontez pas d'histoires. Je me rappelle chaque mot que Kupfer et vous m'avez dit dimanche dernier, et il était tout à fait évident pour moi que c'était bien votre intention. Si j'accepte le risque, j'accepte aussi les bienfaits. Je n'ai aucune envie de me présenter comme un phénomène biochimique qui a obtenu ses facultés grâce à une piqûre. Et je ne veux pas qu'il y en ait d'autres de mon espèce. Pour le moment, j'ai un monopole et j'entends en profiter. Quand je serai prêt – pas avant –, j'accepterai de collaborer avec vous pour le bien de l'humanité. Mais dites-vous bien que c'est moi qui saurai quand je serai prêt, et non pas vous. Ne m'appelez pas; je vous appellerai moi-même.

Anderson réussit à sourire aimablement.

– Quant à cela, monsieur Heath, comment pouvez-vous nous empêcher d'annoncer notre réussite? Ceux qui ont eu affaire à vous cette semaine n'auront aucun mal à reconnaître le changement qui s'est produit en vous, et à en témoigner.

– Vraiment? Ecoutez un peu, Anderson, et écoutez bien. Et faites-le en effaçant de votre figure ce sourire idiot. Ça m'irrite. Je vous ai dit que je me rappelle chaque mot que vous avez prononcé, Kupfer et vous. Je me rappelle chaque nuance de vos expressions, chaque regard en coulisse, et ils en disaient long. J'ai suffisamment appris pour aller fouiller dans les dossiers des congés de maladie avec une assez bonne idée de ce que je cherchais. On dirait que je ne suis pas le premier employé de Quantum sur qui vous avez essayé le désinhibiteur.

Anderson, effectivement, ne souriait plus du tout.

– C'est ridicule!

– Vous savez bien que non et je vous prie de

494

croire que je peux le prouver. Je connais le nom des hommes en question – un de vos cobayes est une femme, incidemment – et des hôpitaux où ils ont été soignés, ainsi que les faux antécédents médicaux qui leur ont été fournis. Comme vous ne m'en avez pas averti quand vous vous êtes servi de moi pour votre quatrième expérience sur un animal bipède, je ne vous dois rien qu'une peine de prison.

– Je ne discuterai pas de cette affaire, dit Anderson. Mais je vous dirai ceci. Le traitement cessera de faire son effet, Heath. Vous ne garderez pas votre mémoire totale. Il vous faudra revenir pour de nouvelles injections et je vous prie de croire que ce sera à nos conditions.

– Allons donc! N'allez pas vous figurer que je n'ai pas examiné vos rapports, tout au moins ceux que vous n'avez pas gardés secrets. Et j'ai déjà une idée des aspects que vous avez gardés secrets. Le traitement fait son effet plus longtemps dans certains cas. Il dure invariablement plus longtemps quand il est le plus efficace. Dans mon cas, le traitement a été extraordinairement efficace et son effet durera pendant un temps considérable. Quand je reviendrai vous voir, si jamais je le dois, je serai dans une situation où toute tentative de votre part de ne pas collaborer avec moi sera rapidement cuisante. Je vous conseille de ne même pas l'envisager.

– Espèce d'ingrat...

– Ne m'énervez pas, interrompit John avec lassitude. Je n'ai pas le temps d'écouter votre colère. Allez-vous-en. J'ai du travail.

Quand Anderson sortit, sa figure était l'image même de la peur et du dépit.

A quatorze heures trente, John entra dans le bureau de Prescott et, pour une fois, il ne fit pas attention à l'odeur du cigare. Ce ne serait pas long, pensait-il, avant que Prescott ait à choisir entre ses cigares et sa fonction.

Il y avait avec lui Arnold Gluck et Lewis Randall, si bien que John eut le sombre plaisir de savoir qu'il affrontait les trois plus grands responsables du département.

Prescott posa son cigare sur le bord d'un cendrier et dit :

— Ross m'a demandé de vous accorder une demi-heure et c'est tout ce que je vous accorderai. Vous êtes le type à la drôle de mémoire, n'est-ce pas ?

— Je m'appelle John Heath, monsieur, et j'ai l'intention de vous proposer une rationalisation des procédures pour cette compagnie, qui profitera au maximum de l'ère de l'informatique et de la communication électronique et qui établira les bases de futures modifications, à mesure que la technologie progressera.

Les trois hommes se regardèrent. Gluck, dont la figure ridée était tannée comme du vieux cuir, demanda :

— Etes-vous un expert du management ?

— Je n'ai pas besoin de l'être, monsieur. Je travaille ici depuis six ans et je me rappelle tous les détails de procédure de toutes les transactions que j'aie eu à connaître. C'est-à-dire que la trame de ces transactions m'est familière, et ses imperfections évidentes. On peut voir où cela mène, ainsi que les raisons du gaspillage et de l'inefficacité. Si vous voulez bien écouter, je vous l'expliquerai. Vous verrez que c'est facile à comprendre.

Randall, que des cheveux roux et des taches de rousseur faisaient paraître plus jeune qu'il ne l'était, ironisa :

— Vraiment facile, je l'espère, parce que les concepts difficiles nous échappent.

— Vous n'aurez pas de problème, assura John.

— Et vous n'avez pas une seconde de plus que vingt et une minutes, dit Prescott en regardant sa montre.

— Je ne mettrai pas si longtemps. J'ai fait le diagramme et je peux parler rapidement.

Il lui fallut un quart d'heure, et les trois cadres supérieurs de la direction furent remarquablement silencieux pendant tout ce temps.

Finalement, Gluck déclara avec une lueur hostile dans ses petits yeux :

— En somme, vous dites que nous pouvons nous passer de la moitié du personnel de direction que nous employons actuellement.

— De plus de la moitié, dit froidement John, et l'efficacité n'en sera que meilleure. Nous ne pouvons pas licencier à volonté le personnel ordinaire, à cause des syndicats, mais nous pouvons en perdre avec profit, par usure. La direction n'est pas protégée, cependant, et peut être licenciée. Ces hommes auront une retraite s'ils sont assez âgés, ou de nouveaux emplois s'ils sont assez jeunes. Nous ne devons penser qu'à Quantum.

Prescott, qui avait conservé un silence menaçant, tira rageusement sur son cigare nauséabond et grommela :

— Les changements de ce genre doivent être mûrement réfléchis et effectués, s'il y a lieu, avec la plus grande prudence. Ce qui paraît logique sur le papier peut se perdre dans l'équation humaine.

— Si la réorganisation n'est pas acceptée d'ici à une semaine, Prescott, répliqua John, et si je ne suis pas chargé de sa mise à exécution, je donnerai ma démission. Je n'aurai aucun mal à trouver du travail dans une firme plus petite où ce plan pourra encore plus facilement être mis en pratique. En commençant avec un petit groupe de cadres de direction, je peux prendre de l'expansion à la fois par la quantité et par l'efficacité des prestations, sans embauche supplémentaire, et dans l'année j'aurai acculé Quantum à la faillite. Ce sera amusant de le faire si j'y suis poussé, alors réfléchissez soigneusement. Ma demi-heure est écoulée. Au revoir, messieurs.

Et il les planta là.

11

Prescott suivit John d'un regard calculateur et froid. Il dit aux deux autres :

— Je crois qu'il pense ce qu'il dit, et qu'il connaît mieux que nous toutes les facettes de nos opérations. Nous ne pouvons pas le laisser partir.

— Vous voulez dire que nous devons accepter son plan? s'écria Randall, choqué.

— Je n'ai pas dit ça. Allez, tous les deux, et souvenez-vous que cette affaire est confidentielle.

— J'ai l'impression que si nous ne faisons pas quelque chose, grogna Gluck, nous allons tous les trois nous trouver sur le cul, à la rue, d'ici à un mois.

– Très vraisemblablement, dit Prescott, alors nous allons faire quelque chose.

– Quoi?

– Si vous ne le savez pas, vous n'en souffrirez pas. Laissez-moi faire. Oubliez tout ça pour le moment et passez un bon week-end.

Quand ils furent partis, il réfléchit un moment, en mâchonnant furieusement son cigare. Enfin il se tourna vers son téléphone et forma le numéro d'un poste annexe.

– Allô, ici Prescott. Je veux vous voir dans mon bureau lundi matin à la première heure. La première heure. Vous entendez?

12

Anderson avait l'air légèrement dépenaillé. Il avait passé un mauvais week-end. Prescott, qui en avait passé un pire, lui dit avec animosité :

– Kupfer et vous avez recommencé, hein?

– Il vaut mieux ne pas parler de cela, monsieur Prescott, dit doucement Anderson. Vous devez vous souvenir qu'il était convenu que, pour certains aspects de la recherche, des distances devaient être respectées. Nous devions prendre les risques et avoir la gloire, tandis que Quantum partagerait la seconde mais pas les premiers.

– Et votre salaire a été doublé et accompagné de la garantie que tous les dommages et intérêts seraient à la charge de Quantum, ne l'oubliez pas. Cet homme, John Heath, a été traité par Kupfer et vous, n'est-ce pas? Allons! Il n'y a pas à s'y tromper. Inutile de le cacher.

– Eh bien... oui.

– Et vous avez été si intelligents que vous avez lâché sur nous ce... cette... cette tarentule!

– Nous n'avions pas prévu ce qui est arrivé. Comme il n'est pas immédiatement tombé en état de choc, nous avons pensé que c'était notre première chance d'étudier le processus sur le terrain. Nous avons pensé qu'il s'effondrerait dans les deux ou trois jours, ou que ça passerait.

– Si je n'avais pas été si bougrement bien protégé, je n'aurais pas chassé toute l'histoire de mon esprit, et j'aurais deviné ce qui s'était passé quand ce salaud m'a sorti pour la première fois son petit truc d'ordinateur, en me donnant les détails d'une correspondance dont il n'avait aucune raison de se souvenir. Bon, ça va, nous savons maintenant où nous en sommes. Il tient la compagnie en otage avec un nouveau plan d'opérations qu'on ne peut pas lui permettre de faire passer. Pas plus qu'on ne peut lui permettre de nous quitter.

– Compte tenu des facultés de mémoire et de synthèse de Heath, dit Anderson, il se peut que son plan d'opérations soit excellent.

– Je m'en fous! Ce salaud veut ma place et qui sait quoi encore, et nous devons nous débarrasser de lui.

– Que voulez-vous dire, nous débarrasser de lui? Il pourrait être d'une importance capitale pour le projet cérébro-chimique.

– Laissez tomber. C'est un désastre. Vous créez un super-Hitler!

Anderson assura, d'une douce voix angoissée :

– Les effets vont disparaître.

– Ah oui? Quand?

– Pour le moment, je ne sais pas trop.

– Dans ce cas, je ne peux pas courir de risques. Nous devons prendre nos dispositions et faire ça demain au plus tard. Nous ne pouvons attendre plus longtemps.

13

John était d'excellente humeur. L'attitude de Ross, qui l'évitait quand il le pouvait et lui parlait respectueusement quand il le devait, déteignait sur tout le personnel. Il y avait un changement bizarre et radical dans l'ordre hiérarchique, avec lui au sommet.

Et John ne pouvait nier qu'il s'en délectait. Il se prélassait. La marée montait à une incroyable rapidité. Il ne s'était passé que neuf jours depuis l'injection de désinhibiteur, et chacun de ses pas avait été un grand pas en avant.

Enfin, pas tellement. Il y avait eu la colère idiote de Susan contre lui, mais il s'occuperait d'elle plus tard. Quand elle verrait les sommets qu'il atteindrait dans neuf jours encore... dans quatre-vingt-dix jours...

Il leva les yeux. Ross était debout à côté de son bureau, attendant d'être remarqué mais n'osant être assez grossier pour attirer l'attention en s'éclaircissant la gorge. John pivota dans son fauteuil, allongea les jambes dans une attitude de détente et demanda :

– Eh bien, Ross?

– J'aimerais vous voir dans mon bureau, Heath, dit Ross avec déférence. Quelque chose d'important est survenu et, franchement, vous êtes le seul à pouvoir le régler.

John se leva lentement.

– Oui? Qu'est-ce que c'est?

Ross regarda autour de lui, dans la salle animée, où cinq hommes au moins étaient à portée de voix. Puis il tourna la tête vers la porte de son bureau et arrondit un bras en manière d'invitation.

John hésita; pendant des années Ross avait eu sur lui une autorité totale, et finalement il céda à la force de l'habitude, et le suivit.

Ross lui tint poliment la porte, entra et referma derrière lui en donnant discrètement un tour de clef; il y resta adossé. Anderson surgit de l'autre côté de la bibliothèque.

– Qu'est-ce que ça signifie? s'écria John.

– Rien du tout, Heath, répliqua Ross en retrouvant son sourire de loup. Nous allons simplement vous aider à sortir de votre état anormal, vous faire redevenir normal. Ne bougez pas, Heath.

Anderson avait une seringue à la main.

– Je vous en prie, Heath, ne vous débattez pas. Nous ne vous voulons pas de mal.

– Si je hurle...

– Si vous faites le moindre bruit, gronda Ross, je vous fais une de ces clefs dont vous me direz des nouvelles, et je la maintiendrai serrée jusqu'à ce que vous ayez les yeux qui sortent de la tête! Ça me ferait le plus grand plaisir, alors, s'il vous plaît, essayez de hurler.

– J'ai tout, sur vous, dit John, en sécurité dans un coffre de banque. Si jamais il m'arrive quelque chose...

– Monsieur Heath, il ne va rien vous arriver, affirma Anderson. Quelque chose va vous *dés*arriver. Nous allons vous remettre comme vous étiez.

Cela se serait passé, d'ailleurs, mais nous allons simplement accélérer le processus.

– Alors je vais vous tenir, Heath, dit Ross, et vous ne bougerez pas, parce que si vous bougez ça troublera notre ami à la seringue, il risque de faire un faux mouvement et de vous donner plus que la dose soigneusement calculée, et vous risquerez d'être incapable de vous rappeler quoi que ce soit.

Heath reculait, hors d'haleine.

– C'est ça que vous voulez. Vous croyez que, comme ça, vous ne risquerez rien. Si j'oublie tout de vous, tous les renseignements, toutes les données. Mais...

– Nous n'allons pas vous faire de mal, Heath, promit Anderson.

Le front de John luisait de sueur. Il était en proie à une espèce de paralysie.

– Un amnésique! dit-il d'une voix sourde avec une terreur que seul pouvait éprouver un homme qui avait une mémoire absolue.

– Vous ne vous rappellerez pas ça non plus, pas vrai? dit Ross. Allez-y, Anderson!

– Ma foi, marmonna Anderson avec résignation, je détruis un sujet d'expérience idéal.

Sur ce, il souleva le bras de John et approcha la seringue.

On frappa à la porte. Une voix claire appela :

– John?

Ross s'était tourné vers la porte. Puis il fit brusquement volte-face.

– Grouillez-vous de lui injecter le truc, doc!

– Johnny! Je sais que tu es là. J'ai appelé la police. Elle est en route.

Ross chuchota encore :

– Elle ment. Et d'abord, le temps que les flics

arrivent, ce sera fait. Qui peut prouver quelque chose?

Mais Anderson secouait vigoureusement la tête.

– C'est sa fiancée. Elle sait qu'il a été traité. Elle était là.

– Bougre d'imbécile!

Il y eut un bruit de coup de pied dans la porte, puis la voix reprit, étouffée :

– Lâchez-moi! Ils ont... Lâchez-moi!

– Il fallait qu'elle insiste, c'était le seul moyen pour qu'il accepte. D'ailleurs, je crois qu'il est inutile que nous fassions quelque chose, dit Anderson. Regardez-le.

John s'était écroulé dans un coin, le regard vitreux, visiblement dans un état de transe inconsciente.

– Il a été terrifié et cela peut provoquer un choc qui trouble la mémoire dans les conditions les plus normales. Je crois que le désinhibiteur a été combattu. Laissez-la entrer. Je lui parlerai.

14

Susan était livide, assise à côté de son ex-fiancé, un bras protecteur autour de ses épaules.

– Que s'est-il passé?

– Vous vous rappelez la piqûre de...

– Oui, oui. Que s'est-il passé?

– Il devait venir à notre bureau avant-hier, dimanche, pour un examen général. Il n'est pas venu. Nous nous sommes inquiétés et les rapports de ses supérieurs m'ont beaucoup perturbé. Il devenait arrogant, mégalomane, irascible... peut-être l'avez-vous remarqué. Vous ne portez plus votre bague de fiançailles.

– Nous... nous nous sommes disputés.

– Alors vous comprenez. Il était... eh bien, s'il avait été un engin inanimé, nous dirions que son moteur surchauffait alors qu'il allait de plus en plus vite. Ce matin, il nous a paru absolument indispensable de le soigner. Nous l'avons persuadé de venir ici, nous avons fermé la porte à clef et...

– Vous lui avez fait une piqûre pendant que je hurlais, là, dehors, et ruais dans la porte.

– Pas du tout, répondit Anderson. Nous lui aurions administré un sédatif mais il était trop tard. Il a fait ce que je ne puis appeler qu'une dépression. Vous pouvez l'examiner, vous ne trouverez aucune trace de piqûre récente, ce que vous pouvez faire sans aucune gêne, après tout, puisque vous êtes sa fiancée.

– Je verrai, dit Susan. Que se passe-t-il, maintenant?

– Je suis sûr qu'il va se remettre. Il sera comme avant.

– Désespérément moyen?

– Il n'aura plus de mémoire totale mais il n'en avait jamais eu, avant ces dix derniers jours. Naturellement, la compagnie lui accordera un congé de maladie illimité à plein salaire. Si des soins et un traitement sont nécessaires, tous les frais médicaux seront payés. Et, quand il en aura envie, il pourra reprendre son activité.

– Oui? Eh bien, je veux avoir tout cela par écrit avant la fin de la journée, sinon je vais voir mon avocat, demain.

– Mais, Miss Collins, vous savez que M. Heath était volontaire, protesta Anderson. Vous étiez consentante aussi.

– Je crois que vous savez parfaitement que la situation nous a été présentée sous un faux aspect, et que vous n'aimeriez pas du tout qu'il y ait une enquête. Alors veillez à mettre par écrit tout ce que vous venez de me promettre.

– Vous devrez, en échange, signer une déclaration nous rendant innocents de toute mésaventure dont votre fiancé aurait eu à souffrir.

– C'est possible. Je préfère voir d'abord quel genre de mésaventure ce sera. Tu peux marcher, Johnny ?

Il hocha la tête et murmura :

– Oui, Sue.

– Alors partons.

15

John dut absorber une tasse de bon café et une omelette avant que Susan autorise toute discussion. Cela fait, il demanda :

– Ce que je ne comprends pas, c'est comment tu t'es trouvée là ?

– Disons que c'était de l'intuition féminine.

– Disons l'intelligence de Susan.

– D'accord, disons ça ! Après t'avoir jeté la bague à la tête, je me suis apitoyée sur mon sort, puis je me suis mise en colère, et quand j'ai été calmée, j'ai éprouvé un chagrin très grave parce que, si bizarre que ça puisse paraître à une personne de bon sens moyen, j'ai une grande affection pour toi.

– Je regrette, Sue, dit John, humblement.

– Tu peux ! Dieu, que tu as été insupportable !

Après ça, j'ai réfléchi : si tu arrivais à me rendre furieuse, moi la pauvre fille qui t'aimait, qu'est-ce que tu devais être pour tes collègues! Et plus j'y pensais, plus je me disais qu'ils risquaient d'avoir une forte envie de te supprimer. Attention, ne te méprends pas. Je veux bien reconnaître que tu méritais la mort, mais seulement de ma main. Je ne songerais jamais à permettre à d'autres de le faire. Je n'avais plus de tes nouvelles...

— Je sais, Sue. J'avais des projets et je n'avais pas le temps...

— Tu devais tout faire en quinze jours. Je sais, idiot. Ce matin, je n'y tenais plus. Je suis allée là-bas pour savoir comment tu allais, et je t'ai trouvé derrière une porte verrouillée.

John frémit.

— Je n'aurais jamais cru que j'accueillerais avec joie tes cris et tes coups de pied, mais à ce moment-là, oui. Tu les as arrêtés.

— Est-ce que ça te troublera beaucoup d'en parler?

— Je ne crois pas. Je me sens bien.

— Alors que faisaient-ils?

— Ils allaient me ré-inhiber. Je craignais qu'ils ne me collent une surdose et ne me rendent amnésique.

— Pourquoi?

— Parce qu'ils savaient que je les tenais tous. Je pouvais tous les démolir et ruiner la compagnie.

— Tu le pouvais vraiment?

— Absolument.

— Mais ils ne t'ont pas fait la piqûre, n'est-ce pas? Ou est-ce encore un mensonge d'Anderson?

— Ils ne l'ont pas faite.

— Est-ce que tu vas bien?

— Je ne suis pas amnésique.

– Eh bien, je ne voudrais pas avoir l'air d'une demoiselle victorienne, mais j'espère que la leçon t'a servi.

– Si tu veux dire que je reconnais que tu avais raison, oui.

– Alors laisse-moi te sermonner pendant une minute, pour que tu n'oublies plus. Tu as tout fait trop rapidement, trop ouvertement, et sans aucun égard pour les réactions possibles des autres. Tu avais une mémoire absolue et tu l'as prise pour de l'intelligence. Si tu avais eu quelqu'un de véritablement intelligent pour te guider...

– J'avais besoin de toi, Sue.

– Eh bien tu m'as, à présent, Johnny.

– Que veux-tu faire, Sue ?

– D'abord, nous obtenons ce papier de Quantum et, comme tu vas bien, nous signons leur décharge. Deuxièmement, nous nous marions samedi, comme prévu. Troisièmement, nous verrons... mais, Johnny ?

– Oui ?

– Tu vas bien ?

– Je ne pourrais aller mieux, Sue. Maintenant que nous sommes ensemble, tout est merveilleux.

16

Ce ne fut pas un grand mariage. Moins grand qu'ils ne l'avaient initialement prévu, et avec moins d'invités. Il n'y avait personne de chez Quantum, par exemple. Susan avait fait observer, avec fermeté, que ce ne serait pas une bonne idée.

Un voisin de Susan avait apporté une caméra

vidéo pour enregistrer l'événement, John pensait que c'était le comble du « schlock », mais Susan l'avait voulu ainsi.

Et puis son voisin lui dit, avec un haussement d'épaules tragique :

– Peux pas arriver à mettre en marche le foutu bidule. Ils auraient pu m'en donner une en état de marche. Il va falloir que je téléphone.

Il repartit en courant vers la cabine téléphonique, à l'entrée de la chapelle.

John s'approcha pour examiner avec curiosité la caméra. Il y avait une brochure de mode d'emploi sur la petite table, à côté. Il la feuilleta, à une vitesse modérée, et la reposa. Il regarda autour de lui. Personne ne faisait attention à lui, tout le monde paraissait occupé.

Il fit glisser d'un côté le panneau arrière, discrètement, et regarda à l'intérieur. Puis il se redressa et contempla le mur d'un air songeur. Il le contemplait encore quand sa main droite glissa furtivement vers le mécanisme et procéda à un petit réglage. Au bout de quelques secondes, il remit le panneau en place et appuya sur le bouton.

L'homme revint alors, exaspéré.

– Comment pourrais-je suivre les instructions alors que je n'y com... Ah! C'est drôle. Elle marche. Elle devait être en marche, alors!

17

– Vous pouvez embrasser la mariée, dit le pasteur avec bienveillance, et John prit Susan dans ses bras pour obéir avec enthousiasme.

Susan chuchota sans remuer les lèvres :

— Tu as arrangé cette caméra. Pourquoi?

— Je voulais que tout fût parfait pour notre mariage, souffla-t-il.

— Tu voulais faire de l'épate.

Ils se séparèrent, se contemplèrent avec des yeux embués par l'amour, puis ils s'étreignirent de nouveau, follement, tandis que la petite foule s'agitait et pouffait.

— Si tu recommences, je t'écharpe, murmura Susan. Du moment que personne ne sait que tu l'as encore, personne ne nous arrêtera. Nous aurons tout d'ici à un an, si tu suis les instructions.

— Oui, ma chérie, chuchota John, humblement.

2388

Impression Brodard et Taupin
à La Flèche (Sarthe) le 16 mai 1988
6186-5 Dépôt légal mai 1988
ISBN 2-277-22388-3
Imprimé en France
Editions J'ai lu
27, rue Cassette, 75006 Paris
diffusion France et étranger : Flammarion